o privilégio
da servidão

COLEÇÃO
Mundo do Trabalho

AS NOVAS INFRAESTRUTURAS PRODUTIVAS: DIGITALIZAÇÃO DO TRABALHO, E-LOGÍSTICA E INDÚSTRIA 4.0
Ricardo Festi e Jörg Nowak (orgs.)

PETROBRAS E PETROLEIROS NA DITADURA TRABALHO, REPRESSÃO E RESISTÊNCIA
Luci Praun, Alex de Souza Ivo, Carlos Freitas, Claudia Costa, Julio Cesar Pereira de Carvalho, Márcia Costa Misi, Marcos de Almeida Matos

GÊNERO E TRABALHO NO BRASIL E NA FRANÇA
Alice Rangel de Paiva Abreu, Helena Hirata e Maria Rosa Lombardi (orgs.)

OS LABORATÓRIOS DO TRABALHO DIGITAL
Rafael Grohmann

AS ORIGENS DA SOCIOLOGIA DO TRABALHO
Ricardo Festi

PARA ALÉM DO CAPITAL E PARA ALÉM DO LEVIATÃ
István Mészáros

A PERDA DA RAZÃO SOCIAL DO TRABALHO
Maria da Graça Druck e Tânia Franco (orgs.)

SEM MAQUIAGEM: O TRABALHO DE UM MILHÃO DE REVENDEDORAS DE COSMÉTICOS
Ludmila Costhek Abílio

A SITUAÇÃO DA CLASSE TRABALHADORA NA INGLATERRA
Friedrich Engels

O SOLO MOVEDIÇO DA GLOBALIZAÇÃO
Thiago Aguiar

SUB-HUMANOS: O CAPITALISMO E A METAMORFOSE DA ESCRAVIDÃO
Tiago Muniz Cavalcanti

TEOREMA DA EXPROPRIAÇÃO CAPITALISTA
Klaus Dörre

UBERIZAÇÃO, TRABALHO DIGITAL E INDÚSTRIA 4.0
Ricardo Antunes (org.)

Veja a lista completa dos títulos em:
https://bit.ly/BoitempoMundodoTrabalho

Ricardo Antunes

o privilégio da servidão

o novo proletariado de serviços na era digital

© Boitempo, 2018, 2020

Direção editorial	Ivana Jinkings
Edição	Bibiana Leme
Coordenação de produção	Juliana Brandt
Assistência de produção	Lívia Viganó
Assistência editorial	Thaisa Burani e Pedro Davoglio
Preparação	Fábio Fujita e Carolina Mercês
Capa	Antonio Kehl
	(sobre "Reload", grafite de Levalet, Paris)
Diagramação	Crayon Editorial e Livia Campos

Equipe de apoio Artur Renzo, Camila Nakazone, Clarissa Bongiovanni, Débora Rodrigues, Dharla Soares, Elaine Ramos, Frederico Indiani, Heleni Andrade, Higor Alves, Isabella Marcatti, Ivam Oliveira, Joanes Sales, Kim Doria, Luciana Capelli, Marina Valeriano, Marlene Baptista, Maurício Barbosa, Raí Alves, Talita Lima, Thais Rimkus, Tulio Candiotto

---

CIP-BRASIL. CATALOGAÇÃO NA PUBLICAÇÃO
SINDICATO NACIONAL DOS EDITORES DE LIVROS, RJ

A644p
2. ed.

Antunes, Ricardo
  O privilégio da servidão : o novo proletariado de serviços na era digital / Ricardo Antunes. - 2. ed. - São Paulo : Boitempo, 2020.
  (Mundo do trabalho)

  Inclui bibliografia
  ISBN 978-85-7559-754-5

  1. Trabalho - Aspectos sociais. 2. Sociologia do trabalho. 3. Relações trabalhistas - Efeito das inovações tecnológicas. I. Título. II. Série.

20-62693   CDD: 306.36
                                                                        CDU: 316.334.22

Leandra Felix da Cruz Candido - Bibliotecária - CRB-7/6135

É vedada a reprodução de qualquer
parte deste livro sem a expressa autorização da editora.

1ª edição: maio de 2018
2ª edição: fevereiro de 2020; 3ª reimpressão: fevereiro de 2025

BOITEMPO
Jinkings Editores Associados Ltda.
Rua Pereira Leite, 373
05442-000 São Paulo SP
Tel.: (11) 3875-7250 / 3875-7285
editor@boitempoeditorial.com.br | boitempoeditorial.com.br
blogdaboitempo.com.br | youtube.com/tvboitempo

[...] para fazer o mesmo trabalho, e para quem cada dia era o mesmo de ontem e de amanhã, e cada ano o equivalente do próximo e do anterior.

Charles Dickens, *Tempos difíceis*

Só os acidentes de trabalho, quando trabalhavam para empresas que tinham seguro contra esse tipo de risco, davam-lhes o lazer [...].
O desemprego, que não era segurado, era o mais temido dos males. [...]
O trabalho [...] não era uma virtude, mas uma necessidade que, para permitir viver, levava à morte. [...]
Era [...] o privilégio da servidão.

Albert Camus, *O primeiro homem*

Há de haver algum lugar
Um confuso casarão
Onde os sonhos serão reais
E a vida não [...].

Chico Buarque e Edu Lobo, "A moça do sonho"

*Para István Mészáros
e Florestan Fernandes,
mestres, amigos, inspiradores.*

SUMÁRIO

NOTA À SEGUNDA EDIÇÃO 13
UMA NOTA PRÉVIA 15

**PARTE I – ENTRE A CORROSÃO E OS ESCOMBROS:
O ADVENTO DO PROLETARIADO DA ERA DIGITAL**

1 – FOTOGRAFIAS DO TRABALHO PRECÁRIO GLOBAL 21
2 – A EXPLOSÃO DO NOVO PROLETARIADO DE SERVIÇOS 27
    Rumo à precarização estrutural do trabalho 28
    O trabalho em serviços e seus novos significados 35
    Os serviços podem gerar mais-valor? 41
    O trabalho imaterial pode ser produtivo? 47
    Classe média ou novo proletariado de serviços? 55
    Entre a precarização e o precariado: estamos diante
    da constituição de uma nova classe? 58
3 – INFOPROLETARIADO, INFORMALIDADE, (I)MATERIALIDADE E VALOR:
O NOVO PROLETARIADO GLOBAL E SUAS PRINCIPAIS TENDÊNCIAS 69
    Um esboço para uma fenomenologia da informalidade 72
    A ponta do iceberg: a explosão dos trabalhadores imigrantes 76
    A dupla degradação: do trabalho taylorista-fordista
    ao da empresa flexível 79
    O advento do infoproletariado 82
    Trabalho, materialidade, imaterialidade e valor 85
4 – QUEM É A CLASSE TRABALHADORA HOJE? 91

5 – A SUBJETIVIDADE OPERÁRIA, AS REIFICAÇÕES INOCENTES E AS REIFICAÇÕES ESTRANHADAS.. 99
    A exteriorização do trabalho: alienação e estranhamento 99
    A expropriação do intelecto do trabalho 105

6 – TRABALHO UNO OU OMNI: A DIALÉTICA ENTRE O TRABALHO CONCRETO E O ABSTRATO.. 115
    Atividade vital e mercadoria especial 115
    Trabalho autônomo e novo modo de vida 117

PARTE II – A DEVASTAÇÃO DO TRABALHO CHEGA AO BRASIL (PRECARIZAÇÃO, TERCEIRIZAÇÃO E CRISE DO SINDICALISMO)

7 – A NOVA MORFOLOGIA DA CLASSE TRABALHADORA NO BRASIL RECENTE: OPERARIADO DA INDÚSTRIA, DO AGRONEGÓCIO E DOS SERVIÇOS.. 121
    A particularidade do capitalismo e a nova morfologia do trabalho no Brasil 121
    Fenomenologia da superexploração do trabalho 127

8 – A SOCIEDADE DOS ADOECIMENTOS NO TRABALHO...................... 141
    Trabalho e adoecimento no contexto da acumulação flexível 143
    A flexibilização como base do adoecimento.. 145
    Laços solidários rompidos: individualização e solidão no local de trabalho 147
    A gestão por metas.. 149
    O assédio como estratégia de gestão 152
    Terceirização: porta aberta para os acidentes e mortes no trabalho 153
    Resgatar o sentido de pertencimento de classe..................................... 155

9 – A PRECARIZAÇÃO DO TRABALHO COMO REGRA............................. 157
    A reestruturação produtiva global e a acumulação flexível................... 158
    A precarização do trabalho e a terceirização no Brasil: o que as pesquisas mostram 160
    O PL 4.330 ou PLC 30: a legalização da precarização do trabalho 168

10 – A SOCIEDADE DA TERCEIRIZAÇÃO TOTAL....................................... 173
    A luta pelo trabalho regulamentado 173
    A desfiguração do trabalho... 174
    A terceirização total e o novo vilipêndio 175

11 – PARA ONDE FOI O NOVO SINDICALISMO? CAMINHOS E DESCAMINHOS DE UMA PRÁTICA SINDICAL 183
    A ditadura militar e as origens do novo sindicalismo 184
    O novo sindicalismo e a década sindical 187
    A década neoliberal... 190
    Lula e o PT chegam ao poder: e a CUT, o que fazer?............................ 192

12 – DO SINDICALISMO DE CONFRONTO AO SINDICALISMO NEGOCIAL... 195
   A CUT: a emergência do confronto, o avanço do sindicalismo propositivo e o culto da negociação 197
   A Força Sindical: a pragmática neoliberal no interior do sindicalismo.... 208
   Rumo ao sindicalismo negocial de Estado? 215

PARTE III – A ERA DAS CONCILIAÇÕES, DAS REBELIÕES E DAS CONTRARREVOLUÇÕES

13 – DUAS ROTAS DO SOCIAL-LIBERALISMO EM DUAS NOTAS 221
   A rota original 221
   A rota surpreendente 225

14 – A FENOMENOLOGIA DA CRISE BRASILEIRA 231
   A construção do mito 231
   A corrosão do mito 234
   As práticas que fagocitaram o PT e seus governos 239
   O governo Dilma, as frações burguesas e as classes sociais 242
   Por onde recomeçar? 246

15 – AS REBELIÕES DE JUNHO DE 2013 249
   Uma explosão inesperada? 249
   O fim da letargia e o transbordamento dos múltiplos descontentamentos 250
   Um esboço de análise das revoltas populares 253
   Uma última nota (ou uma pequena digressão final) 256

16 – A ERA DAS REBELIÕES, DAS CONTRARREVOLUÇÕES E DO NOVO ESTADO DE EXCEÇÃO 259
   Uma nota de advertência necessária 259
   Da era das rebeliões à fase das contrarrevoluções 260
   Um vento de contestação 262
   A ofensiva da direita, a onda conservadora e o golpe de novo tipo 263
   Conclusão: um Estado de direito de exceção? 265

17 – A (DES)CONSTRUÇÃO DO TRABALHO NO BRASIL DO SÉCULO XXI... 269
   Entre o confronto e a pactuação 270
   O PT no governo 273
   A busca de uma nova base social de sustentação 277
   A política de empregos e a onda grevista 281
   O desfecho 284

18 – A DEVASTAÇÃO DO TRABALHO NA CONTRARREVOLUÇÃO PREVENTIVA: AS AFINIDADES DESTRUTIVAS DE TEMER E BOLSONARO 287
   Em que mundo do trabalho estamos inseridos? 287
   O governo Temer, a nova fase da contrarrevolução neoliberal e o desmonte da legislação social do trabalho 289

As eleições de 2018, a reorganização da extrema direita e
a vitória de Bolsonaro 293

Qual é o futuro do governo Bolsonaro? 297

PARTE IV – HÁ ALGUMA LUZ NO FIM DO TÚNEL?

19 – HÁ FUTURO PARA OS SINDICATOS? 303
    O enigma da CLT 303
    Ainda há espaço para os sindicatos? 306

**20 – HÁ FUTURO PARA O SOCIALISMO? POR UM NOVO MODO
DE VIDA NA AMÉRICA LATINA** 311
    A centralidade das lutas sociais 314
    Por um novo modo de vida 316

FONTES ORIGINAIS DOS CAPÍTULOS 319
REFERÊNCIAS BIBLIOGRÁFICAS 321

NOTA À SEGUNDA EDIÇÃO

O privilégio da servidão, livro publicado originalmente em maio de 2018 – e já contando com duas reimpressões desde então –, encontra agora sua segunda edição revista e ampliada. Nela, além de pequenas alterações (pelas quais agradecemos as indicações), escrevemos um tópico adicional – que finaliza o novo capítulo 18 –, em que procuramos oferecer alguns elementos explicativos para entender o real significado da vitória da extrema direita nas eleições de outubro de 2018 e suas consequências no mundo do trabalho.

E mais: quais são as primeiras ilações que podemos apresentar acerca das conformações mais gerais desse governo, que tanto reata com o trágico passado da ditadura militar quanto fortalece a inserção do Brasil na esteira da *contrarrevolução preventiva*, numa etapa de muito maior agressividade quando comparada à fase iniciada por Temer? A nada esdrúxula combinação entre autocracia tutelada e neoliberalismo exacerbado é, assim, expressão "natural" do governo Bolsonaro.

No universo do mundo do trabalho, seu primeiro ano de governo é de limpidez mais do que absoluta: trata-se da sujeição completa aos imperativos mais virulentos e destrutivos do capital e, por consequência, da devastação integral das forças sociais do trabalho.

Até quando?

Ricardo Antunes
janeiro de 2020

UMA NOTA PRÉVIA

Este livro é, em alguma medida, uma forma de resistência de nosso trabalho de pesquisa. O produtivismo acadêmico *desmedido* de nosso tempo – no qual para tudo *temos de ter metas*, no qual os *tempos não são mais os das ciências, mas os da razão instrumental* – nos empurra para uma quase asfixiante produção de artigos.

O livro, verdadeira preciosidade cuja história está umbilicalmente ligada à literatura, ao saber humano universal, ao avanço científico, tornou-se fora de moda para os organismos dominantes de mensuração acadêmica, ancorados em uma concepção cuja origem parece se encontrar nas ciências ditas exatas.

Orientadores viram coautores dos trabalhos que resultam do labor intelectual de seus alunos. Pesquisadores individualizados somam suas produções pela agregação de muitos nomes que nem sempre são efetivos coautores. O livro, então, conta cada vez menos para os órgãos de fomento à pesquisa, ainda que frequentemente seja muito, mas muito mais *valioso* do que artigos escritos a granel.

Mas, do mesmo modo que o *trabalho*, o *livro* resiste, especialmente para quem atua nas *ciências humanas*. Disse certa vez Octavio Ianni que *universidade* não rima com mercado, mas sim com *universalidade*. Isso talvez possa ajudar a ensejar alguma similitude entre o *livro* e o *artigo*.

O primeiro almeja ser mais duradouro e longevo, quiçá *universal*. O segundo, o *artigo*, por vezes mais próximo do *singular* ou do *particular*, uma vez contabilizado, tendencialmente (sempre falando aqui com o olhar das *ciências humanas*), tem menos chance de ir para a eternidade. O clássico texto de Freud, "O mal-estar na civilização", inicialmente concebido como artigo, é um feliz exemplo, excepcional mesmo, entre tantos outros, dessa segunda modalidade. *A ciência da lógica* de Hegel e *O capital* de Marx são exemplos grandiosos da primeira modalidade.

* * *

Expressão em alguma medida do *espírito do tempo* ao qual estamos nos referindo, *O privilégio da servidão* foi concebido, desde o início, em sua completa singeleza, para enfeixar um conjunto de artigos, alguns inéditos, outros publicados em revistas acadêmicas no Brasil e no exterior. Todos eles, entretanto, sofreram alterações *bastante significativas*, tendo sido em muitos casos quase que *inteiramente reescritos*, de modo a caber na *forma de livro* que se pretendeu dar a este volume.

Sua adaptação a essa *forma* é também, vale acrescentar, em alguma medida uma expressão de recusa, para que nosso modesto *labor intelectual* não se perca na pura contabilidade *produtivista*. Para chegar a essa formatação, foram feitas muitas adaptações em suas versões originais, sobretudo a fim de imprimir alguma sequência e sistematicidade aos "capítulos" que a compõem. Fica a esperança de que este livro possa, de algum modo, ter condensado positivamente estudos feitos nos últimos anos e, ao fazê-lo, possibilite uma visão de conjunto, de um *todo* composto por *partes*, algumas mais teóricas e analíticas, outras pautadas pela imediatidade dos acontecimentos. Todas elas estão, entretanto, *enfeixadas pela tragédia social na qual o trabalho está enveredando*.

Assim, o livro foi concebido em quatro partes.

Na parte I, o eixo é compreender os múltiplos, complexos e contraditórios movimentos que estão presentes no mundo do trabalho hoje, em amplitude global. Se no capítulo 1 apresentamos uma fotografia do proletariado precarizado global em vários quadrantes do mundo, é particularmente no capítulo 2, com o título "A explosão do novo proletariado de serviços", que se encontra o *fio condutor* deste livro, uma vez que apresenta, pela primeira vez, as nossas principais conclusões acerca do que é *novo nesse proletariado de serviços*.

Indagamos essencialmente se ele é ou não partícipe da *criação de valor na sociedade contemporânea* e como se diferencia da classificação que comumente lhe é atribuída, a de pertencer à classe média. Pergunta crucial que nos permitiu, ao longo dos capítulos seguintes, falar de forma mais sólida em um *novo contingente operário* que aflora na era do trabalho digital, on-line e, não raro, também *intermitente*.

No capítulo 3, procuramos demonstrar como a informalidade e a (i)materialidade são partes constitutivas da criação de riqueza e de valor, de que são exemplos os *infoproletários* ou os *ciberproletários*. O capítulo 4 sintetiza analiticamente nossa concepção de *o que é a classe trabalhadora hoje*, enquanto o capítulo 5 trata de como as subjetividades que vivenciam seu cotidiano no espaço do trabalho expressam suas reificações e seus estranhamentos. O capítulo 6 recupera, então, analiticamente, os distintos e até mesmo contraditórios significados que compreendem a *dialética do trabalho*, que oscila entre o *uno* e o *omni*.

A parte II é voltada para uma tentativa de intelecção da concretude brasileira e dos *vaivéns* do trabalho, em que o *desmonte* predomina sobre a *proteção*. Qual é a *nova morfologia do trabalho* no Brasil, como se desenha o novo operariado, quais têm sido seus principais vilipêndios, é disso que se trata nessa parte. Os adoecimentos, padecimentos, precarizações, terceirizações, desregulamentações, assédios parecem se tornar mais a *regra* do que a *exceção*.

E como vêm reagindo os sindicatos face a esse cenário devastador? O que aconteceu com o "novo sindicalismo"? Quais foram seus caminhos e descaminhos? O que levou à sua mutação, de um *sindicalismo confrontacional* para outro, de perfil mais *negocial*?

A parte III é aquela mais acentuadamente *conjuntural* e *política*. Ela procura, no calor dos acontecimentos, apresentar uma *fenomenologia da crise brasileira*, começando pela sua fase supostamente auspiciosa, que aflora com a vitória de Lula em 2002. Procura também compreender seus movimentos, suas ações, seus atos e seus *transformismos*. Persegue-os até a eclosão das *rebeliões de 2013*, que tiveram componentes profundamente inusitados, mas não de todo surpreendentes. Indaga ainda acerca dos movimentos causais que levaram ao *impeachment* de Dilma e ao *golpe parlamentar* que instaurou uma *contrarrevolução preventiva*, aquela deflagrada mesmo quando não há risco nenhum de *revolução*.

Com Temer no comando, começavam a deslanchar a *devastação* e o abandono da totalidade dos direitos sociais e trabalhistas conquistados pela classe trabalhadora brasileira, desde a Abolição até a Constituição de 1988, bem como o derrogamento da Consolidação das Leis do Trabalho (CLT), impostos pelo empresariado escravocrata com sua conhecida desfaçatez e consubstanciados pelo Congresso mais abjeto de toda a nossa história republicana. Dessa processualidade vem resultando uma desconstrução sem precedentes na história recente do trabalho no Brasil. Nesses capítulos de *conjuntura*, procuramos preservar a escrita original, uma vez que tratavam de temas e questões candentes, do dia a dia. Isso porque eles foram concebidos como resposta a momentos de crise profunda *em curso*. As alterações que lhes foram feitas visaram, apenas, inseri--los do melhor modo possível na sequência dos demais capítulos. A nova edição acrescenta ao livro um item que procura indicar algumas causas e significados da vitória da extrema direita nas eleições de outubro de 2018, mostrando como esse episódio político consolidou a nova fase da *contrarrevolução preventiva*, agora eivada de um claro sentido autocrático, forte tutela militar e vários componentes fascistizantes, presentes com frequência no discurso e na prática do ex-militar eleito.

A parte IV interroga se há alguma luz no fim do túnel. Se o cenário de nossos dias assemelha-se em alguma medida à *era das trevas*, um olhar atento permite visualizar que muito recentemente, poucos anos atrás, vivemos algo que parecia ser o seu exato oposto. Foi quando adentramos explosivamente em uma *era das rebeliões*. Da Grécia aos Estados Unidos, da Inglaterra à Espanha, da Tunísia ao Egito, da França a Portugal, *tudo que tinha aparência de solidez parecia estar desmanchando*. Mas aquela *era das rebeliões* não pôde se converter em uma *era das revoluções*. Ela se metamorfoseou no seu contrário e presenciamos uma profunda regressão social em escala planetária. Quem poderá dizer, então, que o sistema de metabolismo social do capital, com sua *era das contrarrevoluções*, é o fim da história?

Tenho ainda de acrescentar, nesta nota prévia, que alguns dos textos aqui publicados foram escritos *efetivamente* em coautoria, a *quatro mãos*, como se dizia em outros tempos[1]. A todos os coautores agradeço generosamente. Para o conjunto da obra, entretanto, é imperioso dizer que as responsabilidades e os tantos equívocos não os posso dividir.

Por fim, este livro se insere diretamente em nosso projeto de pesquisa, que conta com o apoio do CNPq e que tem a temática do *trabalho* como *fio condutor*. Ao CNPq, então, deixamos registrados nossos agradecimentos. A ajuda de Luci, Caio e Festi foi decisiva para que ele pudesse ser finalizado.

Campinas, janeiro de 2020

---

[1] Para mais detalhes, ver "Fontes originais dos capítulos", à p. 319 deste volume.

I

ENTRE A CORROSÃO E OS ESCOMBROS: O ADVENTO DO PROLETARIADO DA ERA DIGITAL

Capítulo 1

FOTOGRAFIAS DO TRABALHO
PRECÁRIO GLOBAL

Nas últimas décadas do século passado, floresceram muitos mitos acerca do trabalho. Com o avanço das tecnologias da informação e comunicação (TICs) não foram poucos os que acreditaram que uma nova era de felicidade se iniciava: trabalho on-line, digital, era informacional, finalmente adentrávamos no reino da felicidade. O capital global só precisava de um novo maquinário, então descoberto.

O mundo do labor enfim superava sua dimensão de sofrimento. A sociedade digitalizada e tecnologizada nos levaria ao paraíso, sem *tripalium* e quiçá até mesmo *sem trabalho*. O mito eurocêntrico, que aqui foi repetido sem mediação e com pouca reflexão, parecia finalmente florescer.

Mas sabemos que o mundo *real* é muito diverso do seu desenho *ideal*. Os filmes excepcionais que comentaremos desmoronam os mitos da sociedade do tempo livre no capitalismo atual, ao mesmo tempo que apresentam um mosaico do mundo do trabalho real que hoje se expande em escala planetária[1].

Se o universo do trabalho on-line e digital não para de se expandir em todos os cantos do mundo, é vital recordar também que o

---

[1] São eles: *Behemoth*, de Zhao Liang (China/França, 2015); *Machines*, de Rahul Jain (Índia/Alemanha/Finlândia, 2016); *Consumed*, de Richard Seymour (Grã--Bretanha, 2016); *Brumaire*, de Joseph Gordillo (França, 2015); *What We Have Made*, de Fanny Tondre (França, 2016); *Factory Complex*, de Im Heung-soon (Coreia do Sul, 2015). Foram apresentados na 6ª Mostra Ecofalante de Cinema Ambiental, em 2017.

primeiro passo para se chegar ao smartphone e a seus assemelhados começa com a extração de minério, sem o qual os ditos cujos não podem ser produzidos. E as minas de carvão mineral na China e em tantos outros países, especialmente do Sul, mostram que o *ponto de partida* do trabalho digital se encontra no duro ofício realizado pelos mineiros. Da extração até sua ebulição, assim caminha o trabalho no inferno mineral.

É justamente esse o tema de *Behemoth*, dirigido por Zhao Liang, um filme devastador. Do formigueiro composto pelos caminhões adentrando as minas até o trabalho sob temperatura mais que desertificada, *Behemoth* mostra como as minas são uma verdadeira *sucursal do inferno*. Acidentes, contaminação, devastação do corpo produtivo, mortes, tudo isso ocorre na sociedade dos que imaginaram que as tecnologias da informação eliminariam o trabalho mutilador.

A metáfora de Zhao Liang é a de que a China das grandes corporações globais não existe sem o trabalho brutal e manual em seus rincões e grotões. Ainda que tenha cidades fantasmas...

Consumed, de Richard Seymour, segue esse mesmo percurso. Começa com o trabalho nas minas, passa pelo setor têxtil, avança para o espaço da produção digital, não sem mostrar o vilipêndio do trabalho imigrante, esse expressivo segmento do proletariado global que é, simultânea e contraditoriamente, tão imprescindível quanto supérfluo para o sistema do capital.

Mas, se o mundo do trabalho digital começa no universo mineral, também na planta produtiva automatizada dos celulares e microeletrônicos viceja a exploração intensificada do labor. Não é por acaso que o primeiro-ministro da Índia Narendra Modi propôs, pouco tempo atrás, aquele que deve ser o slogan do segundo gigante do Oriente: assim como a China se celebrizou pelo *Made in China*, a Índia deve fazê-lo pelo *Make in India*, uma vez que a exploração do trabalho do operariado chinês é café-pequeno diante do vilipêndio da superexploração no país das classes e das castas, dos bilionários e dos mais que miseráveis.

É esse o mote do explosivo *Machines*, de Rahul Jain, que nos oferece uma fotografia direta do mundo também infernal do trabalho nas indústrias de tingimento de tecidos, onde homens, mulheres e crianças laboram diuturnamente para dar concretude ao *Make in India*. Jornadas de doze horas ou mais, turnos infindáveis, locais de trabalho degradantes e distâncias imensas a serem percorridas entre casa e trabalho. Esse é o cotidiano vivenciado pelo povo indiano *que consegue trabalho*. Na outra ponta, um patronato invisível, mas que sabe comandar seus negócios com controle evidente, através de panópticos televisivos. Tudo isso e muito mais aparece na peça primorosa de Rahul Jain.

O operário que carrega galões de 220 quilos e diz que seu trabalho é também um *exercício intelectual, cerebral*, o banho para lavar a sujeira diária das tintas, as mãos devastadas pelo calor das caldeiras, os corpos que são tragados pelas máquinas, as múltiplas formas de resistência e rebeldia do trabalho, assim como a repressão do empresariado selvagem (que sempre quer saber "quem é o líder?"), tudo isso aparece de forma dura e esplêndida em *Machines*.

E, já que estamos falando do mundo asiático, *Factory Complex*, de Im Heung-soon, da Coreia do Sul, é também um primor. O mundo do trabalho feminino nos é apresentado em seu modo afetivo, delicado, qualificado, explosivo, forte, indignado. As opressões vão, uma a uma, sendo enfileiradas: demissões, humilhações, condições sub-humanas, resistências, tanto individuais quanto coletivas.

O mito do trabalho na Samsung, com seus adoecimentos e contaminações, é agudamente denunciado: nos assédios, nos baixos salários, na superexploração e, sempre, na forte repressão.

As dificuldades para organizar sindicatos, o acontecimento das lutas das mulheres terceirizadas, suas greves, seus confrontos, como o May Day, dia de luta para denunciar suas condições nefastas de trabalho, a virulência policial, os abusos, os vilipêndios. Mas também as flores na vitória!

As transversalidades entre classe, gênero, etnia, geração, tudo aparece nas *complexas fábricas*. Nos call-centers, na indústria de alimentos (corte de aves), na indústria têxtil, nos hipermercados. As tantas cenas presentes no universo feminino fazem desmoronar o mito dos trabalhos brandos, tecnologizados, assépticos.

Mas que não se pense que essa seja uma realidade só do Oriente, do mundo asiático. Nada disso. Embora na *(nova?) divisão internacional do trabalho* a indústria considerada "limpa" esteja preferencialmente no Norte do mundo e a indústria "suja", poluidora e ainda mais destrutiva, se encontre centralmente no Sul, a globalização nos leva a constatar que, assim como o Norte se esparrama pelo Sul, este também invade o centro do capitalismo tido como desenvolvido. Tudo fica muito combinado, ainda que de modo desigual.

What We Have Made, de Fanny Tondre, é um exemplo preciso disso, ao apresentar a realidade do trabalho na indústria da construção civil na França. Através de cenas e depoimentos, a sensibilidade do trabalho vai transbordando. Tragédias, esperanças, expectativas, solidariedade, amizade, tudo isso aparece no mundo do trabalho duro, violento e perigoso da construção civil. Usando e abusando da exploração dos imigrantes.

Chuva, tempestade, concretagem, acidentes. As cenas se sequenciam, mostrando como esse ramo combina o receituário taylorista do *trabalho prescrito* com a pragmática do *envolvimento e da manipulação* que herdamos do toyotismo. Do primeiro, o taylorismo, vemos a preservação do despotismo. Do segundo, o toyotismo, o exercício de fazer um pouco de tudo no trabalho, o que, além de aumentar a exploração, amplia os riscos de acidentes em um setor no qual eles já ocorrem com intensidade.

Brumaire, de Joseph Gordillo, enfeixa o ciclo com um paralelismo também emblemático: reconstitui a história do trabalho, por meio de depoimentos de mineiros, em uma derradeira mina de carvão na França, que teve suas atividades encerradas. Apresenta também a história de uma jovem trabalhadora, filha de um operário da mineração, funcionária no setor de serviços em uma empresa de limpeza.

A dupla face do trabalho é exposta, com suas diferenças marcantes, configurando as tantas heterogeneidades e fragmentações que povoam a *classe-que-vive-do-trabalho* em sua *nova morfologia* hoje. A dos mineiros, quase todos homens, com suas histórias, seus combates, suas solidariedades, seus medos, riscos, adoecimentos. E a de uma jovem trabalhadora que vivencia o trabalho fragmentado, separado, individualizado, sem passado, sem projeto para o futuro, oferecendo uma bela pintura do passado europeu e sua nostalgia e do futuro nebuloso desse novo proletariado de serviços.

A vida na mina é uma vivência em uma *cidade submersa*. A escuridão, o risco de desmoronamento, o barulho repetitivo do subsolo que não tem lua nem sol, somente luzes artificiais. (Um parêntese: uma única vez eu entrei, como sociólogo do trabalho, em uma mina de carvão, na cidade de Criciúma, em Santa Catarina. Lá embaixo, não via a hora de voltar para o mundo visível e plano. O pavor inicial é quase asfixiante.)

A condição de mineiro, relata um dos depoentes, marca indelevelmente todas as *outras* dimensões de sua vida: a social, a familiar, a cultural, a política. A transmissão do *savoir-faire* de uma geração a outra, a solidão com o fechamento da mina, as lutas e conquistas obtidas. Com a aposentadoria ou o fim do trabalho na mina vêm a nostalgia, o desencanto.

A globalização levou fatalmente ao fechamento da última mina de carvão na França, diz o depoimento do operário da mineração. Na atual divisão internacional do trabalho, a extração passou a ser feita quase que exclusivamente no Sul do mundo, na Colômbia, no Chile, na Venezuela, na China, no Congo, na África do Sul etc.

Outro depoimento operário é cáustico: nesses países periféricos, os mineiros trabalham muito mais e ganham menos. Se um dia a mina voltar para a França, acrescenta, será sob o controle da China... A nostalgia em relação ao passado e o desencanto quanto ao presente se encontram.

No outro polo do mundo do trabalho, a jovem trabalhadora, filha de um mineiro, recorda o passado de lutas do pai e reflete sobre seu presente de isolamento no serviço de limpeza: o trabalho individualizado, dessociabilizado, sem a convivência com outros trabalhadores e trabalhadoras. O novo proletariado de serviços aparece nesse personagem como descrente em relação ao futuro, resignado e ao mesmo tempo descontente quanto ao presente. O traço de pessimismo aflora através da cena muito típica no capitalismo do Norte.

Minas e escritórios, trabalho "sujo" e trabalho "limpo", trabalho coletivo e labor invisibilizado, ontem e hoje, esses dois mundos parecem desconectados. A jovem se recorda do pai e de suas lutas, que não vê no *seu* presente. No tempo livre, cuida da casa. É uma jovem *proletária* do setor de serviços sem a possibilidade de constituir uma *prole*, pois sua insegurança no emprego não incentiva a vida reprodutiva.

A instabilidade e a insegurança são traços constitutivos dessas novas modalidades de trabalho. Vide a experiência britânica do *zero hour contract* [contrato de zero hora], o novo sonho do empresariado global. Trata-se de uma espécie de trabalho sem contrato, no qual não há previsibilidade de horas a cumprir nem direitos assegurados. Quando há demanda, basta uma chamada e os trabalhadores e as trabalhadoras devem estar on-line para atender o trabalho intermitente. As corporações se aproveitam: expande-se a "uberização", amplia-se a "pejotização"[2], florescendo uma nova modalidade de trabalho: o *escravo digital*. Tudo isso para disfarçar o assalariamento.

Apesar de defender a "responsabilidade social e ambiental", incontáveis corporações praticam mesmo a informalidade ampliada, a flexibilizadade desmedida, a precarização acentuada e a destruição cronometrada da natureza. A exceção vai se tornando regra geral. Aqui e alhures.

Ficam muitas indagações a que *O privilégio da servidão* procura oferecer respostas. Que estranho mito foi esse do fim do trabalho dentro do capitalismo? Terá sido um sonho eurocêntrico? Por que o labor humano tem sido, predominantemente, espaço de sujeição, sofrimento, desumanização e precarização, numa era em que muitos imaginavam uma proximidade celestial? E mais: por que, apesar de tudo isso, o trabalho carrega consigo coágulos de sociabilidade, tece laços de solidariedade, oferece impulsão para a rebeldia e anseio pela emancipação?

---

[2] Trata-se de referência à pessoa jurídica (PJ), que é falsamente apresentada como "trabalho autônomo" visando mascarar relações de assalariamento efetivamente existentes e, desse modo, burlar direitos trabalhistas.

Capítulo 2

A EXPLOSÃO DO NOVO PROLETARIADO DE SERVIÇOS

Em pleno século XXI, mais do que nunca, bilhões de homens e mulheres dependem de forma exclusiva do trabalho para sobreviver e encontram, cada vez mais, situações instáveis, precárias, ou vivenciam diretamente o flagelo do desemprego. Isto é, ao mesmo tempo que se amplia o contingente de trabalhadores e trabalhadoras[1] em escala global, há uma redução imensa dos empregos; aqueles que se mantêm empregados presenciam a corrosão dos seus direitos sociais e a erosão de suas conquistas históricas, consequência da lógica destrutiva do capital que, conforme expulsa centenas de milhões de homens e mulheres do mundo produtivo (em sentido amplo), recria, nos mais distantes e longínquos espaços, novas modalidades de trabalho informal, intermitente, precarizado, "flexível", depauperando ainda mais os níveis de remuneração daqueles que se mantêm trabalhando.

Mas, contra a equivocada tese da *finitude do trabalho*, nosso desafio primeiro é compreender o trabalho em sua *forma de ser* contraditória: mesmo quando é marcado de modo predominante por traços de alienação e estranhamento, ele expressa também, em alguma medida, coágulos de *sociabilidade* que são perceptíveis particularmente quando comparamos a vida de homens e mulheres que trabalham com a daqueles que se encontram desempregados.

---

[1] Dada a clara divisão sociossexual do trabalho, frequentemente desigual e diferenciada, neste livro a noção de trabalhadores e de classe trabalhadora contemplará sempre sua dimensão de gênero, como *trabalhadores* e *trabalhadoras*.

Ao contrário da *unilateralização* presente tanto nas teses que procuraram *desconstruir* o trabalho quanto naquelas que fazem seu *culto acrítico*, sabemos que, na longa história da atividade humana, em sua incessante luta pela sobrevivência e *felicidade social* (presente já na reivindicação do *cartismo*, na Inglaterra do século XIX), o *trabalho* é também uma *atividade vital* e *omnilateral*. Mas, quando a vida humana se resume *exclusivamente ao trabalho* – como muitas vezes ocorre no mundo capitalista e em sua *sociedade do trabalho abstrato* –, ela se converte em um mundo penoso, *alienante, aprisionado e unilateralizado*. É aqui que emerge uma constatação central: se por um lado necessitamos do trabalho humano e de seu potencial emancipador e transformador, por outro devemos recusar o trabalho que explora, aliena e infelicita o ser social, tal como o conhecemos sob a vigência e o comando do *trabalho abstrato*.

Isso porque o *sentido do trabalho* que estrutura o capital (o *trabalho abstrato*) é desestruturante para a humanidade, enquanto seu polo oposto, o *trabalho* que tem sentido estruturante para a humanidade (o *trabalho concreto* que cria bens socialmente úteis), torna-se potencialmente desestruturante para o capital. Aqui reside a *dialética espetacular do trabalho*, que muitos de seus críticos foram incapazes de compreender.

Mas é essa processualidade contraditória, presente no ato de trabalhar, que *emancipa e aliena, humaniza e sujeita, libera e escraviza*, que (re)converte o estudo do trabalho humano em questão crucial de nosso mundo e de nossa vida. Neste conturbado século XXI, o desafio maior é dar *sentido autoconstituinte ao trabalho humano* de modo a tornar a nossa *vida fora do trabalho* também *dotada de sentido*. Construir, portanto, um *novo modo de vida* a partir de um *novo mundo do trabalho*, para além dos constrangimentos impostos pelo sistema de metabolismo social do capital, para recordar Mészáros[2], é um imperativo vital.

Quando se procura apreender as novas dimensões do mundo do trabalho observando suas particularidades, mas com um olhar especial para o universo laborativo dos serviços, quais tendências têm se apresentado como principais?

Rumo à precarização estrutural do trabalho

Há algumas décadas, em meados dos anos 1980, ganhou força explicativa a tese de que a classe trabalhadora estava em franca retração em escala global. Com Estados Unidos e Europa à frente, a ideia de um capitalismo maquínico e sem trabalho se expandia e mesmo

---

[2] István Mészáros, *Para além do capital: rumo a uma teoria da transição* (São Paulo, Boitempo, 2002).

se consolidava, conseguindo ampla adesão no universo acadêmico, sindical e político em várias partes do mundo. Movida quase que exclusivamente pela técnica, pelo mundo maquínico-informacional--digital, a classe trabalhadora estaria em fase terminal.

O mundo real, entretanto, contraditou essa propositura. Se a ideia era no mínimo bastante problemática nos países do Norte, como deixar de considerar o monumental contingente de trabalho existente no Sul, em especial em países como a China, a Índia e tantos outros asiáticos de industrialização recente? Ou ainda no Brasil, no México, entre tantos outros exemplos latino-americanos dotados de grande contingente de força de trabalho? Ou na África do Sul, com sua simbiose explosiva entre classe e raça/etnia?

Se parece evidente que a produção de mercadorias, em sentido amplo, vem se metamorfoseando significativamente a partir da introdução do universo informacional-digital, seria plausível, então, conceber a possibilidade concreta de um capitalismo sem trabalho humano, desprovido de trabalho vivo? E, mais, seria ainda possível *equalizar* países com realidades tão díspares, borrando as mais diferenciadas formas pelas quais se apresenta a divisão internacional do trabalho, com agudas consequências na *nova morfologia do trabalho*?

O privilégio da servidão dá continuidade à nossa pesquisa buscando compreender a *nova morfologia do trabalho*, procurando assim contraditar o núcleo conceitual dessas propositura, oferecendo uma melhor intelecção dessa problemática, objetivando uma compreensão efetiva de *quem é a classe trabalhadora hoje*, resultado de um monumental processo de profundas transformações desencadeadas desde os primórdios dos anos 1970 nos países centrais e sobretudo desde meados da década de 1980 nos países do Sul.

Apesar de parecer que o proletariado industrial, herdeiro da era taylorista e fordista, vem se reduzindo em várias partes do mundo capitalista central, há também uma forte *contratendência*, dada pela expansão exponencial de novos contingentes de trabalhadores e trabalhadoras, especialmente no setor de serviços, mas também na agroindústria e na indústria, ainda que de modo diferenciado em vários países do Sul, de que são exemplos os casos da China, da Índia, da Coreia, do Brasil, do México, da África do Sul etc.

A China merece uma nota especial. Lá encontramos, neste início do século XXI, altas taxas de greves, uma vez que as engrenagens do capitalismo das transnacionais estão levando ao extremo os níveis de superexploração da classe trabalhadora. As causas são várias, e o exemplo da Foxconn é elucidativo. Fábrica do setor de informática e das tecnologias da comunicação, a Foxconn é um exemplo de *electronic contract manufacturing* (ECM), modelo de empresa terceirizada responsável pela montagem de produtos eletrônicos para Apple,

Nokia, entre várias outras transnacionais. Em sua unidade de Longhua (Shenzhen), onde são fabricados os iPhones, ampliaram-se desde 2010 os suicídios de trabalhadores, em sua maioria denunciando a intensa exploração do trabalho ao qual estão submetidos[3].

Se por um lado esse padrão chinês de exploração do trabalho, presente em tantas outras unidades produtivas do país, vem se configurando como uma tendência agressiva de exploração em escala ampliada, por outro sinaliza que muitas das lutas sociais e das greves recentes lá gestadas encontram suas origens nessas precárias condições. As causas do relativo aumento da média salarial da classe trabalhadora na China, nesse último período, não foram outras senão resultado das inúmeras greves e ações de resistência desencadeadas pelo operariado chinês.

Segundo a organização Students and Scholars Against Corporate Misbehaviour (Sacom), os operários da Foxconn trabalhavam, em 2010, doze horas por dia em média, recebendo salários aviltantes. Os estudos de Pun Ngai, Jenny Chan e Mark Selden[4] nos mostram que a tragédia da Foxconn foi de tal intensidade que, nos primeiros oito meses daquele ano, 17 jovens trabalhadores entre 17 e 25 anos tentaram suicídio, dos quais 13 morreram[5]. Segundo os autores, o triunfo comercial da Apple reside, em grande parte, na terceirização da produção de seus eletrônicos para a Ásia (e para a Foxconn em particular), que, apenas na China, empregava naquele período cerca de 1,4 milhão de trabalhadores[6]. Lembram ainda que, desde o final dos anos 1970, a China estabeleceu zonas econômicas especiais para atrair capital estrangeiro, o que levou a Apple a buscar essas grandes empresas de terceirização a fim de reduzir custos e ampliar mercados. Vale recordar também que a Foxconn não só possuía complexos fabris em Shenzhen, mas em mais de quinze províncias por todo o país. Acrescentam ainda os autores, citando informações da própria Apple, que substancialmente *todos os produtos de hardware da*

---

[3] Pun Ngai, Jenny Chan e Mark Selden, "The Politics of Global Production: Apple, Foxconn and China's New Working Class", *The Asia Pacific Journal: Japan Focus*, ed. 32, v. 11, n. 2, ago. 2013; disponível em: <http://www.japanfocus.org/-Jenny-Chan/3981>; acesso em: 20 ago. 2014.

[4] Idem.

[5] Ver também Pun Ngai e Jenny Chan, "The Advent of Capital Expansion in China: a Case Study of Foxconn Production and the Impacts on its Workers", 2012; disponível em: <http://rdln.files.wordpress.com/2012/01/pun-ngai_chan-jenny_on-foxconn.pdf>; acesso em: 20 ago. 2014; Pun Ngai, Chris King-Chi Chan e Jenny Chan, "The Role of the State, Labour Policy and Migrant Workers Struggles in Globalized China", *Global Labour Journal*, v. 1, n. 1, 2010; disponível em: <http://sacom.hk/wp-content/uploads/2013/07/2010GlobalLaborJournal-PN.CC.JC_.pdf>; acesso em: 26 dez. 2017.

[6] Pun Ngai, Jenny Chan e Mark Selden, "The Politics of Global Production", cit.

companhia são manufaturados por parceiros terceirizados localizados principalmente na Ásia[7].

Nessa forte impulsão à terceirização em escala global, sempre segundo a obra citada de Ngai, Chan e Selden, os fornecedores de eletrônicos são impelidos a competir uns contra os outros visando atender tanto as rigorosas especificações de preço quanto a qualidade do produto e o tempo de produção, o que acaba gerando pressões salariais e riscos à saúde dos trabalhadores. Essas fortes pressões salariais e condições árduas de trabalho provocaram, em julho de 2009, um suicídio. Na ocasião, um jovem operário de nome Sun Danyong, com 25 anos de idade, foi apontado como responsável pela perda de um dos protótipos do iPhone 4. Por causa disso, atirou-se do 12º andar da Foxconn.

Desde então, várias manifestações de descontentamento e também várias greves vêm ocorrendo, como forma de denúncia da superexploração e intensificação do trabalho vigente na empresa global terceirizada de capital originário de Taiwan. Ainda segundo Ngai, Chan e Selden, as greves e manifestações de revolta na Foxconn formam um espectro mais amplo de ações do trabalho por toda a parte na China ao longo das últimas décadas. Com a ampliação das plantas produtivas da Foxconn em outras cidades da China (no Brasil, também há uma unidade), houve novos suicídios, ainda que em menor escala, nos anos seguintes, como os três casos denunciados na unidade de Zhengzhou em 2013.

No Japão, cujo capitalismo de tipo toyotista inspirou os países ocidentais, as figuras dos jovens operários (decasséguis) que migram em busca de trabalho nas cidades e dormem em cápsulas de vidro são emblemáticas, como também o são as ocorrências mais recentes, em Tóquio, de jovens trabalhadores sem-casa, subempregados ou desempregados, que procuram refúgio noturno em cibercafés – sendo, por isso, denominados ciber-refugiados –, buscando encontrar algum trabalho ao mesmo tempo que descansam e interagem virtualmente[8]. Eles se somam às diversas expressões, na ponta mais precarizada, do que Ursula Huws[9] designou como *cibertariado*, do *infoproletariado*[10], ou ainda dos *intermitentes globais*.

---

[7] Idem.

[8] Mariana Shinohara Roncato, *Dekassegui, ciber-refugiado e working poor: o trabalho imigrante e o lugar do outro na sociedade de classes* (dissertação de mestrado em Sociologia, Campinas, Instituto de Filosofia e Ciências Humanas, Unicamp, 2013).

[9] Ursula Huws, *Labor in the Global Digital Economy: The Cybertariat Comes of Age* (Londres, Merlin, 2014).

[10] Ricardo Antunes e Ruy Braga (orgs.), *Infoproletários: degradação real do trabalho virtual* (São Paulo, Boitempo, 2009).

Ao contrário da eliminação completa do trabalho pelo maquinário informacional-digital, estamos presenciando o advento e a expansão monumental do *novo proletariado da era digital*, cujos trabalhos, mais ou menos intermitentes, mais ou menos constantes, ganharam novo impulso com as TICs, que conectam, pelos celulares, as mais distintas modalidades de trabalho. Portanto, em vez do *fim do trabalho na era digital*, estamos vivenciando o *crescimento exponencial do novo proletariado de serviços*, uma variante global do que se pode denominar *escravidão digital*. Em pleno século XXI.

Mas esse quadro não se limita ao mundo asiático. Como os exemplos são abundantes, vale fazer uma referência direta à empresa norte-americana de comércio global Walmart, inspiradora da pejorativa denominação "walmartização do trabalho" para caracterizar a intensidade da exploração em suas diversas unidades. Segundo o sociólogo italiano Pietro Basso[11], a Walmart utiliza-se de elementos do taylorismo e do toyotismo, remunerando o trabalho sempre nos patamares mais baixos. Do taylorismo, diz Basso, a empresa busca sempre maior produtividade, através do uso de tecnologias conjuntamente com o parcelamento das tarefas laborativas. E do modelo japonês, o toyotismo, utiliza-se do just-in-time, tanto em seu espaço de trabalho quanto na sua enorme rede de fornecedores.

Como lembra ainda o autor, a Walmart não incorporou nenhum traço de efetiva valorização salarial, sempre recusando salários maiores, além de praticar altas taxas de *turn over*. O seu maior "segredo" é a utilização de uma ampla força de trabalho composta por mulheres, jovens, negros e portadores de deficiência, que vendem sua força de trabalho por valores bastante reduzidos, valendo-se também de fornecedores chineses que produzem sob encomenda para a empresa[12].

Portanto, a "longa transformação" do capital chegou à era da financeirização e da mundialização em escala global, introduzindo uma *nova divisão internacional do trabalho*, que apresenta uma clara tendência, quer intensificando os níveis de precarização e informalidade, quer se direcionando à "intelectualização" do trabalho, especialmente nas TICs. Não raro, as duas tendências se mesclam e sofrem um processo de simbiose.

Um resultado forte de tais tendências é que, ao contrário da retração ou descompensação da lei do valor, o mundo do capital vem assistindo a uma forte ampliação de seus mecanismos de funcionamento, incorporando novas formas de geração de trabalho excedente (presentes nos trabalhos terceirizados ou pautados pela informalidade

---

[11] Pietro Basso, "L'orario di lavoro a inizio secolo", em Antonio Pagliarone e Giuseppe Sottile (orgs.), *Ma il capitalismo si espande ancora?* (Trieste, Asterios, 2008).

[12] Idem.

etc.), ao mesmo tempo que expulsa da produção um conjunto significativo de trabalhadores (incluindo jovens qualificados e ultraqualificados, muitos dos quais pós-graduados) que não encontram emprego em seus países. Isso sem falar dos enormes contingentes de imigrantes menos qualificados, cujos novos fluxos migratórios (Sul-Norte, Norte-Sul, Sul-Sul, Norte-Norte e Leste-Oeste) aumentam os bolsões de trabalhadores sobrantes, descartáveis, subempregados e desempregados[13].

O resultado dessa processualidade é que, em todos os espaços possíveis, os capitais convertem o trabalho em *potencial* gerador de mais-valor, o que inclui desde as ocupações, tendencialmente em retração em escala global, que ainda estabelecem relações de trabalho pautadas pela formalidade e contratualidade, até aquelas claramente caracterizadas pela informalidade e flexibilidade, não importando se suas atividades são mais intelectualizadas ou mais manuais.

Um desenho contemporâneo da classe trabalhadora deve englobar, portanto, a totalidade dos assalariados, homens e mulheres que vivem da venda de sua força de trabalho em troca de salário, seja na indústria, na agricultura e nos serviços, seja nas interconexões existentes entre esses setores, como na agroindústria, nos serviços industriais, na indústria de serviços etc. Dadas as profundas metamorfoses ocorridas no mundo produtivo do capitalismo contemporâneo, o *conceito ampliado de classe trabalhadora*, em sua *nova morfologia*, deve incorporar a totalidade dos trabalhadores e trabalhadoras, cada vez mais integrados pelas cadeias produtivas globais e que vendem sua força de trabalho como mercadoria em troca de salário, sendo pagos por capital-dinheiro, não importando se as atividades que realizam sejam predominantemente materiais ou imateriais, mais ou menos regulamentadas.

Sabemos que, no capitalismo financeirizado da era informacional[14], se desenvolve cada vez mais uma simbiose entre o que é *produtivo* e o que é *improdutivo*, uma vez que no mesmo trabalho podem ser executadas atividades que geram valor e, posteriormente, outras ações voltadas para conferir a qualidade dos produtos criados, mesclando assim ações tanto "produtivas" quanto "improdutivas" (sempre no sentido que lhes é dado pelo capital).

Em um universo em que a economia está sob comando e hegemonia do capital financeiro, as empresas buscam garantir seus altos lucros exigindo e transferindo aos trabalhadores e trabalhadoras a

---

[13] Ver também os livros de Pietro Basso e Fabio Perocco, *Gli immigrati in Europa: diseguaglianze, razzismo lotte* (Milão, Angeli, 2008); e *Razzismo di stato: stati uniti, Europa, Italia* (Milão, Angeli, 2010).

[14] François Chesnais, *A mundialização do capital* (São Paulo, Xamã, 1996).

pressão pela maximização do tempo, pelas altas taxas de produtividade, pela redução dos custos, como os relativos à força de trabalho, além de exigir a "flexibilização" crescente dos contratos de trabalho. Nesse contexto, a terceirização vem se tornando a modalidade de gestão que assume centralidade na estratégia empresarial, uma vez que as relações sociais estabelecidas entre capital e trabalho são disfarçadas em relações interempresas, baseadas em contratos por tempo determinado, flexíveis, de acordo com os ritmos produtivos das empresas contratantes, com consequências profundas que desestruturam ainda mais a classe trabalhadora, seu tempo de trabalho e de vida, seus direitos, suas condições de saúde, seu universo subjetivo etc.

E, mais ainda, a explosão de empresas terceirizadas tem sido um importante propulsor de mais-valor. As empresas públicas que no passado recente eram prestadoras de serviços sem fins lucrativos, após a sua privatização e *mercadorização tornaram-se partícipes (direta ou indiretamente) do processo de valorização do capital, incrementando e ampliando as modalidades de lucro e de criação ou realização do mais-valor*. Portanto, menos do que o fim da teoria do valor, tese tão difundida quanto equivocada, as empresas de terceirização se somaram aos exemplos de crescimento da extração do excedente de trabalho visando a criação de mais-valor e o aumento dos lucros. O exponencial processo de expansão das empresas terceirizadas configura também um *enorme incremento para a produção de valor e de mais-valor*, entre tantos outros pontos que desenvolveremos neste capítulo e ao longo do livro.

Com salários menores, jornadas de trabalho prolongadas, vicissitudes cotidianas que decorrem da burla da legislação social protetora do trabalho, a terceirização assume cada vez mais relevo, tanto no processo de corrosão do trabalho e de seus direitos como no incremento e na expansão de novas formas de trabalho *produtivo* geradoras de valor. Essas novas modalidades de trabalho vêm assumindo um destaque crescente não só no mundo da produção material mas na *circulação do capital e agilização das informações*, esferas que são com frequência realizadas por atividades também imateriais, que ganham cada vez mais importância na reprodução ampliada do capital financeirizado, informacional e digital.

Vamos apresentar, então, nas páginas e nos capítulos seguintes, algumas ideias e hipóteses que sustentam a formulação principal deste livro, a qual pode ser assim resumida: *há uma nova morfologia da classe trabalhadora; dela sobressai o papel crescente do novo proletariado de serviços da era digital*.

O trabalho em serviços e seus novos significados

Conforme pudemos indicar em vários estudos anteriores, ao contrário da conhecida tese da perda de vigência da lei do valor[15], o capitalismo atual apresenta um processo multiforme, no qual informalidade, precarização, materialidade e imaterialidade se tornaram mecanismos vitais, tanto para a *preservação* quanto para a *ampliação da lei do valor*. A enorme expansão do setor de serviços e dos denominados trabalhos imateriais que se subordinam à *forma-mercadoria* confirma essa hipótese, dado seu papel de destaque no capitalismo contemporâneo. O mito de que a "sociedade de serviços pós-industrial" eliminaria completamente o proletariado se mostrou um equívoco enorme. Evaporou-se. Desmanchou-se no ar. Na contrapartida, vem aflorando em escala global uma outra tendência, caracterizada pela expansão significativa de trabalhos assalariados no setor de serviços.

Vamos, então, avançar alguns pontos importantes para uma melhor compreensão dessa tendência. As mais distintas modalidades de trabalho presentes no capitalismo contemporâneo vêm – diferente do que foi propugnado nas últimas décadas – ampliando as formas geradoras do *valor*, ainda que (e aqui reside o primeiro ponto analítico central) assumindo a *aparência* do *não valor*.

Como o capital não se valoriza sem realizar alguma forma de interação entre *trabalho vivo* e *trabalho morto*, ele procura aumentar a produtividade do trabalho, intensificando os mecanismos de extração do sobretrabalho, com a expansão do *trabalho morto* corporificado no maquinário tecnológico-científico-informacional[16]. Nesse movimento, todos os espaços possíveis se tornam *potencialmente geradores de mais-valor*. As TICs, presentes de modo cada vez mais amplo no mundo da produção material e imaterial e que tipificam também os serviços *privatizados e mercadorizados*, configuram-se como um elemento novo e central para uma efetiva compreensão dos novos mecanismos utilizados pelo capital em nossos dias.

---

[15] Jürgen Habermas, "The New Obscurity", em *The New Conservatism: Cultural Criticism and the Historian's Debate* (Cambridge, Polity, 1989); *The Theory of Communicative Action*, v. 1: *Reason and the Rationalization of Society* (Londres, Polity, 1991); *The Theory of Communicative Action*, v. 2: *The Critique of Functionalist Reason* (Londres, Polity, 1992); André Gorz, *Adeus ao proletariado* (Rio de Janeiro, Forense Universitária, 1982); *Metamorfoses do trabalho* (São Paulo, Annablume, 2003); *O imaterial* (São Paulo, Annablume, 2005); Robert Kurz, *O colapso da modernização* (Rio de Janeiro, Paz e Terra, 1992).

[16] Jean Lojkine, *A revolução informacional* (São Paulo, Cortez, 1995), e "De la révolution industrielle à la révolution informationnelle", em Jacques Bidet e Jacques Texier, *La crise du travail: actuel Marx confrontation* (Paris, Presses Universitaires de France, 1995); Ricardo Antunes, *Os sentidos do trabalho* (São Paulo, Boitempo, 2013), e *Adeus ao Trabalho? Ensaio sobre as metamorfoses e a centralidade do mundo do trabalho* (São Paulo, Cortez, 2015).

Exemplo emblemático é o do *zero hour contract*, modalidade perversa de trabalho que viceja no Reino Unido e se esparrama pelo mundo, em que os contratos não têm determinação de horas – daí sua denominação. Nessa modalidade, trabalhadores das mais diversas atividades ficam à disposição esperando uma chamada. Quando a recebem, ganham estritamente pelo que fizeram, nada recebendo pelo tempo que ficaram à disposição da nova "dádiva". Essa forma de contratação engloba um leque imenso de trabalhadores e trabalhadoras de que são exemplos médicos, enfermeiros, trabalhadores do *care* (cuidadores de idosos, crianças, doentes, portadores de necessidades especiais etc.), motoristas, eletricistas, advogados, profissionais dos serviços de limpeza, de consertos domésticos, dentre tantos outros. E os capitais informáticos e financeirizados, numa engenhosa forma de escravidão digital, se utilizam cada vez mais dessa pragmática de flexibilização total do mercado de trabalho.

Assim, de um lado deve existir a disponibilidade perpétua para o labor, facilitada pela expansão do trabalho on-line e dos "aplicativos", que tornam invisíveis as grandes corporações globais que comandam o mundo financeiro e dos negócios. De outro, expande-se a praga da precariedade total, que surrupia ainda mais os direitos vigentes. Se essa lógica não for radicalmente confrontada e obstada, os novos proletários dos serviços se encontrarão entre uma realidade triste e outra trágica: oscilarão entre o desemprego completo e, na melhor das hipóteses, a disponibilidade para tentar obter o *privilégio da servidão*[17].

Um grupo cada vez mais minoritário estará no topo dos assalariados. Entretanto, a instabilidade poderá levá-lo a ruir face a qualquer oscilação do mercado, com seus tempos, movimentos, espaços e territórios em constante mutação. A esses se somam ainda uma massa de "empreendedores", uma mescla de *burguês-de-si-próprio* e *proletário-de-si-mesmo*. Mas é bom recordar que há várias resistências nos espaços de trabalho e nas lutas sindicais a essas formas de trabalho que procuram ocultar seu assalariamento, por meio do mito do trabalho autônomo.

A Uber é outro exemplo mais do que emblemático: trabalhadores e trabalhadoras com seus automóveis, isto é, com seus instrumentos

---

[17] Parece desnecessário dizer que o termo servidão é aqui utilizado de modo metafórico, inspiração encontrada em Albert Camus, *O primeiro homem* (Rio de Janeiro, Nova Fronteira, 1994), que deu o mote para o título deste livro. Marx também parece ter feito um uso livre do termo quando afirmou que "a opressão humana inteira está envolvida na relação do trabalhador com a produção, e todas as relações de servidão são apenas modificações e consequências dessa relação", em *Manuscritos econômico-filosóficos* (trad. Jesus Ranier, São Paulo, Boitempo, 2004), p. 89.

de trabalho, arcam com suas despesas de seguridade, com os gastos de manutenção dos veículos, de alimentação, limpeza etc., enquanto o "aplicativo" – na verdade, uma empresa privada global de assalariamento disfarçado sob a forma de trabalho desregulamentado – apropria-se do mais-valor gerado pelo serviço dos motoristas, sem preocupações com deveres trabalhistas historicamente conquistados pela classe trabalhadora. Em pouco tempo, essa empresa se tornou global, com um número espetacularmente grande de motoristas que vivenciam as vicissitudes dessa modalidade de trabalho instável. A principal diferença entre o *zero hour contract* e o sistema Uber é que neste os/as motoristas não podem recusar as solicitações. Quando o fazem, sofrem represálias por parte da empresa, que podem resultar no seu "desligamento".

Submetidos a essas modalidades de trabalho, com contratos "zerados", "uberizados", "pejotizados", "intermitentes", "flexíveis", os trabalhadores ainda são obrigados a cumprir "metas", impostas frequentemente por práticas de assédio capazes de gerar adoecimentos, depressões e suicídios. Em 2017, os assédios que ocorreram na empresa Uber assumiram uma dimensão tão grave que levaram, inclusive, à demissão de seu CEO, envolvido nessas práticas escusas que se repetem em muitas empresas globais. Vale recordar também que a justiça britânica reconheceu em primeira instância, recentemente, a burla presente nessas modalidades de "serviços", obrigando as empresas a estenderem aos trabalhadores e trabalhadoras os direitos trabalhistas vigentes.

Outro exemplo da forma disfarçada assumida pela exploração do trabalho pode ser encontrado na Itália, onde há pouco tempo se desenvolveu uma nova modalidade de trabalho ocasional, o trabalho pago a *voucher*. Ela é assim denominada porque os assalariados ganham um *voucher* pelas horas de trabalho realizadas, o qual trocam pelo equivalente monetário, segundo o salário mínimo legal pago por hora trabalhada. Se não bastasse esse vilipêndio (que em Portugal se denomina trabalho pago por "recibos verdes"), os trabalhos excedentes muitas vezes são oferecidos por fora do *voucher*, o que significa uma precarização ainda maior do trabalho ocasional e intermitente. É como se existisse uma precarização "legal" e outra "ilegal". Não teve outro motivo o repúdio dessa modalidade pelos trabalhadores e trabalhadoras, por seus movimentos de representação e também pelo sindicalismo de perfil mais crítico, que exigiram um plebiscito para que a população pudesse decidir pela continuidade ou não de tal prática. Temendo a derrota, o governo suspendeu, no início de 2017, essa forma de assalariamento.

Foi esse conjunto de pragmáticas que possibilitou o florescimento e a ampliação do chamado *precariado*, estrato social crescente nos países capitalistas centrais, como na Itália, na Espanha, na Inglaterra, na França, em Portugal, nos Estados Unidos etc., e que, dadas as dificuldades de acolhimento dentro do espaço sindical, vem criando seus próprios movimentos. Em Milão, na Itália, sua organização foi uma das pioneiras, gerando uma forma de representação autônoma, de que é exemplo o San Precario, que luta pelas conquistas dos direitos pelo precariado, incluindo naturalmente os imigrantes[18].

Há também o movimento Clash City Workers[19], da juventude precarizada e rebelde, que assim se define:

> Clash City Workers é um coletivo de trabalhadores e trabalhadoras, desocupados e desocupadas, denominados "jovens precários". A tradução de nosso nome significa algo como "trabalhadores da cidade em luta". Nascidos na metade de 2009, somos ativos particularmente em Nápoles, Roma, Florença, Pádua, Milão e Bérgamo e procuramos seguir e sustentar as lutas que estão em curso na Itália.[20]

Esse processo de intensa precarização do proletariado italiano vem possibilitando novas formas de representação sindical, como é o caso da Confederazione Unitaria di Base (CUB), criada há vários anos como uma proposta alternativa ao sindicalismo mais tradicional, e, mais recentemente, o SI-Cobas, sindicato intercategorial de trabalhadores auto-organizados pela base, que procura representar esse amplo segmento de assalariados e operários por fora da estrutura sindical oficial, incluindo os trabalhadores imigrantes. Dentro do sindicalismo considerado mais tradicional, vimos também a importante iniciativa de desenvolver a atividade do movimento Nuove Identitá di Lavoro (NIdiL), vinculado à Confederazione Generale Italiana del Lavoro (CGIL), voltado a representar o denominado precariado[21].

O fundamento dessa pragmática que invade todo o universo global do trabalho se evidencia. Na empresa "moderna", o trabalho que os capitais exigem é aquele mais *flexível* possível: sem jornadas pré-determinadas, sem espaço laboral definido, sem remuneração fixa, sem direitos, nem mesmo o de organização sindical. Até o sistema de "metas" é flexível: as do dia seguinte devem ser sempre maiores do que aquelas obtidas no dia anterior.

---

[18] O site do movimento é: www.precaria.org/.

[19] O site do movimento é: www.clashcityworkers.org/chi-siamo.html.

[20] Ver também o interessante estudo do coletivo Clash City Workers, *Dove sono i nostri: lavoro, classe e movimenti nell'Italia della crisi* (Lucca, La Casa Usher, 2014).

[21] Ver https://it.wikipedia.org/wiki/Confederazione_Unitaria_di_Base), https://www.facebook.com/sicobas.lavoratoriautorganizzati.9/ e https://www.nidil.cgil.it/.

É por isso que, nesse mundo do trabalho digital e flexível, o dicionário empresarial não para de "inovar", em especial no setor de serviços. "Pejotização" em todas as profissões, com médicos, advogados, professores, bancários, eletricistas, trabalhadoras e trabalhadores do *care* (cuidadores) e "frilas fixos", *freelancers* que se tornam permanentes, mas que têm seus direitos burlados e se escondem nas redações dos jornais quando as empresas sofrem as auditorias do trabalho. Ou ainda o chamado *teletrabalho* e/ou *home office*, que se utiliza de outros espaços fora da empresa, como o ambiente doméstico, para realizar suas atividades laborativas. Isso pode trazer vantagens, como economia de tempo em deslocamentos, permitindo uma melhor divisão entre trabalho produtivo e reprodutivo, dentre outros pontos positivos. Mas com frequência é, também, uma porta de entrada para a eliminação dos direitos do trabalho e da seguridade social paga pelas empresas, além de permitir a intensificação da *dupla jornada de trabalho*, tanto o *produtivo* quanto o *reprodutivo* (sobretudo no caso das mulheres). Outra consequência negativa é a de incentivar o trabalho isolado, sem sociabilidade, desprovido do convívio social e coletivo e sem representação sindical.

É desse modo que o capitalismo informacional e digital vem aprimorando sua engenharia da dominação. Desde que a empresa taylorista e fordista foi suplantada pela liofilização toyotista e flexível, passamos a presenciar o que Danièle Linhart[22] denominou *desmedida empresarial*. Contra a rigidez vigente nas fábricas da era do automóvel, durante o longo século XX, nas últimas décadas os capitais vêm impondo sua trípode destrutiva em relação ao trabalho: a *terceirização*, a *informalidade* e a *flexibilidade* se tornaram partes inseparáveis do léxico da empresa corporativa.

Assim, movida por essa lógica que se expande em escala global, estamos presenciando a expansão do que podemos denominar uberização do trabalho, que se tornou um *leitmotiv* do mundo empresarial. Como o trabalho on-line fez desmoronar a separação entre o tempo de vida *no* trabalho e *fora* dele, floresce uma nova modalidade laborativa que combina mundo digital com sujeição completa ao ideário e à pragmática das corporações. O resultado mais grave dessa processualidade é o advento de uma nova era de *escravidão digital*, que se combina com a expansão explosiva dos *intermitentes globais*.

Tudo isso se coaduna com a denominada *Indústria 4.0*. Essa proposta nasceu na Alemanha, em 2011, concebida para gerar um novo e profundo salto tecnológico no mundo produtivo, estruturado

---

[22] Danièle Linhart, *A desmedida do capital* (São Paulo, Boitempo, 2007), e *La comédie humaine du travail* (Toulouse, Editions Érès, 2015).

a partir das novas TICs que se desenvolvem celeremente. Ela significará a intensificação dos processos produtivos automatizados, em toda a cadeia geradora de valor, de modo que a logística empresarial seja toda controlada digitalmente.

Sua principal consequência para o mundo do trabalho será a ampliação do *trabalho morto*, tendo o maquinário digital – a "internet das coisas" – como dominante e condutor de todo o processo fabril, e a consequente redução do *trabalho vivo*, através da substituição das atividades tradicionais e mais manuais por ferramentas automatizadas e robotizadas, sob o comando informacional-digital.

No capitalismo avançado, a produção tende a ser cada vez mais invadida por robôs e máquinas digitais, encontrando nas TICs o suporte fundamental dessa nova fase de *subsunção real do trabalho ao capital*. Como consequência dessa nova empresa flexível e digital, os *intermitentes globais* tendem se expandir ainda mais, ao mesmo tempo que o processo *tecnológico-organizacional-informacional* eliminará de forma crescente uma quantidade incalculável de força de trabalho que se tornará supérflua e sobrante, sem empregos, sem seguridade social e sem nenhuma perspectiva de futuro.

Sua denominação, *Indústria 4.0*, estampa, segundo seus formuladores, uma nova fase da automação industrial, que se diferencia da Revolução Industrial do século XVIII, do salto dado pela indústria automotiva do século XX e também da reestruturação produtiva que se desenvolveu a partir da década de 1970. A essas três fases anteriores sucederá uma nova, que consolidará, sempre segundo a propositura empresarial, a hegemonia informacional-digital no mundo produtivo, com os celulares, tablets, smartphones e assemelhados controlando, supervisionando e comandando essa nova etapa da ciberindústria do século XXI.

Não é difícil antecipar que a *divisão internacional do trabalho* entre Norte e Sul, centro e periferia, tenderá a se aprofundar ainda mais, seguindo um movimento que, sendo desigual e combinado, atingirá de forma diferenciada a totalidade dos países, aprofundando a expulsão de força de trabalho em um patamar ainda maior que o atual.

Como essa lógica que estamos descrevendo é fortemente destrutiva em relação ao mundo do trabalho, a contrapartida esparramada pelo ideário empresarial tem de ser *amenizada* e *humanizada*. É por isso que o novo dicionário "corporativo" ressignifica o autêntico conteúdo das palavras, adulterando-as e tornando-as corriqueiras no dialeto empresarial: "colaboradores", "parceiros", "sinergia", "resiliência", "responsabilidade social", "sustentabilidade", "metas". Quando entram em cena os enxugamentos, as reestruturações, as "inovações tecnológicas da *Indústria 4.0*", enfim, as reorganizações comandadas pelos que fazem a "gestão de pessoas" e pelos que formulam as tecnologias do capital, o que temos é mais precarização, mais informalidade, mais subemprego, mais desemprego, mais trabalhadores intermitentes, mais eliminação de postos de trabalho, *menos pessoas trabalhando com os direitos preservados*. Para tentar "amenizar" esse flagelo, propaga-se em todo canto um novo subterfúgio: o "empreendedorismo", no qual todas as esperanças são apostadas e cujo desfecho nunca se sabe qual será.

Parece evidente que essas mutações que afetaram o mundo produtivo encontraram enorme impulsão a partir da expansão capitalista do setor de serviços. Que metamorfoses ele vem sofrendo, a partir da sua privatização? Se os serviços foram, nos séculos XIX e XX, em grande parte considerados *improdutivos* (para o capital), como compreendê-los nessa nova fase informacional-digital, em que a divisão trissetorial (agricultura, indústria e serviços) está cada vez mais interseccionada e submersa na lógica da *mercadorização*? Em uma indagação sintética: os serviços podem ser considerados também produtivos? Podem gerar mais-valor? Como devemos compreendê-los, em meio a tantas metamorfoses? Parece imperioso voltar a Marx, para tentarmos ao menos oferecer elementos para uma resposta.

Os serviços podem gerar mais-valor?

Sabemos que a criação do mais-valor ocorre na esfera da produção, conforme Marx desenvolve no Livro I de *O capital*[23]. Mas sabemos também que *produção é consumo* e que *consumo é produção*. O ciclo completo é constituído por *produção, consumo, distribuição, circulação* ou *troca*. Como no mundo contemporâneo há uma intersecção crescente entre os diversos setores da produção (indústria, agricultura e serviços), de que são exemplos a agroindústria, a indústria de serviços e os serviços industriais, esses setores são cada vez mais controlados e totalizados pelo capital, que os converte em mercadorias (sejam elas materiais ou imateriais). Aflora, então, um novo desafio analítico: qual é o papel efetivo dos serviços privatizados na criação do valor?

No Livro II de *O capital*[24], Marx apresenta uma seminal análise da *indústria de transporte* (navegação e ferrovia) como potencial geradora de mais-valor, apesar de não produzir nenhum elemento material.

Dada a especificidade desse setor, Marx afirma:

> Quanto mais transitória for uma mercadoria e, por conseguinte, quanto mais imediatamente após sua produção ela tiver de ser consumida

---

[23] Karl Marx, *O capital: crítica da economia política*, Livro I: *O processo de produção do capital* (São Paulo, Boitempo, 2013).

[24] Idem, *O capital: crítica da economia política*, Livro II: *O processo de circulação do capital* (São Paulo, Boitempo, 2014).

e, portanto, também vendida, tanto menos ela pode se distanciar de seu local de produção, mais estreita é sua esfera espacial de circulação e mais local é a natureza de seu mercado de escoamento. Assim, quanto mais transitória for uma mercadoria, quanto maiores forem, por suas qualidades físicas, os limites absolutos de seu tempo de curso como mercadoria, tanto menos ela é apta a ser objeto da produção capitalista. Esta só pode se instalar em locais de grande densidade populacional, *ou na medida em que as distâncias se encurtem graças ao desenvolvimento dos meios de transporte*. Mas a concentração da produção de um artigo em poucas mãos e num local populoso pode criar um mercado relativamente grande também para esse tipo de artigos, como, por exemplo, nas grandes cervejarias, leiterias etc.[25]

A perecibilidade presente nessas atividades obrigou a uma transformação dos serviços de transporte, convertendo-os em um ramo produtivo da indústria. Assim como esta se tornou capitalista a partir do advento da Revolução Industrial e, posteriormente, também a agricultura superou a sua condição de feudalidade, tornando-se capitalista, um processo similar vem ocorrendo com os serviços, especialmente a partir da década de 1970.

Muito antes, entretanto, Marx pôde demonstrar como a indústria de transporte, mesmo sem produzir *materialmente*, acrescentava valor. Essa antecipação marxiana foi possível porque ele concebeu a *indústria em um sentido amplo*.

Em suas palavras:

Mas o que a indústria dos transportes vende é o próprio deslocamento de lugar. O efeito útil obtido é indissoluvelmente vinculado ao processo de transporte, isto é, ao *processo de produção* da indústria dos transportes. Homens e mercadorias viajam num meio de transporte, e sua viagem, seu movimento espacial, é justamente o processo de produção efetuado. O efeito útil só pode ser consumido durante o *processo de produção*; ele não existe como uma coisa útil diferente desse processo, como algo que só funciona como artigo comercial, só circula como mercadoria depois de ter sido produzido. *Mas o valor de troca desse efeito útil é determinado, como o de toda e qualquer mercadoria, pelo valor dos elementos de produção nele consumidos (força de trabalho e meios de produção) acrescido do mais-valor criado pelo mais-trabalho dos trabalhadores ocupados na indústria dos transportes*.[26]

Atente-se aqui para o fato de que, para Marx, esse valor é determinado de forma similar à dos demais ramos industriais:

---

[25] Ibidem, p. 207; grifos meus.
[26] Ibidem, p. 133-134; grifos meus.

Assim, o capital produtivo investido nessa indústria adiciona valor aos produtos transportados, em parte por meio da transferência de valor dos meios de transporte, *em parte por meio do acréscimo de valor gerado pelo trabalho de transporte. Esta última adição de valor se decompõe, como em toda produção capitalista, em reposição de salário e mais-valor.*[27]

Portanto, Marx caracteriza a atividade na indústria de transporte como um *processo de produção dentro do processo de circulação*. Essa formulação oferece, como veremos adiante, pistas seminais para se pensar o mundo capitalista dos serviços que se amplia exponencialmente em nosso tempo. Como o autor apresenta uma *concepção ampliada de indústria*, não só no Livro II de *O capital*, mas também nos *Grundrisse*[28], é possível compreender que se desenvolve uma processualidade produtiva no ramo dos transportes, tanto marítimo como ferroviário, além de no armazenamento, nas comunicações, na indústria do gás e em outras esferas. Isso porque, dadas as suas particularidades, elas contemplam um *processo de produção* em seu movimento, ainda que dela não resulte *nenhum produto material*, como é o caso da indústria de transportes.

No capítulo 6 do Livro II de *O capital*, "Os custos de circulação", Marx ainda acrescenta que a indústria de transportes, por ser um ramo autônomo da produção, se converte em uma *esfera particular de emprego de capital produtivo*, que dá *continuidade ao processo de produção dentro do processo de circulação*:

> A indústria do transporte constitui, por um lado, um ramo independente de produção e, por conseguinte, uma esfera especial de investimento do capital produtivo. Por outro lado, ela se distingue pelo fato de aparecer como continuação de um processo de produção *dentro* do processo de circulação e *para* o processo de circulação.[29]

Em nosso entendimento, esse é um ponto crucial de similitude entre a produção *material* que predomina na indústria e a produção *imaterial (ou não)* que ocorre nos serviços privatizados: há um *processo de produção dentro do processo de circulação*. Esse traço distintivo transparece quando Marx apresenta a fórmula para a indústria de transporte, a fim de diferenciá-la da produção material de mercadorias:

> A fórmula para a indústria dos transportes seria, portanto, $D\text{-}M < _{Mp}^{T}\ldots P\text{-}D'$, já que aqui *se paga o próprio processo de produção, e não um produto*

---

[27] Ibidem, p. 229; grifos meus.
[28] Karl Marx, *Grundrisse: manuscritos econômicos de 1857-1858 – esboços da crítica da economia política* (São Paulo, Boitempo, 2011).
[29] Idem, *O capital*, Livro II, cit., p. 231.

dele separado. Sua forma é, assim, quase a mesma da fórmula da produção dos metais preciosos, com a única diferença de que D' é aqui a forma modificada do efeito útil engendrado durante o processo de produção, e não a forma natural do ouro ou da prata engendrados durante esse processo e dele expelidos.[30]

Assim, a indústria de transporte, *especialmente* a dos produtos perecíveis, é condição para se efetivar o consumo da mercadoria, enfeixando o ciclo de produção e consumo. Se o transporte não for efetivado em curto espaço de tempo, a mercadoria perece. Isso a torna uma *indústria diferenciada* e *geradora de valor*. O *processo de circulação*, entretanto, possui ainda outros elementos centrais.

No mesmo Livro II de *O capital*, Marx acrescenta que *tempo de produção*, *tempo de trabalho* e *tempo de circulação* não podem ser identificados como sinônimos. Isso porque:

> O tempo de produção engloba naturalmente o período do processo de trabalho, mas não é englobado por ele. Antes de tudo, lembremo-nos de que uma parte do capital constante existe nos meios de trabalho, como máquinas, edifícios etc., que servem, enquanto dura sua vida, nos mesmos processos de trabalho que se repetem continuamente. A interrupção periódica do processo de trabalho durante a noite, por exemplo, ainda que interrompa a função desses meios de trabalho, não interrompe sua permanência nos locais de produção. Eles pertencem a esses locais não só quando ativos, mas também quando inativos.[31]

E acrescenta ainda que:

> o capitalista precisa dispor de um determinado estoque de matérias--primas e materiais auxiliares para que o processo de produção continue a se desenrolar durante um tempo mais curto ou mais longo sobre a escala previamente estabelecida, sem depender da contingência de ter de abastecer-se diariamente desses materiais no mercado. Esse estoque de matérias-primas etc. só é produtivamente consumido de modo paulatino. Há, portanto, uma diferença entre seu tempo de produção e seu tempo de funcionamento. O tempo de produção dos meios de produção em geral abarca, desse modo, 1) o tempo durante

---

[30] Ibidem, p. 134; grifos meus. Remeto também o leitor ao excelente livro de Vinicius Oliveira Santos, *Trabalho material e teoria do valor em Marx: semelhanças ocultas e nexos necessários* (São Paulo, Expressão Popular, 2013), p. 127-140, no qual algumas das hipóteses aqui desenvolvidas são apresentadas com competência. Se Santos, como indica em seus estudos (p. 130-132), retomou pistas de meus trabalhos anteriores, faço o mesmo aqui em relação ao seu texto, principalmente quando ele apresenta sua criativa hipótese comparativa entre o mundo da produção imaterial e o da produção material.

[31] Karl Marx, *O capital*, Livro II, cit., p. 201.

o qual eles funcionam como meios de produção, ou seja, durante o qual atuam no processo de produção; 2) as pausas, durante as quais se interrompe o processo de produção e, com ele, a função dos meios de produção nele incorporados; 3) o tempo durante o qual, embora já se encontrem disponíveis como condições do processo e, portanto, já representem o capital produtivo, eles ainda não estão incorporados no processo de produção.[32]

Assim, Marx afirma que, como o *tempo de rotação* do capital é igual ao *tempo de produção* (que inclui o *tempo de trabalho*) mais o *tempo de circulação*, quanto mais próximo de *zero* se torna o tempo de circulação do capital, tanto maiores se tornam a produtividade e a produção de mais-valor, uma vez que o tempo de circulação do capital pode limitar ou agilizar o tempo de produção e, portanto, aumentar ou diminuir o processo de produção do mais-valor.

Ainda segundo suas próprias palavras:

> Quanto mais as metamorfoses da circulação do capital são apenas ideais, isto é, quanto mais o tempo de curso é = 0 ou próximo de zero, tanto mais atua o capital e tanto maior se torna sua produtividade e autovalorização. [...] Portanto, o *tempo de curso* do capital limita, em geral, seu *tempo de produção* e, por conseguinte, seu processo de valorização.[33]

Assim, como hipótese que parece plausível, a indústria de transportes, expressão de uma modalidade de produção *imaterial* – visto que não produz nenhuma mercadoria, pois atua centralmente na esfera da circulação –, torna-se imprescindível para a concretização da produção material e da efetivação do mais-valor. Por certo, essa exceção aberta por Marx não significa que o *mais-valor encontre fora da produção seu espaço de criação*. Mas, partindo de sua excepcional percepção e teorização de que há um *processo de produção* que se desenvolve dentro do *processo de circulação*, qualquer leitura que atribua uma concepção estreita de produção e de indústria em Marx fica em grande medida bastante fragilizada. Por outro lado, essa concepção ampla de processo de produção dentro da circulação não pode ser acriticamente generalizada.

Como exemplo, podemos recordar que, no Livro III[34], ao tratar do comércio, Marx adicionou que este, embora seja imprescindível para a concretização da venda, não gera mais-valor, sendo por isso considerado pelo capital como *improdutivo*. O capital comercial, diz Marx, se apropria de parte do mais-valor gerado na produção industrial e

---

[32] Ibidem, p. 201-2.
[33] Ibidem, p. 204-5; grifos meus.
[34] Karl Marx, *O capital: crítica da economia política*, Livro III: *O processo global da produção capitalista* (São Paulo, Boitempo, 2017).

por isso não é responsável pela sua criação. Mas o autor não deixa de afirmar que as similitudes são maiores do que as diferenças, quando se pensa nas condições de classe dos comerciários enquanto assalariados. Em suas palavras:

> Por um lado, tal trabalhador comercial é um assalariado como qualquer outro. Em primeiro lugar, porque o trabalho é comprado não pelo dinheiro gasto como renda, mas pelo capital variável do comerciante e, por conseguinte, não para a obtenção de um serviço privado, mas com a finalidade da autovalorização do capital ali adiantado. Em segundo lugar, porque o valor de sua força de trabalho – e, portanto, seu salário – está determinado, como no caso de todos os demais assalariados, pelos custos de produção e reprodução de sua força de trabalho específica, e não pelo produto de seu trabalho.[35]

E acrescenta:

> Porém, entre ele e os trabalhadores diretamente empregados pelo capital industrial tem de existir a mesma diferença que há entre o capital industrial e o comerciante. Como o comerciante, na qualidade de mero agente da circulação, não produz valor nem mais-valor [...], também é impossível que os trabalhadores de comércio que ele emprega nas mesmas funções possam criar diretamente mais-valor para ele.[36]

Assim, se é claro para Marx que o trabalho produtivo não se conforma no âmbito do comércio, o mesmo não se pode dizer em relação a *um setor particular da indústria de serviços*, a indústria de transporte. Isso porque a sua análise foi capaz de compreender precocemente, ainda em meados do século XIX, que esse ramo era por si mesmo capaz de criar mais-valor. Hoje, um século e meio depois, com as profundas mutações vivenciadas pelo capitalismo da era digital-informacional e com a expressiva expansão dos serviços e sua mercadorização, torna-se premente oferecer um efetivo entendimento de qual é o papel dos serviços na acumulação de capital, como se realiza o *processo de produção dentro desse setor*, bem como qual é a real participação desses trabalhadores e dessas trabalhadoras no processo de valorização do capital e de criação (ou não) de mais-valor.

A principal hipótese, que vem sendo desenvolvida ao longo de nossa pesquisa e que se constitui no principal *fio condutor* deste livro, é que estamos presenciando o advento de novas formas de extração do mais-valor também nas esferas da produção não material ou imaterial, espaço por excelência dos serviços que foram privatizados

---

[35] Ibidem, p. 334.

[36] Idem; ver especialmente o capítulo 17 ("O lucro comercial").

durante a longa fase de vigência do neoliberalismo. Lembremos que a principal transformação da empresa flexível e mesmo do toyotismo não foi a *conversão da ciência em principal força produtiva*[37], mas sim a imbricação progressiva entre *trabalho e ciência, imaterialidade e materialidade, trabalho produtivo e improdutivo*[38].

No universo da produção, onde há presença do trabalho imaterial, a exemplo de diversas atividades caracterizadas como de serviços, por exemplo nas TICs, nos call-centers etc., pode-se afirmar que o trabalho com traços ou coágulos de imaterialidade gere valor, tornando-se por isso também produtivo? É do que trataremos no item seguinte.

O trabalho imaterial pode ser produtivo?

Para responder a essa questão, por si mesma bastante complexa, é preciso desde logo apresentar duas formulações centrais em nosso argumento. A primeira delas remete à conceitualização do que é *produtivo* e *improdutivo* para Marx. A segunda se refere à sua formulação acerca da materialidade ou imaterialidade da produção e do trabalho.

Vamos, então, esclarecer como concebemos a síntese marxiana de trabalho produtivo e improdutivo. Resumiremos nos pontos a seguir o que entendemos como central da formulação marxiana acerca do *trabalho produtivo*[39]. Trata-se daquele trabalho que:

1) *Cria mais-valor*. Se, no *Capítulo VI (inédito)*, Marx o define como aquele que cria *diretamente* mais-valor, em *O capital* ele suprime essa qualificação. Em nosso entendimento, isso ocorre porque o acréscimo da palavra *diretamente* é por demais restritivo, numa produção que é coletiva.
2) É pago por *capital-dinheiro*, e não por *renda*. Esta segunda forma de pagamento – por renda – é a que caracteriza, sempre de acordo com Marx, o pagamento pelo trabalho *improdutivo*, que cria valor de uso, e não valor de troca.
3) Resulta do *trabalho coletivo, social e complexo*, e não mais individual. É por isso que o autor afirma, no *Capítulo VI (inédito)*, que *não é o operário individual que se converte no agente real do*

---

[37] Jürgen Habermas, *Técnica e ciência como "ideologia"* (São Paulo, Abril, 1975), e "The New Obscurity", cit.

[38] Ricardo Antunes, *Os sentidos do trabalho*, cit., e *Adeus ao trabalho?*, cit.

[39] Tomaremos aqui, particularmente, as indicações de Marx presentes em *O capital*, Livro I, cit., bem como em *O capital: livro I – Capítulo VI (inédito)* (São Paulo, Ciências Humanas, 1978).

processo de trabalho no seu conjunto, mas sim uma capacidade de trabalho socialmente combinada.
4) Valoriza o capital, não importando se o resultado de seu produto é material ou imaterial.
5) Mesmo quando realiza uma mesma atividade, somente poderá ser definido como produtivo ou improdutivo em sua efetividade concreta, isto é, dependendo de sua *relação social*, da *forma social* como se insere na *criação e valorização do capital*. É por isso que, para Marx, trabalhos idênticos quanto à sua natureza podem ser produtivos ou improdutivos, dependendo de sua efetiva participação no processo de valorização do capital.
6) Tende a ser assalariado – embora nem todo trabalho assalariado seja produtivo.

Na contrapartida, o trabalho é *improdutivo* quando cria bens úteis, valores de uso, e não está voltado diretamente para a produção de valores de troca, ainda que seja necessário para que esta se realize. São aqueles trabalhos consumidos como valor de uso, e não como valor de troca. É por isso que o capital suprime todo trabalho improdutivo desnecessário, operando inclusive a fusão entre atividades produtivas e improdutivas, que passam a ser frequentemente realizadas pelos mesmos trabalhadores e trabalhadoras.

Vamos agora ao segundo ponto. Devemos a Marx a distinção entre *produção material* e *produção não material* ou *imaterial*[40], como aparece, por exemplo, no capítulo 14 do Livro I de *O capital* e também no seminal *Capítulo VI (inédito)*. Depois de definir o que é *trabalho produtivo para o capital*, Marx afirma:

> *Para trabalhar produtivamente, já não é mais necessário fazê-lo com suas próprias mãos; basta, agora, ser um órgão do trabalhador coletivo, executar qualquer uma de suas subfunções.* A definição original do trabalho produtivo [...], derivada da própria natureza da produção material, continua válida para o trabalhador coletivo, considerado em seu conjunto. Mas já não é válida para cada um de seus membros, tomados isoladamente.[41]

E acrescenta:

> A produção capitalista não é apenas produção de mercadorias, *mas essencialmente produção de mais-valor* [...]. Só é produtivo o trabalhador que produz mais-valor para o capitalista ou serve à *autovalorização do capital*. Se nos for permitido escolher um exemplo *fora da esfera da*

---

[40] Que trataremos sempre como sinônimos.
[41] Karl Marx, *O capital*, Livro I, cit., p. 577; grifos meus.

produção material, diremos que um mestre-escola é um trabalhador produtivo se não se limita a trabalhar com a cabeça das crianças, mas exige de si mesmo até o esgotamento, a fim de enriquecer o patrão. Que este último tenha investido seu capital numa fábrica de ensino, em vez de numa fábrica de salsichas, é algo que não altera em nada a relação. Assim, o conceito de trabalhador produtivo não implica de modo nenhum apenas uma relação entre atividade e efeito útil, entre trabalhador e produto do trabalho, mas também uma relação de produção especificamente social, surgida historicamente e que cola no trabalhador o rótulo de meio direto de valorização do capital. *Ser trabalhador produtivo não é, portanto, uma sorte, mas um azar.*[42]

Portanto, o *primeiro elemento* que queremos destacar é que Marx percebe de modo precoce uma tendência que hoje está sendo exponencialmente desenvolvida pelo capitalismo, caracterizada pela ampliação das atividades produtivas imateriais. Mas acrescenta também que a produção *material*, que decorre do *labor e do fazer social e coletivo em interação com o maquinário informacional-digital*, constitui-se como a forma prevalente da produção no capitalismo.

De nossa parte, acrescentamos que a propalada ficção que defende a predominância da produção *imaterial (portanto desprovida de materialidade) no capitalismo de nosso tempo é uma criação eurocêntrica (ou do Norte) que não encontra base ontológica real, quando se toma a totalidade da produção global*, incluindo China, Coreia do Sul, Índia e tantos outros países asiáticos, assim como Brasil e México na América Latina, Rússia e países do Leste Europeu, ou ainda África do Sul, no continente africano[43].

Nossa hipótese, então, é que estamos presenciando em escala global o crescimento de novas formas de realização da lei do valor, configurando mecanismos complexos de extração do mais-valor, *tanto nas esferas da produção material quanto nas das atividades imateriais*, estas também crescentemente constitutivas das cadeias globais de produção de valor. E, mais, mesmo não sendo o elemento *dominante*, é necessário reconhecer que o *trabalho imaterial* vem assumindo papel de relevo na conformação do valor, não só por ser *parte* da articulação relacional entre distintas modalidades de *trabalho vivo* em interação com *trabalho morto* como também por ser partícipe do processo de valorização, ao reduzir o *tempo de circulação do capital* e, por consequência, também seu *tempo total de rotação*.

Visto que o setor de serviços está cada vez mais totalizado e controlado pela lógica do capital e de seu processo de *mercadori-*

---

[42] Ibidem, p. 578; grifos meus.
[43] Ricardo Antunes, *Adeus ao trabalho?*, cit.

zação ou *comoditização*, ele também se torna gradualmente mais partícipe das cadeias produtivas de valor, legando cada vez mais ao passado sua forma *improdutiva* para se converter em parte integrante do processo de geração (*produtiva*) de valor. As crescentes intersecções entre a indústria, a agricultura e os serviços, como na agroindústria, na indústria de serviços e nos serviços industriais, são emblemáticas do que estamos indicando. A introdução do trabalho on-line, que cresce intensamente desde os primórdios da reestruturação produtiva na década de 1970, com o seu instrumental tecnológico-informacional-digital, fez deslanchar essa processualidade, que se tornou incessante, convertendo a *reestruturação produtiva em um processo permanente*, da qual a denominada *Indústria 4.0* é a mais nova etapa.

É nessa direção que se desenvolve a importante reflexão realizada pela socióloga do trabalho Ursula Huws. Ao discorrer sobre o trabalho digital, ela afirma que este não pode ser considerado de modo isolado do conjunto da economia. "Sociedade baseada no conhecimento" e "trabalho imaterial" são, antes de tudo, expressões da complexificação atingida pela divisão do trabalho, em que coexistem tanto as atividades intelectuais como as manuais, tanto as de criação como aquelas mais rotineiras[44].

Ao tratar das conexões existentes entre trabalho digital e teoria do valor, a autora acrescenta que a generalização dos computadores e das TICs nos mais diversos ramos da economia demonstra que o trabalho digital se expande celeremente em atividades rurais, fábricas, escritórios, lojas, casas, condução de veículos etc., sendo cada vez menos expressivos os setores da economia que se desenvolvem sem utilizá-lo. Assim, as atividades on-line avançam, inserindo-se crescentemente nas complexas cadeias produtivas globais. Apreender esse movimento, diz Huws, desde as origens até a finalização das mercadorias, é um bom caminho para um melhor entendimento do papel desempenhado pelas atividades digitais no processo de geração do valor. Essa tarefa, embora não seja simples, é realizável[45].

Encontra-se aqui, então, a chave para compreender melhor a participação do trabalho digital nas cadeias produtivas, já que ele está inserido de "vários modos nos processos de produção", por meio das ferramentas de comando digital, do uso de softwares etc., cada vez mais presentes nos processos produtivos[46].

A autora agrega elementos importantes quando trata da ampla gama de atividades denominadas "serviços". Pode ser útil distinguir

---

[44] Ursula Huws, *Labor in the Global Digital Economy*, cit., p. 157.
[45] Ibidem, p. 164-5.
[46] Idem.

aquelas que interferem mais diretamente na produção (ainda que sua percepção nem sempre seja fácil), a exemplo das atividades de limpeza das fábricas ou das de manutenção do seu maquinário, daquelas voltadas para a gestão da força de trabalho, como as responsáveis pelo processamento das folhas de pagamento e pela contratação e treinamento dos assalariados. Cita também aquelas que dizem respeito à gestão administrativa e financeira das empresas ou a atividades de compra, venda, marketing e distribuição das mercadorias. Acrescenta a autora que todas essas categorias se utilizam cada vez mais das TICs e dos trabalhos on-line[47].

Por certo, a expansão dessa miríade de trabalhos on-line, digitalizados, pode tornar mais difícil a percepção das relações existentes entre tais atividades e as mercadorias com as quais esses trabalhos se inserem e se conectam. Mas a autora apresenta uma nuance que pode ser importante: quando elas são realizadas por assalariados trabalhando em empresas que geram lucro, então esses são mais facilmente inseridos em atividades que produzem "diretamente mais-valor para o capital", constituindo-se naqueles trabalhos que ela designa como "dentro do nó", isto é, que estão no núcleo das atividades geradoras de valor[48].

De nossa parte, parece importante, entretanto, enfatizar um elemento de diferenciação conceitual: realização de lucro não é o mesmo que criação de mais-valor, como, aliás, vimos na distinção apresentada por Marx entre a indústria de transporte e o comércio, a primeira permitindo a geração de valor e o segundo possibilitando exclusivamente a realização de lucro. Mas é preciso também indicar que o capitalismo de nosso século é muito diferenciado em relação àquele que vigorou no século XIX.

Na esteira das indicações anteriores, Huws afirma que o amplo conjunto de atividades, como

> marketing, gestão da logística, distribuição, transportes, atendimento ao consumidor, vendas no varejo e atacado (seja on-line ou off-line) e entrega de produtos, em suma, a totalidade da cadeia de suprimentos, da entrada da fábrica (ou do local onde se desenvolve o software) até o consumidor, deve ser entendida como trabalho produtivo.[49]

Avançando nas indagações e nas respostas, à procura de compreender as novas dimensões da teoria do valor hoje, a autora acrescenta: o que ocorre quando o trabalho não remunerado dos consumidores, ao realizar atividades de compra, substitui os antigos

---

[47] Ibidem, p. 165.
[48] Ibidem, p. 166-7.
[49] Ibidem, p. 167.

assalariados produtivos? Por exemplo, quando os consumidores fazem a compra de seus bilhetes de viagem diretamente no site das empresas, digitando seus próprios dados, ou quando os compram via operadores assalariados de teleatendimento? A resposta de Huws é apresentada. Neste último exemplo, o trabalho pode ser tranquilamente considerado produtivo. Mas, indo além dessa primeira resposta – que considera menos polêmica –, a autora acrescenta que *também no outro exemplo citado deve-se considerar tal atividade como produtiva*. Mas conclui com uma diferenciação que nos parece importante: *apenas as atividades realizadas por trabalhadores remunerados encontram-se "dentro do nó", uma vez que a relação com o processo de valorização é mais direta*[50].

Há ainda ao menos mais um ponto importante e que traz uma nítida confluência entre nossos estudos do trabalho e sua nova morfologia e aqueles que vêm sendo realizados por Huws. Suas pesquisas confirmam que vem ocorrendo uma significativa expansão de trabalho não manual, mas que, entretanto, este ainda se mantém como minoritário, quando se considera a totalidade do trabalho. Acrescenta que a ênfase dada pelos que ressaltam a expansão do trabalho "aparentemente desmaterializado, vinculado às tecnologias da informação e comunicação (TICs)", tem por vezes permitido que se oblitere a realidade, uma vez que não se destaca (ou não se considera com o peso que merece) que as chamadas atividades "virtuais" *são dependentes e têm conexões fortes com o mundo da materialidade*. Elas não poderiam existir sem a existência de infindáveis mercadorias produzidas em áreas e espaços com menor visibilidade, como nas minas da África ou da América Latina, nas *sweatshops* da China ou em outros países localizados no Sul do mundo[51].

---

[50] Idem. Além das qualificadas formulações de Ursula Huws aqui e em *The Making of a Cybertariat: Virtual Work in a Real World* (Londres, Merlin, 2003), que conferem validade à teoria do valor na era do trabalho digital, o debate e a polêmica têm sido amplos e intensos. Há, mais recentemente, uma gama de novos estudos sobre o tema. Destacamos, por exemplo, a pesquisa de Nick Dyer-Witheford, *Cyber-Proletariat: Global Labour in the Digital Vortex* (Londres, Pluto, 2015), que apresenta novos elementos para uma melhor compreensão dos significados do ciberproletariado; Eran Fisher e Christian Fuchs (orgs.), em *Reconsidering Value and Labour in the Digital Age* (Hampshire, Palgrave Macmillan, 2015), ampla coletânea contemplando diversos autores, com perspectivas também diferenciadas, esboçam uma *crítica da economia política* da internet e do trabalho digital a partir da teoria do valor-trabalho de Marx. Entre nós, remeto o debate também a César Bolaño, *Indústria cultural, informação e capitalismo* (São Paulo, Hucitec, 2000); Eleutério Prado, *Desmedida do valor: crítica da pós-grande indústria* (São Paulo, Expressão Popular, 2005); e aos textos nos quais pude desenvolvê-lo mais amplamente, *Os sentidos do trabalho*, cit., e *Adeus ao trabalho?*, cit.

[51] Ursula Huws, *Labor in the Global Digital Economy*, cit., p. 157.

Sua conclusão é relevante, apreende o trabalho em sua globalidade sem herdar nenhum traço eurocêntrico, tão frequente nos estudos do tema. Sem a produção de energia, de cabos, de computadores, de celulares e de uma infinidade de produtos materiais, sem o fornecimento das matérias-primas para a produção das mercadorias, sem o lançamento de satélites ao espaço para carregar seus sinais, sem a construção de edifícios onde tudo isso é produzido e vendido, sem a produção e a condução de veículos que viabilizem sua distribuição, sem toda essa infraestrutura material, a internet não poderia ser sequer conectada. Por conta desse elemento vital, acrescenta a autora, são ainda poucos os trabalhos que não demandam alguma forma de atividade física, mesmo que seja apenas a de utilizar um teclado[52].

Portanto, quando a tematização acerca do mundo do trabalho é feita de modo abrangente e totalizante, contemplando não só o Norte, mas em especial o Sul, com um volume muito maior de trabalhadores e trabalhadoras, aflora mais intensamente a fragilidade empírica e analítica da tese do *fim do trabalho*, bem como a da consequente *perda de validade da teoria do valor*.

Aqui vale indicar que uma variante crítica procurou dar novo fôlego às teses do *fim da teoria do valor*, recorrendo ao argumento da sua *intangibilidade*, visto que na sociedade atual, de feição "pós-industrial", tornar-se-ia impossível *quantificar* e *contabilizar* a medição do valor[53]. O argumento principal dessa proposição é o de que, no trabalho, em particular nos serviços considerados *imateriais*, sua intangibilidade acabaria por impedir a mensuração do valor, tornando impraticável a vigência do valor-trabalho e, por consequência, a criação do mais-valor[54].

Mas o capitalismo contemporâneo parece ter jogado por terra essa possibilidade, uma vez que o *valor é cada vez mais resultante de trabalho social e coletivo, complexo e combinado, predominantemente material, mas crescente em seus traços de imaterialidade, ambos presentes nas novas cadeias produtivas globais, cada vez mais imbricados e interrelacionados*. Assim, é preciso enfatizar que o *trabalho imaterial se tornou também parte integrante e vital da forma-mercadoria, em vez de ser excluído do complexo processo de criação do valor que encontra vigência no capitalismo financeiro, informacional e digital de nosso tempo*[55]. Sua mensuração deixou de ser, há muito

---

[52] Ibidem, p. 157-8.

[53] Ver, por exemplo, a formulação de André Gorz, *O imaterial*, cit.

[54] Tanto no próximo capítulo quanto em outras partes deste livro, faremos uma crítica mais detalhada dessa concepção.

[55] André Tosel, "Centralité et non-centralité du travail ou la passion des hommes superflus", em Jacques Bidet e Jacques Texier, *La crise du travail: actuel Marx*

tempo, *individualizada*, sendo uma *média social*, uma vez que o valor é resultante do *trabalho social, coletivo, complexo e combinado*.

Pode ser elucidativo o exemplo seguinte: um iPhone X, produzido pela Foxconn na China, utilizando-se de uma intensa exploração do trabalho, inclusive de trabalho ilegal de estudantes (como foi denunciado até mesmo pelo *Financial Times*, em 21 e 22 de novembro de 2017[56]), e que foi concebido pela Apple, nos Estados Unidos, com seu design, seus softwares etc., não será capaz de mensurar a taxa média de mais-valor que a levou a montar sua estrutura de produção na China? Por que será que a Apple não fabrica seus smartphones na Califórnia? Se o mais-valor fosse *imensurável* e *intangível*, essa resposta seria um enigma.

Mas há um segundo ponto crítico, que diz respeito às denominadas "sociedades pós-industriais". Como indicamos anteriormente, em nossa interpretação do Livro II de *O capital*, de Marx, a produção capitalista não se resume à produção industrial *stricto senso* (basta pensar na agricultura capitalista) e o *capital industrial transcende a produção estritamente material*, como vimos em sua caracterização da *indústria de transporte* (e de outros ramos, como *armazenamento e estocagem, telégrafos e comunicações, gás* etc.).

A chave analítica aqui, já o indicamos repetidamente, está na efetiva intelecção de como se desenvolve o *processo de produção dentro do processo de circulação e das atividades que incorporam os trabalhos imateriais*, como nas escolas e universidades privadas, nos call-centers, na indústria de software e nas TICs, nas atividades de serviços como Uber, Cabify e assemelhados, no transporte de mercadorias realizado pelos motoboys, entre tantos outros. É preciso, pois, investigar, empírica e analiticamente, como se desenvolve o "processo de produção" dentro desses ramos e setores que se expandem com o trabalho digital e informacional, quais são as suas condições de trabalho e suas efetivas relações com o processo de valorização do capital.

Outro exemplo emblemático da ampliação da lei do valor nas esferas anteriormente consideradas *improdutivas* se evidencia por meio da *tendência global de expansão da terceirização em todos os ramos da produção e, em particular, nos serviços*. Em nossa formu-

---

confrontation (Paris, Presses Universitaries de France, 1995); Jean-Marie Vincent, "Les automatismes sociaux et le 'général intellect'", *Futur Antérieur*, Paris, n. 16, 1993, p. 121-30, e "Flexibilité du travail et plasticité humaine", em Jacques Bidet e Jacques Texier, *La crise du travail*, cit.; Ricardo Antunes, *Os sentidos do trabalho*, cit., e *Adeus ao trabalho?*, cit.

[56] Ver Yuan Yang, "Apple's iPhone X assembled by illegal student labour", *Financial Times*, 21 nov. 2017; disponível em: <https://www.ft.com/content/7cb56786-cda1-11e7-b781-794ce08b24dc>; acesso em 11 abr. 2018.

lação, a *terceirização se tornou outro mecanismo vital do capitalismo para intensificar a exploração do mais-valor*, ampliando o espaço de incidência do valor tanto na *indústria* como na *agricultura* e, sobretudo nas últimas décadas, nos *serviços* (e em suas múltiplas inter-relações, anteriormente indicadas, como agroindústria e indústria de serviços). Esse complexo mecanismo opera no sentido de aumentar de modo significativo a massa de mais-valor extraída nesses setores e ramos, desprezados no passado pelo capitalismo.

Desse modo, além de a terceirização ampliar espetacularmente a extração de mais-valor nos espaços privados, dentro e fora das empresas *contratantes*, ela também inseriu abertamente a geração de mais-valor no interior do serviço público, por meio do enorme processo que introduziu práticas privadas (as empresas terceirizadas e seus assalariados terceirizados) no interior de atividades cuja finalidade original era produzir *valores socialmente úteis*, como saúde, educação, previdência etc.

A terceirização acelerada dentro da atividade estatal, nos mais distintos setores (limpeza, transporte, segurança, alimentação, pesquisa, entre outros), incidindo tanto nas atividades administrativas como, por exemplo, na área da saúde, com médicos e enfermeiros terceirizados atuando em hospitais públicos, dentre tantas outras atividades terceirizadas que se expandem em ritmo intenso no espaço público, começa a corroer por dentro a *res publica*, uma vez que as empresas de terceirização passam a extrair mais-valor de seus trabalhadores terceirizados que substituem os assalariados públicos.

Não é difícil concluir que os desdobramentos *sociais e políticos* de todos os elementos que oferecemos até aqui são enormes e assumem grande relevância para o conjunto do mundo do trabalho e, em particular, para a classe trabalhadora. Podemos resumi-los na seguinte indagação: os trabalhadores e as trabalhadoras de serviços são, em última instância, partes da *classe média emergente* ou expressão do *novo proletariado de serviços*, da classe trabalhadora em sua *nova morfologia*, do que denominei classe-que-vive-do-trabalho?

É disso que trataremos no próximo item.

Classe média ou novo proletariado de serviços?

Partimos da hipótese de que os trabalhadores e as trabalhadoras em serviços (como call-centers, telemarketing, indústria de softwares e TICs, hotelaria, shopping centers, hipermercados, redes de fast-food, grande comércio, entre tantos outros) encontram-se cada vez mais *distanciados* daquelas modalidades de trabalho intelectual que particularizam as classes médias e, dada a tendência de assalariamento, proletarização e mercadorização, *aproximam-se* daquilo que denominamos *novo proletariado de serviços*.

Sabemos que a noção marxista de classe média remete a um tema bastante complexo, que transcende a esfera da materialidade, uma vez que, para compreender as classes sociais, é necessário apreender uma complexa dimensão relacional entre o mundo da objetividade e o da subjetividade, o que se opõe à unilateralização que, com frequência, ocorre quando se discute o tema das classes sociais.

Nessa direção, começamos indicando que as classes médias (melhor falar no plural) configuram um conceito amplo: são, desde logo, compostas pelos que exercem trabalho predominantemente intelectual (não manual), o que essencialmente as distingue da classe operária. E, mais, as classes médias buscam uma clara diferenciação em relação à classe operária também na esfera do consumo, em seu ideário, nos seus valores simbólicos. Em relação às classes burguesas, o imaginário das classes médias frequentemente transita na esfera dos valores da classe dominante. Mas, por serem destituídas dos meios materiais e simbólicos da dominação e da riqueza, vivenciam um cenário em que a oscilação e a incerteza são mais frequentes do que a estabilidade e a ascensão.

Assim, o conceito de classes médias não pode ser determinado nem centralmente nem de modo exclusivo pela renda percebida, quando a análise é de inspiração ontológica. As clivagens que as atingem e as particularizam são muito mais profundas. Se as classes médias mais *tradicionais* devem ser definidas pelo papel que ocupam no processo de trabalho, predominantemente intelectual e não manual (de que são exemplos os funcionários públicos, médicos, advogados, profissionais liberais etc.), nos últimos tempos temos presenciado uma expansão significativa de setores médios que, em seu processo de assalariamento, pelas formas de realização e vínculos que passam a assumir com o trabalho que desenvolvem, sofrem uma crescente proletarização, a exemplo dos trabalhadores de escritório, bancários, professores, assalariados do comércio, trabalhadores em supermercados, fast-foods, call-centers, TICs (ao menos em seus estratos médios e inferiores), confirmando e aprofundando a formulação pioneira de Braverman[57].

As classes médias, além de suas diferenciações e oscilações estruturais típicas, definem-se de forma significativa pelos valores *culturais, simbólicos, de consumo*[58]. Os seus segmentos mais altos se distinguem da classe média baixa e se aproximam, ao menos no plano valorativo, das classes proprietárias. Mas, ao contrário, em seus estratos mais baixos, os assalariados de classe média tendem, no plano da objetividade, a se aproximar mais da classe trabalhadora,

---

[57] Harry Braverman, *Trabalho e capital monopolista* (Rio de Janeiro, Paz e Terra, 1977).

[58] Pierre Bourdieu, *A distinção: crítica social do julgamento* (São Paulo, Edusp, 2007).

ainda que sua aspiração possa se dirigir para o topo da pirâmide social. É por isso que a consciência das classes médias aparece frequentemente como *consciência de uma não classe*, ora mais próxima das classes proprietárias, como ocorre em seus segmentos mais altos, como os gestores (de médio e alto escalão), administradores, engenheiros, médicos, advogados etc., ora mais próxima dos valores, ideários e práticas da classe trabalhadora, quando tomamos os seus segmentos mais proletarizados.

Assim, dada a conformação heterogênea e compósita das classes médias, em sua objetividade e subjetividade, assim como em suas intrincadas dimensões relacionais, uma efetiva intelecção de seu *ser*, de sua *condição de classe*, só pode ser apreendida em sua especificidade, nos laços e relações que as conectam com os processos sociais.

No passado, por exemplo, quando as "profissões liberais" eram mais individualizadas, a exemplo dos médicos e advogados tradicionais, predominava uma dimensão de trabalho mais intelectual e não manual.

No presente, com a enorme expansão do capitalismo financeirizado, amplos setores das classes médias vivenciam um intenso processo de proletarização, como os trabalhadores de serviços que, uma vez "mercadorizados", se tornam, como vimos, cada vez mais partícipes (direta ou indiretamente) do processo amplo de valorização do capital. Assim, a partir do monumental crescimento dos novos assalariados de serviços (como os de call-center, telemarketing, hipermercados, fast-food, hotéis, restaurantes, os assalariados do comércio e de escritório), a tese que aparece como fio condutor deste livro é a de que estamos presenciando a *constituição* e a *expansão* de um *novo proletariado de serviços*. Esse, por sua vez, passa a ter cada vez mais um papel de destaque na formação da *classe trabalhadora ampliada que se expande em escala global e que tem sido responsável pela deflagração de várias lutas sociais, manifestações e greves.*

Para melhor compreender a complexificação da sociedade de classes de nosso tempo, em particular a classe trabalhadora, vamos tratar, neste capítulo, de mais um ponto também bastante relevante que pode ser assim indicado: esses novos contingentes assalariados, *especialmente os mais precarizados, que realizam trabalhos esporádicos e intermitentes, sem contratação regulamentada e formalizada*, e que por isso recebem menores salários, são parte da *classe trabalhadora ampliada* (como nossos estudos vêm sugerindo), integrantes, portanto, da classe-que-vive-do-trabalho[59]? Ou constituem uma "nova classe", a *classe do precariado*, conforme a sugestão de Standing[60]? É dessa polêmica que trataremos a seguir.

---

[59] Ricardo Antunes, *Adeus ao trabalho?*, cit., e *Os sentidos do trabalho*, cit.
[60] Guy Standing, *The Precariat: the New Dangerous Class* (Nova York, Bloomsbury, 2011).

Entre a precarização e o precariado: estamos diante da constituição de uma nova classe?

Desde 2008, com a eclosão da nova fase da *crise estrutural do capital*[61], assistimos à expansão significativa do processo de *precarização estrutural do trabalho*. Essa tendência se desenhava desde princípios da década de 1970, quando deslanchou o processo de reestruturação produtiva do capital em escala global. Um dos elementos mais expressivos desse processo pôde ser observado com o ingresso da China no mercado capitalista, acompanhado da inserção ou da ampliação da atividade industrial em vários países do mundo asiático.

O aumento da exploração do trabalho, que passou cada vez mais a se configurar de fato como *superexploração da força de trabalho*, além de aumentar o desemprego, ampliou enormemente a informalidade, a terceirização e a flexibilização da força de trabalho, processo esse que atinge não só os países do Sul, as periferias do sistema, mas também os países centrais[62].

Nessa contextualidade, o cenário social se alterou sobremaneira: para não voltar muito no tempo, podemos recordar as explosões sociais na França, em fins de 2005, com a revolta dos imigrantes e trabalhadores pobres e a destruição de milhares de carros (símbolo da sociedade do século XX), ou ainda as manifestações de estudantes e trabalhadores em 2006, em Paris, contra o Contrato de Primeiro Emprego.

Depois, tivemos o agravamento da crise, na virada da década, na Grécia, onde ocorreram várias manifestações contrárias aos receituários do Banco Central europeu e do Fundo Monetário Internacional (FMI). A explosão das revoltas no mundo árabe, começando pela Tunísia, ampliou e deu uma dimensão ainda mais forte às rebeliões. Estávamos adentrando em uma era de rebeliões, que, entretanto, não se converteu em uma era de revoluções.

Em Portugal, essas lutas se tornaram emblemáticas. Em março de 2011, explodiu o descontentamento da "geração à rasca". Milhares de manifestantes, jovens e imigrantes, homens e mulheres, precarizados e precarizadas, desempregados e desempregadas, expressaram sua revolta[63] (somando-se ao descontentamento e à luta dos trabalhadores e trabalhadoras organizados sindicalmente, mais tradicionais e que vinham efetivando ações contrárias à perda crescente de direitos sociais). Expandia-se também no país a prática

---

[61] István Mészáros, *Para além do capital*, cit.; Robert Kurz, *O colapso da modernização*, cit.; François Chesnais, *A mundialização do capital*, cit.

[62] Ricardo Antunes, *Adeus ao trabalho*, cit.

[63] De que foi exemplo o movimento Precári@s Inflexíveis, que apresentou um contundente diagnóstico da tragédia social vivida em Portugal.

dos "recibos verdes", documento assinado por trabalhadores e trabalhadoras "independentes", desprovidos dos direitos trabalhistas presentes nas relações regulamentadas, em troca do pagamento em dinheiro[64].

Na Espanha, na mesma década, eclodiu o movimento dos jovens em luta contra as altíssimas taxas de desemprego e a completa ausência de perspectiva de vida. Estudando ou não, esses jovens se mantinham como sérios candidatos ao desemprego ou, na melhor das hipóteses, ao trabalho precário. A geração Ni-Ni, *ni estudia, ni trabaja* [nem estuda nem trabalha], indicou a dimensão da tragédia social que assolou a juventude espanhola, desencadeando o importante movimento Indignados.

Na Inglaterra, ocorreu um forte levante social que se iniciou depois que um trabalhador taxista negro foi assassinado pela polícia. Jovens pobres, negros, imigrantes, desempregados dos bairros de Tottenham e Brixton se revoltaram e, em poucos dias, os levantes atingiram Manchester, Liverpool, entre outras localidades. Tratou-se da primeira grande explosão social na Inglaterra (e em partes do Reino Unido) depois da revolta contra o *poll tax*, que selou o fim do governo Thatcher.

Nos Estados Unidos, floresceu o movimento de massas Occupy Wall Street, denunciando a hegemonia dos interesses do capital financeiro, com suas nefastas consequências sociais: o aumento do desemprego e do trabalho precarizado, que atingiu ainda mais duramente as condições de vida das mulheres, dos negros e dos imigrantes. O Occupy Wall Street possibilitou também uma retomada do debate sobre as classes sociais, o trabalho, o desemprego, a crise, a financeirização, temas que se encontravam fora da agenda política dos movimentos sociais tradicionais, mas que renasceram, fruto da amplitude e da importância assumidas pelas manifestações que se espalharam pelos Estados Unidos a partir de 2011.

Já nos referimos ao avanço dos novos movimentos de representação do precariado na Itália, dadas as dificuldades de representação pelo sindicalismo oficial e mais tradicional. Em Milão, eles floresceram com a eclosão conhecida como MayDay, em 2001, em luta pelos direitos, avançando para uma representação autônoma desse amplo e heterogêneo conjunto de trabalhadores e trabalhadoras, jovens, imigrantes, qualificados e não qualificados, cujo trabalho é desregulamentado, dominantemente informal, e que se autodefinem como precariado (San Precario). Outro exemplo, que também já indicamos anteriormente, foi o do grupo coletivo Clash City Workers, representante da juventude precarizada que trabalha

---

[64] Elísio Estanque, *Classe média e lutas sociais* (Campinas, Editora da Unicamp, 2015).

ou se encontra desempregada e que tem atividades em Nápoles e outras cidades do país[65].

No plano de uma ação mais sindical, recordamos também a criação da Confederazione Unitaria di Base (CUB), movimento sindical independente e autônomo e, anteriormente, dos Comitati di Base (Cobas), que se desenvolveram a partir da década de 1990, com inspiração classista e independente e, em tempos mais recentes, com a criação da Nuove Identitá di Lavoro (NIdiL), vinculada à Confederazione Generale Italiana del Lavoro (CGIL).

Esses exemplos, dentre tantos outros, constituíram-se na base de um amplo debate, sobretudo nos países do Norte, acerca da emergência desse novo contingente da classe trabalhadora, com perfil claramente diferenciado em relação ao operariado europeu tradicional. Foi dentro desse debate que nasceu a polêmica proposta de Standing[66], que vislumbrou o advento de uma *nova classe* – o *precariado*.

Vamos, então, à luz da concepção ampla de classe trabalhadora, problematizar essa formulação. Segundo Standing, o precariado é uma classe distinta daquela que se conformou durante o capitalismo industrial. Seria uma *nova classe, diferenciada do proletariado herdeiro da era taylorista-fordista*. Sua configuração se aproximaria, então, de uma *nova classe* mais desorganizada, oscilante, ideologicamente difusa e, por isso, mais vulnerável, mais facilmente atraída por "políticas populistas", suscetíveis de acolher inclusive apelos "neofascistas".

Com esse desenho crítico – ainda que a descrição empírica de Standing seja ampla e com informações relevantes –, sua análise confere o *estatuto de classe* ao que de fato é uma *parcela do proletariado*, e a mais precarizada, geracionalmente jovem, que vive de trabalhos com maior grau de informalidade, muitas vezes realizando atividades parciais, por tempo determinado ou intermitente. A resultante desse equívoco analítico levou o autor, inclusive, a concebê-la como "uma classe perigosa", "em-si" e "para-si" diferenciada da classe trabalhadora[67].

Nossa formulação crítica, pelo que já indicamos neste capítulo, caminha em direção oposta às formulações que visualizam o precariado como uma nova classe. Entendemos, ao tratar da realidade presente em alguns países de capitalismo avançado, que a classe-que-vive-do-trabalho, em sua *nova morfologia*, compreende distintos polos que são expressões visíveis da mesma *classe trabalhadora*,

---

[65] Cf. Clash City Workers, *Dove sono i nostri*, cit.

[66] Guy Standing, *The Precariat*, cit.

[67] Ibidem, p. 25.

ainda que eles possam se apresentar de modo bastante diferenciado (diferenciação, aliás, que não é novidade na *história* da classe trabalhadora, sempre clivada por gênero, geração, etnia/raça, nacionalidade, migração, qualificação etc.)[68].

São, portanto, setores diferenciados da *mesma classe trabalhadora*, da classe-que-vive-do-trabalho em suas heterogeneidades, diferenciações e fragmentações. Nos países capitalistas avançados[69], os mais precarizados ou os jovens, que compõem o chamado precariado, nascem sob o signo da corrosão dos direitos e lutam de todos os modos para conquistá-los. Os setores tradicionais da classe trabalhadora, herdeiros do *welfare State* e do taylorismo-fordismo europeu, mais organizados e que conquistaram direitos ao longo de muitas e seculares lutas, debatem-se no presente para impedir um desmoronamento e uma corrosão ainda maiores de suas condições de trabalho. Lutam para não se precarizar ainda mais.

Exemplos verdadeiros de outra dialética, esses dois segmentos importantes da *mesma classe-que-vive-do-trabalho*, em sua *aparente contradição*, parecem ter seu futuro ligado de modo indelével: o jovem precariado, em suas lutas, aparentemente mais "desorganizado", quer o fim da precarização completa que o avassala e sonha com um mundo melhor. Por sua vez, os trabalhadores mais tradicionais, mais organizados sindical e politicamente, herdeiros do *welfare State*, querem evitar uma *degradação ainda maior* e se recusam a converter-se nos novos precarizados do mundo. Como a lógica destrutiva do capital é *múltipla* em sua *aparência*, mas *una* em sua *essência*, *se* esses polos vitais do mundo do trabalho, que vivenciam situações tanto de *heterogeneidade* quanto de *homogeneização*, não forem capazes de se conectar de modo solidário e orgânico e de articular elementos de unificação em algumas de suas lutas, tenderão a sofrer uma precarização ainda maior. *Uberização, walmartização, intermitência, pejotização*, esse será o léxico dominante no mundo do trabalho se a resistência e a confrontação não forem capazes de obstar o vigoroso processo de precarização estrutural do trabalho.

Aqui é preciso fazer um breve parêntese: a precarização não é algo estático, mas um *modo de ser* intrínseco ao capitalismo, um

---

[68] Ver o conjunto de críticas e polêmicas, bem como as respostas de Guy Standing em "The Precariat, Class and Progressive Politics: a Response", em Marcel Paret (org.), *Global Labour Journal: Special Issue: Politics of Precarity: Critical Engagements with Guy Standings*, v. 7, n. 2, maio 2016; disponível em: <https://mulpress.mcmaster.ca/globallabour/article/view/2940/2600>; acesso em: 26 dez. 2017.

[69] Para um amplo desenho histórico e global da classe trabalhadora, ver Marcel van der Linden, *Trabalhadores do mundo: ensaios para uma história global do trabalho* (Campinas, Editora da Unicamp, 2013).

processo que pode tanto se *ampliar* como se *reduzir*, dependendo diretamente da *capacidade de resistência, organização e confrontação da classe trabalhadora*. Trata-se de uma tendência que nasce, conforme Marx demonstrou em *O capital*, com a própria criação do trabalho assalariado no capitalismo. Como a classe trabalhadora vende sua força de trabalho e só recebe por parte de sua produção, o excedente que é produzido e apropriado pelo capital tende a se ampliar por meio de vários mecanismos intrínsecos à sua lógica.

Uma vez que os capitais buscam com frequência aumentar o mais-valor (tanto o *relativo* quanto o *absoluto*), a incessante ampliação da *troca desigual* entre o valor que o proletariado produz e o que ele recebe é uma tendência presente na própria lógica do capitalismo. Para tanto, são usados vários mecanismos, como a intensificação do trabalho, o prolongamento da jornada[70], a restrição e a limitação dos direitos, os novos métodos de organização sociotécnica do trabalho etc.

Assim, a precarização da classe trabalhadora é uma processualidade resultante também da luta entre as classes, da capacidade de resistência do proletariado, podendo, por isso, *tanto se ampliar como se reduzir*. Dessa forma, esse movimento ocorre tanto em função do aumento da exploração capitalista quanto das lutas da classe trabalhadora, em suas greves, lutas sindicais e embates contra o capital.

Foi por isso que tanto Marx quanto Engels demonstraram que se alternam incessantemente as formas de exploração do trabalho, fenômenos que se acentuam com a expansão da "superpopulação relativa", que faz com que os capitais se utilizem da força excedente de trabalho para intensificar ainda mais a ampliação dos níveis de exploração e a consequente precarização da classe trabalhadora.

No capitalismo atual, a *superpopulação relativa* (ou *exército industrial de reserva*), que Marx, no capítulo 23 do Livro I de *O capital*, indicou como sendo constituída por três formas – a *latente*, a *estagnada* e a *flutuante* –, adquire novas dimensões e configurações. Fenômeno, aliás, que o autor indicou, nos contornos e limites de seu tempo histórico, quando, ao definir o contingente *flutuante*, lembrou que "uma parte dela [da superpopulação flutuante, ou seja, dos dispensados pela indústria] emigra e, na realidade, não faz mais do que seguir os passos do capital emigrante"[71].

Hoje, dados o crescimento e a circulação da força de trabalho imigrante, que se intensificam exponencialmente em dimensões globais, aumenta ainda a *superpopulação relativa* e, por consequência,

---

[70] Ver o excelente estudo de Pietro Basso, *Modern Times, Ancient Hours: Working Lives in the Twenty-First Century* (Londres, Verso, 2003).

[71] *O capital*, Livro I, cit., p. 716.

o *exército de força sobrante global de trabalho*. Nessa contextualidade, ampliam-se ainda mais os mecanismos de exploração, intensificação e precarização da classe trabalhadora, uma vez que a destruição dos direitos sociais conquistados passa a ser uma imposição do sistema global do capital em sua fase de hegemonia financeira.

Com isso se acentua a heterogeneidade no interior da própria classe trabalhadora, cuja diferenciação entre ramos e setores ganha novos componentes étnico-raciais, dados pelos migrantes globais que buscam trabalho e sobrevivência em todos os espaços presentes na (nova?) divisão internacional do trabalho.

Se Engels já demonstrou, em seu excelente *A situação da classe trabalhadora na Inglaterra*[72], que o operariado britânico era bastante heterogêneo e diferenciado, essas clivagens se acentuam quando se percebe a taxa diferencial de exploração praticada entre centro e periferia.

Feito esse parêntese, retomemos a questão que estávamos tratando, a respeito da necessidade de buscar uma luta unificada entre os distintos segmentos que compõem a classe trabalhadora. Um desafio se torna central: os setores heterogêneos que compreendem a *totalidade* da classe estão compelidos a construir laços de solidariedade e sentido de pertencimento de classe, de consciência de seu *novo modo de ser*, conjugando suas lutas cotidianas com seus projetos societais.

Somente através de fortes ações coletivas é que serão capazes de se contrapor ao sistema de metabolismo social do capital, profundamente adverso ao trabalho, aos seus direitos e às suas conquistas. O maior desafio no momento é impedir que as fraturas *objetivas* obliterem as possibilidades de ação *subjetiva*, dificultando ou até mesmo impedindo sua ação enquanto classe trabalhadora em sua totalidade. Isso porque a contradição central de nosso tempo perpassa a separação que há entre a *totalidade do trabalho social* e a *totalidade do capital global*.

Aqui o papel do *novo proletariado de serviços* é emblemático. Sua aglutinação como parte constitutiva e crescente da classe trabalhadora ampliada, como parte integrante de suas lutas, de seus embates e resistências, tem (e terá cada vez mais) repercussões de grande importância nas lutas do *conjunto da classe trabalhadora*, do proletariado em geral, em todos os seus segmentos, contra a lógica destrutiva que preside o sistema de metabolismo social do capital[73] na era da financeirização.

Por fim, dada a conformação *desigual e combinada* da *divisão internacional do trabalho*, é preciso fazer algumas mediações quando se trata de tematizar o precariado. A primeira delas é dada pelas clivagens existentes entre Norte e Sul. Nas periferias, o proletariado

---

[72] Ed. bras.: São Paulo, Boitempo, 2008.

[73] István Mészáros, *Para além do capital*, cit.

nasceu eivado da condição de precariedade. Bastaria dizer que o proletariado no Brasil – e em vários outros países que vivenciaram o escravismo colonial – efetivamente floresceu a partir da abolição do trabalho escravo, herdando a chaga de um dos mais longevos períodos de escravidão, *de modo que sua precarização não é a exceção, mas um traço constante de sua particularidade desde a origem*.

Como no Sul não se desenvolveu nenhum tipo persistente de *aristocracia operária*, nosso proletariado sempre se confundiu com a *condição de precariedade*, que é traço marcante de sua *ontogênese*. As suas diferenças internas nunca foram muito grandes, como aquelas existentes onde vicejou a aristocracia operária e, posteriormente, o *welfare State*, pois entre nós nunca houve uma sólida *elite operária*. Ainda que estivessem sempre presentes essas clivagens e diferenciações, como, aliás, em toda a história da classe trabalhadora, elas nunca criaram um fosso tão fundo entre seus diferentes polos.

Já nos países do Norte, onde nasceu, na gênese do movimento operário, uma forte aristocracia operária e, posteriormente, se desenvolveu um sólido proletariado herdeiro do taylorismo, do fordismo e do *welfare State*, o advento recente do precariado acentuou enormemente um traço forte de diferenciação que existia, por exemplo, entre o proletariado tradicional do *welfare State* e os bolsões de imigrantes que se encontravam na base da classe trabalhadora, ainda que em dimensão e tamanho muito menores do que os atuais.

É por isso que, em nosso entendimento, essas diferenciações não encontram simetria com o proletariado do Sul. A crise estrutural, o desemprego e o subemprego, os novos fluxos migratórios, tudo isso ganhou novas significações, ampliando *enormemente* as clivagens dentro da classe trabalhadora dos países capitalistas centrais. No Sul, as particularidades e singularidades da classe trabalhadora fazem com que suas clivagens (por certo existentes e relevantes) não tenham, entretanto, a intensidade do centro, de modo que falar em "uma nova classe" *abaixo do proletariado é uma completa desproporção*, assim como foi um equívoco empírico e analítico falar em *aristocracia operária* como um fenômeno duradouro nas periferias.

Desse modo, o *precariado* – se assim o quisermos chamar – deve ser compreendido como *parte constitutiva do nosso proletariado desde sua origem*, o seu polo mais precarizado, ainda que seja evidente, como já indicamos ao longo deste capítulo, que entre nós também venha se desenvolvendo com rapidez um *novo contingente do proletariado, largamente vinculado aos serviços, com um traço geracional marcante (juventude) e cujas relações de trabalho estão mais próximas da informalidade, do trabalho por tempo determinado, dos terceirizados e intermitentes, modalidades que não param de se expandir.*

Já nos países capitalistas centrais, especialmente os da Europa, o *precariado* é uma criação mais recente, ao menos em sua conformação atual, impulsionado pela crise estrutural do sistema capitalista, pelo advento do neoliberalismo e pelo comando do capital financeiro, que fizeram emergir um proletariado muito mais explorado em pleno coração do capitalismo. A *superexploração do trabalho*, então, deixou de ser um *discreto charme da burguesia dependente e subordinada* e adentrou o coração do *welfare State*.

Dos homens e mulheres jovens mais qualificados aos imigrantes pobres; dos imigrantes com qualificação às jovens nativas sem formação; das mulheres brancas às imigrantes negras, indígenas, amarelas, enfim, em um amplo espectro da *população excedente de trabalhadores e trabalhadoras*, que Marx denominou *superpopulação relativa* ou *exército de reserva*, podem-se encontrar, hoje, incrustados neles, *cada vez mais contingentes que no centro do mundo são definidos (ou se definem) como precariado*. Seja nos seus contingentes *flutuantes, latentes ou estagnados*, seja em outros que possam aparecer, a *precarização* se amplia de modo exponencial e cada vez com menos limites e crescente desregulamentação, ainda que essa expansão ocorra de modo desigual, quando se toma o mundo em sua globalidade.

Assim, se parece plausível e pertinente reconhecer *empiricamente*, no Norte, a emergência *recente* do *precariado* como sendo *um dos polos mais precarizados da classe trabalhadora e muito diferenciado e distanciado do proletariado herdeiro do welfare State*, no Sul, no espaço periférico, o que poderíamos chamar de *precariado* tem singularidades e particularidades muito distintas em relação àquele que floresceu no Norte. Como é límpido no caso brasileiro, ele não só não se constitui como uma *nova classe*, como também não é *tão profundamente diferenciado* em relação ao proletariado mais regulamentado, pois aqui nunca floresceu um padrão societal típico do *welfare State* – ainda que, no presente, esse novo contingente do proletariado esteja sendo redesenhado com novas configurações que se inserem no que venho denominando *nova morfologia do trabalho*[74].

---

[74] No capítulo 7, trataremos da *nova morfologia do trabalho no Brasil* e esses elementos empíricos serão evidenciados. Sobre o debate em torno do precariado, vale lembrar que, além de um amplo debate na Europa, há também aquele que se desenvolve no Brasil. Ver, por exemplo: Ruy Braga, *A política do precariado: do populismo à hegemonia lulista* (São Paulo, Boitempo, 2012), e *A rebeldia do precariado: trabalho e neoliberalismo no Sul global* (São Paulo, Boitempo, 2017); e Giovanni Alves, *Condição de proletariedade: a precariedade do trabalho no capitalismo global* (Londrina, Praxis, 2009). Em relação à tematização acerca de classe trabalhadora no Brasil atual, ver os artigos de Marcelo Mattos Badaró, "A classe trabalhadora: uma abordagem contemporânea à luz do materialismo histórico", *Revista Outubro*, Rio de Janeiro, n. 21, 2013; disponível em: <http://outubrorevista.com.br/

Contrariamente, portanto, às teses que advogavam a perda de importância da classe trabalhadora, que estaria sendo substituída pela "sociedade de classe média", ou ainda àquelas que vislumbram a criação de "novas classes" (para não falar daquelas que propugnaram o "fim" das classes sociais), estamos desafiados a compreender sua *nova polissemia*, sua *nova morfologia*, cujo elemento mais visível é o desenho multifacetado, que faz aflorar tantas transversalidades entre classe, geração, gênero, etnia etc. Clivagens que se desenvolvem em inter-relação com o mundo do trabalho, entre homens e mulheres; jovens e idosos; nacionais e imigrantes; brancos, negros e indígenas; qualificados e desqualificados; estáveis e precários; formalizados e informalizados; empregados e desempregados; dentre tantos outros exemplos.

Essa *nova morfologia* compreende não só o operariado herdeiro da era taylorista e fordista, em relativo processo de encolhimento especialmente nos países centrais (mas que segue um movimento diferenciado em vários países do Sul, como China, Índia, Brasil, México, Coreia, África do Sul etc.), mas deve incluir também os *novos proletários precarizados de serviços*, parte integrante e crescente da classe-que-vive-do-trabalho. Trabalhadores e trabalhadoras que com frequência oscilam entre a *heterogeneidade* em sua *forma de ser* (gênero, etnia, geração, qualificação, nacionalidade etc.) e a *homogeneização* que resulta da condição crescentemente pautada pela precarização, cada vez mais desprovida de direitos do trabalho e de regulamentação contratual.

Não menos importante é dizer ainda que a *classe trabalhadora*, em sua *nova morfologia*, participa cada vez mais do processo de valorização do capital e da geração de mais-valor nas cadeias produtivas globais. As formas de intensificação do trabalho, a burla dos direitos, a superexploração, a vivência entre a formalidade e a informalidade, a exigência de metas, a rotinização do trabalho, o despotismo dos chefes, coordenadores e supervisores, os salários degradantes, os trabalhos intermitentes, os assédios, os adoecimentos, padecimentos e mortes decorrentes das condições de trabalho indicam o claro processo de proletarização dos assalariados de serviços que se encontra em expansão no Brasil e em várias partes do mundo, dada a importância das informações no capitalismo financeiro global. Constituem-se, portanto, numa nova parcela que amplia e diversifica a classe trabalhadora.

As consequências dessas mutações são profundas no que concerne às lutas sociais e sindicais, incluindo aquelas que assumem

---

wp-content/uploads/2015/02/Revista-Outubro-Edição-21-Artigo-03.pdf>; acesso em: 26 dez. 2017; e de Graça Druck, "Trabalho, precarização e resistências", *Caderno CRH (UFBA)*, Salvador, v. 24, 2011.

uma conformação anticapitalista. Se há uma nova morfologia do trabalho, ela inclui o advento de uma *nova morfologia das lutas*, das formas de organização e da representação do trabalho.

O mundo hoje é um excepcional laboratório para se compreender tanto essa tendência de precarização intensificada do trabalho, que amplia exponencialmente as modalidades cada vez mais *intermitentes* e desprovidas de direitos, quanto a nova era das lutas sociais que acompanham essa processualidade complexa em expansão de escala global. É disso que trataremos nos capítulos seguintes.

Capítulo 3

INFOPROLETARIADO, INFORMALIDADE, (I)MATERIALIDADE E VALOR:
o novo proletariado global e suas principais tendências

O mundo produtivo contemporâneo, particularmente a partir do amplo processo de reestruturação do capital desencadeado em escala global no início da década de 1970, vem apresentando um claro sentido multiforme. Por um lado, acentuando as tendências de informalização da força de trabalho em todo o mundo e de aumento dos níveis de precarização da classe trabalhadora. No outro lado do pêndulo, as tendências em curso nas últimas décadas estariam sinalizando traços que seriam vistos como mais "positivos", em direção a uma maior intelectualização do trabalho, sobretudo nos ramos dotados de grande impacto tecnológico--informacional-digital.

As consequências analíticas dessas teses díspares não são poucas. Na primeira variante, acentuam-se os elementos destrutivos em relação ao trabalho, enfatizando-se que as novas formas vigentes de valorização do valor, ao mesmo tempo que trazem embutidos novos mecanismos geradores de trabalho excedente, precarizam, informalizam e expulsam da produção uma infinitude de trabalhadores que se tornam sobrantes, descartáveis e desempregados. Na segunda linhagem, a ênfase está centrada em procurar demonstrar os "avanços" que enfim se aproximariam do trabalho informatizado, dotado de um maior traço cognitivo e que por isso estaria se diferenciando do trabalho maquínico, parcelar e fetichizado que esteve presente ao longo do século XX, de matriz taylorista-fordista.

É esse complexo problemático que nosso capítulo pretende explorar. Para ilustrar e dar concretude a tais formulações, vamos desenvolver os seguintes movimentos: de início, indicar as principais manifestações ou *modos de ser* da informalidade (isto é, o denominado trabalho informal) e suas conexões com a criação de valor, para, num segundo movimento, explorar os sentidos e significados presentes com o advento do infoproletariado e suas conexões com o trabalho material e, desse modo, oferecer nossa leitura acerca das problemáticas do universo atual do trabalho. Será com a análise desses movimentos, tendo a referência brasileira como suporte empírico, mas dialogando com tendências e formulações presentes no cenário global, que poderemos indicar algumas das principais tendências no universo do trabalho hoje.

Nossa hipótese central é a de que, ao contrário da retração ou descompensação da lei do valor, o mundo contemporâneo vem assistindo a uma significativa ampliação de seus mecanismos de funcionamento, no qual o papel desempenhado pelo trabalho – ou o que venho denominando a *nova morfologia do trabalho* – é emblemático.

Uma análise do capitalismo atual nos obriga a compreender que as formas vigentes de valorização do valor trazem embutidos novos mecanismos geradores de trabalho excedente, ao mesmo tempo que expulsam da produção uma infinidade de trabalhadores, que se tornam sobrantes, descartáveis e desempregados. Esse processo tem clara funcionalidade para o capital, ao permitir a intensificação, em larga escala, do bolsão de desempregados, o que reduz ainda mais a remuneração da força de trabalho em amplitude global, por meio da retração salarial daqueles assalariados que se encontram empregados.

Em plena eclosão da mais recente crise global em 2008, que atinge centralmente os países do Norte, esse quadro se amplia sobremaneira e nos faz presenciar um "desperdício" enorme de força humana de trabalho, uma corrosão ainda maior do trabalho contratado e regulamentado, dominante ao longo do século XX, de matriz taylorista-fordista.

Como vivenciamos uma processualidade multitendencial, em paralelo à ampliação de grandes contingentes que se precarizam intensamente ou perdem seu emprego, presenciamos também a expansão de novos modos de extração do sobretrabalho, capazes de articular um maquinário altamente avançado – de que são exemplos as tecnologias da informação e comunicação (TICs). A invasão dessas tecnologias no mundo das mercadorias, assim como a exigência de atividades dotadas de maiores "qualificações" e "competências", é fornecedora de maior potencialidade *intelectual* (aqui entendida em seu restrito sentido dado pelo mercado) ao *trabalho social, complexo e combinado* que efetivamente agrega valor.

É como se todos os espaços existentes de trabalho fossem *potencialmente convertidos em geradores de mais-valor*, desde aqueles que ainda mantêm laços de formalidade e contratualidade até os que se pautam pela aberta informalidade, na franja *integrada* ao sistema, não importando se as atividades realizadas são predominantemente *manuais* ou mais "intelectualizadas", "dotadas de conhecimento".

Assim, nesse universo caracterizado pela *subsunção do trabalho* ao mundo maquínico (seja pela vigência da máquina-ferramenta do século XX, seja pela máquina informacional-digital dos dias atuais), o trabalho estável, herdeiro da fase taylorista-fordista, relativamente moldado pela contratação e pela regulamentação, vem sendo substituído pelos mais distintos e diversificados modos de informalidade, de que são exemplo o *trabalho atípico*, os trabalhos terceirizados (com sua enorme variedade), o "cooperativismo", o "empreendedorismo", o "trabalho voluntário" e mais recentemente os trabalhos intermitentes.

Essa *nova morfologia do trabalho* abrange os mais distintos *modos de ser* da informalidade, ampliando o universo do *trabalho invisibilizado*, ao mesmo tempo que potencializa novos mecanismos geradores de *valor*, ainda que sob a *aparência* do *não valor*, utilizando-se de novos e velhos mecanismos de intensificação (quando não de *autoexploração*) do trabalho[1].

> Como o capital só pode reproduzir-se acentuando seu forte sentido de desperdício, é importante enfatizar que é a própria "centralidade do trabalho abstrato que produz a não centralidade do trabalho, presente na massa dos excluídos do trabalho vivo" que, uma vez (des)socializados e (des)individualizados pela expulsão do trabalho, "procuram desesperadamente encontrar formas de individuação e de socialização nas esferas isoladas do não trabalho (atividade de formação, de benevolência e de serviços)".[2]

O que nos permite indicar outra *hipótese* que será apresentada neste capítulo: menos do que a propalada perda de validade da teria do valor, conforme propugnaram Habermas e Gorz[3], entre tantos outros, nossa hipótese é que essa aparente *invisibilidade do trabalho é a expressão fenomênica* que encobre *a real geração de mais-valor*

---

[1] Os livros *Riqueza e miséria do trabalho no Brasil*, v. 1 (São Paulo, Boitempo, 2006), v. 2 (São Paulo, Boitempo, 2013) e v. 3 (São Paulo, Boitempo, 2014), editados sob minha coordenação, oferecem amplo material empírico acerca do cenário brasileiro e sustentam as caracterizações que seguem.

[2] André Tosel, "Centralité et non-centralité du travail ou la passion des hommes superflus", cit., p. 210.

[3] Jürgen Habermas, "The New Obscurity", cit., *The Theory of Communicative Action*, v. 1, cit., *The Theory of Communicative Action*, v. 2, cit.; André Gorz, *Metamorfoses do trabalho*, cit.; "Entrevista", *Revista IHU*, ano 5, ed. especial, 2005; *O imaterial*, cit.

em praticamente todas as esferas do mundo laborativo no qual possa ser realizada.

Comecemos, então, pela questão da informalidade.

Um esboço para uma fenomenologia da informalidade

Uma *fenomenologia* preliminar dos *modos de ser* da informalidade no Brasil recente demonstra a ampliação acentuada de trabalhadores submetidos a sucessivos contratos temporários, sem estabilidade, sem registro em carteira, trabalhando dentro ou fora do espaço produtivo das empresas, quer em atividades mais instáveis ou temporárias, quer sob a ameaça direta do desemprego.

A seguir esboçamos algumas de suas principais manifestações.

Um *primeiro modo de ser da informalidade* está presente na figura dos *trabalhadores informais tradicionais*, "inseridos nas atividades que requerem baixa capitalização, buscando obter uma renda para consumo individual e familiar. Nessa atividade, vivem de sua força de trabalho, podendo se utilizar do auxílio de trabalho familiar ou de ajudantes temporários"[4].

Nesse universo encontramos os trabalhadores

> menos "*instáveis*", que possuem um mínimo de conhecimento profissional e os meios de trabalho e, na grande maioria dos casos, desenvolvem suas atividades no setor de prestação de serviços, de que são exemplos costureiras, pedreiros, jardineiros, vendedores ambulantes de artigos de consumo mais imediato (como alimentos, vestuário, calçados e de consumo pessoal), camelôs, empregados domésticos, sapateiros e oficinas de reparos.[5]

Há também os informais mais *instáveis*, recrutados de forma temporária e frequentemente remunerados por peça ou por serviço prestado. Eles realizam trabalhos eventuais e contingenciais, pautados pela força física e pela baixa qualificação, como carregadores, carroceiros, trabalhadores de rua e em outros serviços em geral. Esses trabalhadores mais instáveis podem, inclusive, ser subempregados pelos trabalhadores informais mais *estáveis*[6].

---

[4] Maria Aparecida Alves e Maria Augusta Tavares, "A dupla face da informalidade do trabalho", em Ricardo Antunes (org.), *Riqueza e miséria do trabalho no Brasil*, v. 1, cit., p. 431.

[5] Idem.

[6] Idem. Ver também Jacob Carlos Lima, *As artimanhas da flexibilização: o trabalho terceirizado em cooperativas de produção* (São Paulo, Terceira Margem, 2002), e "Novas formas, velhos conteúdos: diversidade produtiva e emprego precário na indústria do vestuário", *Revista Política e Trabalho*, n. 15, 1999; e Maria Cristina Cacciamali, "Globalização e processo de informalidade", *Revista Economia e Sociedade*, Campinas, n. 14, jun. 2000.

Nesses exemplos – de *trabalhadores informais tradicionais* –, podemos incluir os *ocasionais* ou *temporários*, que desenvolvem atividades informais quando se encontram desempregados, enquanto esperam uma oportunidade para retornar ao trabalho assalariado.

Eles "são trabalhadores que ora estão desempregados, ora são absorvidos pelas formas de trabalho precário, vivendo uma situação que inicialmente era provisória e se transformou em permanente. Há casos que combinam o trabalho *regular* com o *ocasional*, praticando os chamados *bicos*. Nesses casos, obtém-se um baixo rendimento com essas atividades", como os vendedores de diversos produtos (de limpeza, cosméticos, roupas), digitadores, quem faz salgados, faxina e artesanato nas horas de folga[7].

Nesse escopo de atividades informais tradicionais, encontram-se as pequenas oficinas de reparação e consertos, estruturadas e mantidas pela clientela do *bairro* ou por relações pessoais. Inserida na divisão social do trabalho capitalista, essa gama de trabalhadores informais contribui:

> para que se efetive a circulação e o consumo das mercadorias produzidas pelas empresas capitalistas. A forma de inserção no trabalho informal é extremamente precária e se caracteriza por uma renda muito baixa, além de não garantir o acesso aos direitos sociais e trabalhistas básicos, como aposentadoria, FGTS [Fundo de Garantia por Tempo de Serviço], auxílio-doença, licença-maternidade; se [os trabalhadores] ficarem doentes são forçados a parar de trabalhar, perdendo integralmente sua fonte de renda.[8]

Não há horário fixo de trabalho e as jornadas com frequência avançam pelas *horas vagas* em função da necessidade de se aumentar a renda. Acrescente-se ainda o fato de que, no trabalho por conta própria, além do uso da própria força de trabalho, pode haver a incorporação de outros membros da família, com ou sem remuneração.

Um *segundo modo de ser da informalidade* remete à figura dos *trabalhadores informais assalariados sem registro*, à margem da legislação trabalhista, uma vez que perderam o estatuto de contratualidade e passaram da condição de assalariados *com* carteira assinada[9] para a de assalariados *sem* carteira, o que os exclui do acesso das resoluções presentes nos acordos coletivos de sua categoria e os torna desprovidos dos direitos existentes para aqueles que têm contrato formal de trabalho. A indústria têxtil, de confec-

---

[7] Maria Aparecida Alves e Maria Augusta Tavares, "A dupla face da informalidade do trabalho", cit., p. 431.

[8] Ibidem, p. 432.

[9] Documento legal que formaliza a relação de trabalho no Brasil.

ções e de calçados, por exemplo, entre tantas outras, tem acentuado essa tendência[10].

Isso porque a racionalidade instrumental do capital impulsiona as empresas para a flexibilização do trabalho, da jornada, da remuneração, aumentando a responsabilização e as competências, criando e recriando novas relações e formas de trabalho que frequentemente assumem feição informal.

Aqui podemos encontrar

> os casos de trabalho em domicílio que se especializam por áreas de ocupação, prestando serviços às grandes empresas, que também se utilizam da subcontratação para a montagem de bens, produção de serviços, distribuição de bens através do comércio de rua ou ambulante.[11]

Muitas vezes esse modo de trabalho se realiza também em galpões – como na indústria de calçados – onde a informalidade é a norma[12].

Um *terceiro modo de ser da informalidade* é o dos *trabalhadores informais por conta própria*, que podem ser definidos como uma variante de *produtores simples de mercadorias*, contando com sua própria força de trabalho ou com a de familiares e que podem, inclusive, subcontratar força de trabalho assalariada.

É preciso mencionar que essas

> formas de inserção do trabalhador por conta própria na economia informal não são práticas novas, mas foram recriadas pelas empresas capitalistas, como forma de possibilitar a extração da mais-valia relativa com a mais-valia absoluta. Lembramos que há diferentes formas de inserção do trabalho informal no modo de produção capitalista e, para sua análise, devemos considerar essa grande heterogeneidade, buscando desvendar quais os vínculos existentes entre esses trabalhadores e o acúmulo de capital.[13]

Desse quadro, pode-se perceber que

> Proliferam-se os pequenos negócios vinculados às grandes corporações, envolvendo as áreas de produção, comércio e prestação de serviços. Os

---

[10] Maria Aparecida Alves e Maria Augusta Tavares, "A dupla face da informalidade do trabalho", cit.

[11] Ibidem, p. 432. Ver também Maria Cristina Cacciamali, "Globalização e processo de informalidade", cit.

[12] Maria Aparecida Alves e Maria Augusta Tavares, "A dupla face da informalidade do trabalho", cit.

[13] Ibidem, p. 433. Ver também Maria Cristina Cacciamali, "Flexibilidade: maior número de micro e pequenas empresas ou manutenção da concentração de forma descentralizada?", *Revista Contemporaneidade e Educação*, Rio de Janeiro, ano 2, n. 1, 1997.

pequenos proprietários informais atuam em áreas que não [atraem] investimentos capitalistas de maior vulto, de modo a atender à demanda por determinados bens e serviços. Esses trabalhadores adotam essas estratégias porque seus pequenos negócios informais não têm condições de concorrer com as empresas capitalistas, são elas que definem sua forma de inserção no mercado.[14]

Uma vez que concebemos a informalidade quando há *ruptura com os laços formais de contratação e regulação da força de trabalho*, pode-se acrescentar que, se a informalidade não é sinônimo *direto* de condição de precariedade, sua *vigência* expressa, com grande frequência e intensidade, formas de trabalho desprovidas de direitos, as quais, portanto, apresentam clara similitude com a precarização. Desse modo, a informalização da força de trabalho vem se constituindo como um dos mecanismos centrais utilizados pela engenharia do capital para ampliar a *intensificação* dos ritmos e movimentos do trabalho e ampliar o seu processo de valorização. E, ao fazê-lo, desencadeia um importante elemento propulsor da *precarização estrutural do trabalho*.

Esses diversos *modos de ser da informalidade* no Brasil, que certamente comportam traços e características similares em várias partes do mundo do trabalho em escala global, são emblemáticos do que aqui estamos formulando como hipótese: a ampliação dos mais distintos e diversos *modos de ser da informalidade* parece assumir, ao contrário dos desconstrutores da teoria do valor, um importante papel de aumento, potencialização e mesmo realização do *mais-valor*.

Se não é assim, por que, em pleno século XXI, há jornadas de trabalho que atingem dezessete horas por dia, na indústria de confecções, por meio da contratação informal de trabalhadores imigrantes bolivianos ou peruanos (ou ainda de outros países latino-americanos), controlados por patrões frequentemente coreanos ou chineses, no centro da capital paulista, a mais importante região industrial do Brasil?

Podemos citar ainda o caso dos trabalhadores africanos que atuam no ensacamento e na embalagem de produtos têxteis e de confecções, nos bairros do Bom Retiro e do Brás, no mesmo centro da cidade de São Paulo, cujos produtos, que são exportados para o mercado africano, alicerçam-se no trabalho extenuante e profundamente manual, "braçal", segundo a própria denominação dos trabalhadores.

Outro exemplo encontramos no agronegócio do açúcar: embora muitas vezes contemple laços de formalização, é também constante a burla desses direitos no trabalho dos "boias-frias", trabalhadores

---

[14] Maria Aparecida Alves e Maria Augusta Tavares, "A dupla face da informalidade do trabalho", cit., p. 433.

rurais que cortam mais de dez toneladas de cana por dia (média em São Paulo), sendo que no Nordeste do país esse número pode chegar a dezoito toneladas diárias, para fins de produção do combustível etanol.

Esse desenho, no entanto, não é específico da sociedade brasileira. Encontra similitudes em vários países. No Japão há o exemplo recente do ciber-refugiado, trabalhador jovem da periferia de Tóquio que não tem recursos para alugar pensões, quartos ou apartamentos e, por isso, utiliza os cibercafés durante a madrugada para repousar, dormir um pouco, usar a internet e buscar trabalho. Esses ciberespaços cobram preços baixos para os trabalhadores pobres, sem habitação fixa, para que possam passar as noites oscilando entre o uso da internet, um breve repouso e a busca virtual de novos *trabalhos contingentes*, sendo por isso designados ciber-refugiados.

Ou podemos adicionar outro exemplo mais conhecido, o de jovens operários oriundos de várias partes do país e do exterior que migram em busca de trabalho nas cidades – os denominados decasséguis – e, sem casas ou residências fixas, dormem em cápsulas de vidro, configurando o que denominei *operários encapsulados*[15].

O exemplo dos imigrantes talvez seja o mais exacerbado dessa tendência estrutural à precarização do trabalho: com o enorme incremento do *novo proletariado informal*, do subproletariado fabril e de serviços, novos postos de trabalho são preenchidos pelos imigrantes, como o *Gastarbeiter* na Alemanha, o *lavoro nero* na Itália, o *chicano* nos Estados Unidos, o imigrante do Leste Europeu (poloneses, húngaros, romenos, albaneses etc.) na Europa ocidental, o decasségui no Japão, o boliviano (entre outros latino-americanos) e o africano no Brasil etc.

Desse modo, além das clivagens e transversalidades existentes, hoje, entre os trabalhadores estáveis e precários, homens e mulheres, jovens e idosos, brancos, negros e índios, qualificados e desqualificados, empregados e desempregados, estáveis e precários, e tantos outros que configuram a *nova morfologia do trabalho*, o exemplo dos imigrantes é ilustrativo do quadro tendencial de precarização estrutural do trabalho em escala global.

Vamos indicar, de modo sintético, algumas expressões desse fenômeno.

A ponta do iceberg: a explosão dos trabalhadores imigrantes

Um relato ilustrativo da situação dos imigrantes pode nos ajudar a perceber que ele talvez seja a ponta mais visível do *iceberg* no que concerne à precarização das condições de trabalho no capitalismo atual.

---

[15] Ricardo Antunes, *Os sentidos do trabalho*, cit.

Pietro Basso, estudioso desse fenômeno na Europa, nos oferece um panorama dessa realidade social. Em suas palavras:

> De um continente de emigrantes e de colonos, como foi durante séculos, a Europa ocidental transformou-se numa terra de aumento contínuo de imigração proveniente dos quatro ângulos do globo. Hoje, vivem no seu território 30 milhões de imigrantes. E, se aos imigrantes sem cidadania forem acrescentados os que obtiveram a cidadania de um dos países europeus, chega-se ao total de 50 milhões, ou seja, cerca de 15% da população inteira da "Europa dos 15".[16]

Desse contingente, 22% dos atuais imigrantes provêm da África, 16% da Ásia – sendo a metade do extremo Oriente (da China, principalmente) e a outra metade do subcontinente indiano – e 15% vêm da América Central e do Sul. O restante, de 45% a 47%, é composto pelos imigrantes com cidadania de países da "Europa dos 27" e por aqueles provenientes de países europeus no sentido *lato* (turcos, balcânicos, ucranianos, russos)[17].

O trabalhador imigrante encontra, então, em indústrias, construtoras, supermercados, distribuidoras de hortifrutícolas, na agricultura, em hotéis, restaurantes, hospitais, empresas de limpeza etc., seus espaços principais de trabalho, recebendo os salários sempre mais depauperados. O autor lembra que, em uma distribuidora de hortifrutícolas em Milão (Itália), os trabalhadores negros descarregam caixas de frutas e verduras pelo pagamento de 2,5 euros por hora, equivalente ao custo de um quilo de pão de péssima qualidade. E, na zona rural do sul da Espanha e Itália, os

> salários são ainda inferiores e, muitas vezes, não são pagos. Com muita frequência, esses trabalhadores recebem menos do que deveriam realmente receber pelo contrato, mesmo porque a qualificação que lhes é atribuída quase nunca corresponde às suas reais competências: isso ocorre muito no caso de pequenas empresas, que são, no final, aquelas que mais recorrem aos imigrantes. A eles cabem, em geral, as tarefas mais duras, perigosas, insalubres: na Itália, por exemplo, segundo os dados oficiais, com os imigrantes há o dobro de acidentes no trabalho em comparação com os nativos.[18]

Os trabalhadores imigrantes têm, em geral, os horários mais desconfortáveis, como jornadas noturnas e nos finais de semana. Mas o autor acrescenta ainda que não se trata

---

[16] Pietro Basso, *L'immigrazione in Europa: caratteristiche e prospettive* (mimeo, 2010), p. 1.

[17] Idem.

[18] Ibidem, p. 4.

"somente" da superexploração. Na Europa, toda a existência dos imigrantes e de seus filhos é marcada por *discriminações*. São discriminados no trabalho, no acesso ao trabalho, no seguro-desemprego, na aposentadoria. Discriminados no acesso à casa, com aluguéis mais caros para as moradias mais deterioradas e em zonas mais degradadas. Discriminados, de fato, até nas escolas (na Alemanha, são poucos, pouquíssimos, os filhos de imigrantes que chegam à universidade; na Itália, 42,5% dos estudantes filhos de imigrantes estão atrasados nos estudos). Discriminados na possibilidade de manter unida a própria família, sobretudo se forem islâmicos, discriminados para professar livremente a própria fé religiosa (havendo a suspeita, atualmente, de serem potenciais "terroristas").[19]

Essa classe é, por isso, ao mesmo tempo, a *mais desfavorecida e a mais global*, sendo, por tal motivo, uma parte da classe trabalhadora que é, "objetivamente, mais do que outras, portadora de aspirações igualitárias e antirracistas, mesmo que em meio a mil contradições, oportunismos e individualismos[20].

Por mais paradoxal que pareça, Basso indica que esses/as trabalhadores/as manuais constituem um

> dos fatores de *transformação* mais potentes da sociedade europeia para a superação das decadentes hierarquias e fronteiras entre nações e povos [...]. [São] um sujeito coletivo portador de uma necessidade de emancipação social, porque já com a "aventura", cada vez mais perigosa e custosa, de emigrar do próprio país, eles recusam o "destino" de uma existência limitada à mera sobrevivência; e porque, uma vez aqui, não podem aceitar passivamente a condição de inferioridade jurídica, material, social, cultural que os aguarda.[21]

Lembra o autor, tomando o caso italiano como referência, que há inclusive avanços na ação sindical dos imigrantes, pois, se no início estes buscavam os sindicatos para ações de tipo assistencial, com o passar do tempo e a consolidação de sua presença nos lugares de trabalho, vem aumentando o número de trabalhadores imigrantes que participam das atividades sindicais, expressando as "necessidades próprias dos imigrantes *enquanto operários e trabalhadores*", que começam a "desenvolver também um papel de representação dos trabalhadores italianos (hoje em dia há alguns milhares de imigrantes representantes sindicais)"[22].

---

[19] Idem.
[20] Ibidem, p. 6.
[21] Idem.
[22] Ibidem, p. 8. Ver também Pietro Basso, *L'orario di lavoro a inizio secolo*, cit.; Pietro Basso e Fabio Perocco, *Razzismo di stato*, cit.; e Patrícia Meirelles Villen, *Imigração na modernização dependente: "braços civilizatórios" e a atual configuração*

As manifestações recentes na Europa, comportando o descontentamento dos imigrantes-trabalhadores e dos jovens sem trabalho, são emblemáticas. Por seu sentido simbólico, podemos recordar a eclosão, em Portugal, de movimentos de trabalhadores precarizados, um dos quais, mencionado no capítulo anterior, denomina-se Precári@s Inflexíveis. Em seu "Manifesto", esse movimento afirma:

> Somos precári@s no emprego e na vida. Trabalhamos sem contrato ou com contratos de prazos muito curtos. Trabalho temporário, incerto e sem garantias. Somos operadores de call-center, estagiários, desempregados, trabalhadores a recibos verdes, imigrantes, intermitentes, estudantes-trabalhadores...
> Não entramos nas estatísticas. Apesar de sermos cada vez mais e mais precários, os governos escondem este mundo. Vivemos de biscates e trabalhos temporários. Dificilmente podemos pagar uma renda de casa. Não temos férias, não podemos engravidar nem ficar doentes. Direito à greve, nem por sombras. Flexissegurança? O "flexi" é para nós. A "segurança" é só para os patrões. Essa "modernização" mentirosa é pensada e feita de mãos dadas entre empresários e governo. Estamos na sombra, mas não calados.
> Não deixaremos de lutar, ao lado de quem trabalha em Portugal ou longe daqui, por direitos fundamentais. Essa luta não é só de números, entre sindicatos e governos. É a luta de trabalhadores e pessoas como nós. Coisas que os "números" ignorarão sempre. Nós não cabemos nesses números. Não deixaremos as condições a que nos remetem serem esquecidas. E, com a mesma força com que nos atacam os patrões, respondemos e reinventamos a luta. Afinal, somos muito mais do que eles. Precári@s, sim, mas inflexíveis.[23]

Discriminados, mas não resignados, eles são parte integrante da classe-que-vive-do-trabalho, exprimindo a vontade de melhorar as próprias condições de vida *por meio do trabalho*. Esse relato do quadro dos trabalhadores imigrantes na Europa ocidental nos ajuda a vê-los como a ponta mais precarizada da classe trabalhadora dos países do Norte.

A dupla degradação: do trabalho taylorista-fordista ao da empresa flexível

As indicações feitas acima nos permitem observar que adentramos em uma *nova era de precarização estrutural do trabalho*, cujos exemplos destacamos:

---

polarizada (tese de doutorado em Sociologia, Campinas, Instituto de Filosofia e Ciências Humanas, Unicamp, 2015).

[23] Disponível em: <http://www.precariosinflexiveis.org/p/manifesto-do-pi.html>; acesso em: 16 ago. 2010. Sobre as condições de trabalho da classe trabalhadora em Portugal, ver Raquel Varela (coord.), *A Segurança Social é sustentável: trabalho, Estado e Segurança Social em Portugal* (Lisboa, Bertrand, 2013).

1) a erosão do trabalho contratado e regulamentado, dominante no século XX, e sua substituição pelas diversas formas de trabalho atípico, precarizado e "voluntário";
2) a criação das "falsas" cooperativas, visando dilapidar ainda mais as condições de remuneração dos trabalhadores, solapando os seus direitos e aumentando os níveis de exploração da sua força de trabalho;
3) o "empreendedorismo", que cada vez mais se configura como forma oculta de trabalho assalariado, fazendo proliferar as distintas formas de flexibilização salarial, de horário, funcional ou organizativa;
4) a degradação ainda mais intensa do trabalho imigrante em escala global.

É nesse quadro que os capitais globais estão exigindo o desmonte da legislação social protetora do trabalho, ampliando a destruição dos direitos sociais que foram arduamente conquistados pela classe trabalhadora, desde os primórdios da Revolução Industrial e, especialmente, após 1930, quando se toma o exemplo brasileiro.

Como o tempo e o espaço estão em frequente mutação nessa fase de mundialização do capital, a redução do proletariado taylorizado, sobretudo nos núcleos mais avançados da indústria, e o paralelo aumento do *trabalho intelectual* caminham em clara inter-relação com a expansão de novos proletários. Esse processo vem ocorrendo tanto na indústria quanto na agricultura e nos serviços (e em suas áreas de intersecção, como a agroindústria, a indústria de serviços e os serviços industriais).

Do trabalho intensificado do Japão ao *trabalho contingente* presente nos Estados Unidos, dos imigrantes que chegam ao Ocidente avançado ao submundo do trabalho no polo asiático, das *maquiladoras* no México aos/às precarizados/as da Europa ocidental, dos trabalhadores e trabalhadoras da Nike, da Walmart e do McDonald's aos call-centers e telemarketings, esse enorme e crescente contingente de trabalhadores e trabalhadoras parece expressar as distintas modalidades de trabalho vivo que hoje são cada vez mais necessárias para a criação do valor e para valorizar o sistema de capital.

Se, entretanto, presenciamos no século XX a vigência da *era da degradação do trabalho*, nas últimas décadas daquele século e no início do XXI vivenciamos *outras modalidades e modos de ser da precarização*, próprios da fase da flexibilidade toyotizada, com seus traços de continuidade e descontinuidade em relação à forma taylorista-fordista.

A degradação típica do taylorismo e do fordismo, que vigorou ao longo de praticamente todo o século XX, teve (e ainda tem) um desenho mais acentuadamente *despótico*, embora mais *regulamentado* e *contra-*

tualista. O trabalho tinha uma conformação mais coisificada e reificada, mais maquinal, mas, em contrapartida, era provido de direitos e de regulamentação, ao menos para seus polos mais qualificados.

A segunda forma de degradação do trabalho típica da empresa da *flexibilidade toyotizada* é aparentemente mais "participativa", mas seus traços de reificação são ainda mais *interiorizados* (com seus mecanismos de "envolvimentos", "parcerias", "colaborações" e "individualizações", "metas" e "competências"), sendo responsável pela desconstrução monumental dos direitos sociais do trabalho, como indicamos anteriormente.

É por isso que o movimento pendular em que se encontra a força de trabalho vem oscilando cada vez mais entre a *perenidade* de um trabalho que se reduz, intensificado em seus ritmos e desprovido de direitos, e uma *superfluidade* crescente, geradora de trabalhos mais precarizados e informalizados.

Em outras palavras, trabalhos mais qualificados para um contingente reduzido – de que são exemplo os trabalhadores das indústrias de software e das TICs – e, no outro polo do pêndulo, modalidades de trabalho cada vez mais instáveis para um universo crescente de trabalhadores e trabalhadoras.

No *topo* da pirâmide social do mundo do trabalho, em sua *nova morfologia*, encontramos, então, os trabalhos ultraqualificados que atuam no âmbito informacional e cognitivo. Na *base*, ampliam-se a informalidade, a precarização e o desemprego, todos estruturais; e, no *meio*, encontramos a hibridez, o trabalho qualificado que pode desaparecer ou erodir, em decorrência das alterações temporais e espaciais que atingem as plantas produtivas ou de serviços em todas as partes do mundo.

Portanto, a informalização do trabalho, com seu desenho polimorfo, parece assumir de modo crescente um traço constitutivo da acumulação de capital dos nossos dias, uma vez que se torna cada vez mais presente na fase da *liofilização organizativa*, para retomar a sugestão de Juan José Castillo[24], ou da *flexibilidade liofilizada*, como denominamos essa modalidade de organização e controle do processo de trabalho.

Compreender seus modos de expressão e seus significados torna-se, portanto, vital em nossos dias, de modo a permitir uma melhor intelecção dos mecanismos e das engrenagens que impulsionam o mundo do trabalho em direção à informalidade e o papel que essas modalidades de trabalho cumprem em relação à lei do valor e à sua valorização.

---

[24] Juan José Castillo, "A la búsqueda del trabajo perdido", em Alfonso Pérez-Agote e Ignacio Sánchez de la Yncera, *Complejidad y teoría social* (Madri, CIS, 1996), e *Sociología del trabajo* (Madri, CIS, 1996).

Mas há, nessa processualidade multitendencial, um novo contingente de assalariados em franca expansão, de que são exemplos os trabalhos nas TICs, que abrangem desde as empresas de software até aquelas de call-center, telemarketing etc., cada vez mais parte integrante e crescente da *nova morfologia do trabalho*.

Ursula Huws sugestivamente chamou de *cibertariado* esse novo contingente, a que Ruy Braga e eu denominamos *infoproletariado*[25]. O estudo de Huws é central, como vimos no capítulo anterior, para compreender as interações entre os trabalhos materiais e imateriais, bem como suas conexões com as novas modalidades do valor.

Assim, após oferecer elementos sobre os *novos modos de ser da informalidade*, vamos explorar agora quais são os contornos mais gerais do infoproletariado ou do cibertariado.

O advento do infoproletariado

As diversas teses e formulações que defendiam o descentramento do trabalho e sua perda de relevância enquanto elemento societal estruturante, anunciadas por Gorz e desenvolvidas por Offe, Méda e Habermas[26] – fortalecidas pela contextualidade de mudanças no mundo da produção no último quartel do século XX – propugnavam que o trabalho vivo se tornava cada vez mais residual como fonte criadora de valor, dado que estaríamos presenciando a emergência de novos estratos sociais oriundos das atividades comunicativas, movidas pelo avanço tecnocientífico e pelo advento da "sociedade da informação"[27].

Posteriormente, Castells procurou "atualizar" os termos do debate ancorado em estatísticas presentes principalmente (mas não só) nas sociedades capitalistas avançadas, como Estados Unidos e Europa, que possibilitariam indicar a superação do trabalho degradado, quer pelo avanço tecnocientífico, quer pela difusão de empregos qualificados com maior "autonomia no trabalho"[28].

---

[25] Ursula Huws, *The Making of a Cybertariat*, cit.; Ricardo Antunes e Ruy Braga (orgs.), *Infoproletários*, cit.; Bárbara Castro, *As armadilhas da flexibilidade: trabalho e gênero no setor de tecnologia da informação* (São Paulo, Annablume, 2017).

[26] André Gorz, *Adeus ao proletariado*, cit.; Claus Offe, "Trabalho como categoria sociológica fundamental?", em *Trabalho & Sociedade*, v. 1: *A crise* (Rio de Janeiro, Tempo Brasileiro, 1989); Dominique Méda, *Società senza lavoro: per una nuova filosofia dell'occupazione* (Milão, Feltrinelli, 1997); Jürgen Habermas, *The Theory of Communicative Action*, v. 1, cit.; *The Theory of Communicative Action*, v. 2, cit.

[27] Ver Ricardo Antunes e Ruy Braga (orgs.), *Infoproletários*, cit.

[28] Manuel Castells, *A era da informação: economia, sociedade e cultura* (São Paulo, Paz e Terra, 2007, 3 v.).

De certo modo, essas formulações recuperavam o argumento na linhagem das sociedades pós-industriais[29], que proclamava a superação do trabalho degradado, típico da fábrica taylorista e fordista, pela "criatividade" presente nas atividades de serviços, associadas às tarefas de concepção e planejamento de processos produtivos, presentes nos trabalhos das chamadas TICs[30].

Mas essas teses não tiveram força duradoura. Decorridas poucas décadas, inúmeras pesquisas recentes vêm problematizando de forma aguda tais assertivas, demonstrando que o infoproletariado (ou cibertariado), ao contrário do desenho acima esboçado, parece exprimir muito mais uma *nova condição de assalariamento* no setor de serviços, um novo segmento do *proletariado da indústria de serviços*, sujeito à exploração do seu trabalho, desprovido do controle e da gestão do seu *labor* e que vem crescendo de maneira exponencial, desde que o capitalismo fez deslanchar a chamada era das mutações tecnológico-informacionais-digitais.

No Brasil, por exemplo, desde o início do ciclo de privatizações pelo qual passou o setor de telecomunicações, na segunda metade da década de 1990, estimava-se que, em 2005, o número de teleoperadores atuando dentro e fora dos call-centers, as Centrais de Teleatividades (CTAs), seria de aproximadamente 675 mil[31].

Em 2011, esse contingente se aproximou da casa de 1 milhão de trabalhadores/as (com forte predominância do trabalho feminino), sendo que os/as teleoperadores/as representam uma das maiores categorias de assalariados, em franco processo de crescimento também em escala global.

Como sabemos, a privatização das telecomunicações acarretou um processo intensificado de terceirização do trabalho, comportando múltiplas formas de precarização e de intensificação dos tempos e movimentos no ato laborativo. Desenvolvia-se, então, uma clara confluência entre a terceirização do trabalho e sua precarização, dentro da lógica da *mercadorização* dos serviços que foram privatizados.

Castillo observou a evolução do trabalho em fábricas de software e ofereceu pistas empíricas e analíticas sugestivas. Referindo-se ao trabalho de Michael Cusumano, afirmou que:

> produzir software não é como qualquer outro negócio, como a fabricação de muitos outros bens ou serviços. Porque, uma vez criado, tanto custa

---

[29] Daniel Bell, *O advento da sociedade pós-industrial: uma tentativa de previsão social* (São Paulo, Cultrix, 1977).

[30] Ricardo Antunes e Ruy Braga (orgs.), *Infoproletários*, cit.

[31] Ver também Claudia Mazzei Nogueira, "A feminização do trabalho no mundo do telemarketing", em Ricardo Antunes (org.), *Riqueza e miséria do trabalho no Brasil*, v. 1, cit.

fazer uma cópia como 1 milhão. Porque é um tipo de empresa cujo lucro sobre as vendas pode chegar a 99%. Porque é um negócio que pode mudar, de repente, de fabricar produtos a fabricar serviços.[32]

E acrescenta que:

> Muitos pesquisadores têm chamado a atenção para essa riqueza de figuras produtivas e de vivências e expectativas de trabalho e, inclusive, para as repercussões na vida privada e na organização do tempo. Com uma ênfase especial, precisamente, nos trabalhadores de software, cujos postos de trabalho se movem entre "os de rotina e os de maior nível".[33]

Portanto, ao contrário do que foi propugnado pelas teses da "sociedade pós-industrial" e do "trabalho criativo informacional", o *labor* no setor de telemarketing tem sido pautado por uma processualidade contraditória, uma vez que:

1) articula tecnologias do século XXI (TICs) a condições de trabalho herdeiras do século XX;
2) combina estratégias de intensa emulação de teleoperadores/as, ao modo da flexibilidade toyotizada, com técnicas gerenciais tayloristas de controle sobre o trabalho predominantemente prescrito;
3) associa o trabalho em grupo com a individualização das relações de trabalho, estimulando tanto a cooperação como a concorrência entre os trabalhadores, entre tantos outros elementos que conformam sua atividade[34].

Mas, além das limitações das teses que não foram capazes de compreender as condições concretas presentes no trabalho do telemarketing, dos call-centers e das indústrias de TICs, há ainda uma questão central que podemos resumir assim: *essas atividades tidas como predominantemente imateriais têm ou não conexões com os complexos mecanismos da lei do valor hoje operantes em seu processo de valorização?*

Tratar dessa questão nos obriga a analisar criticamente os defensores da desmedida do valor-trabalho. É o que faremos no último item deste capítulo.

---

[32] Juan José Castillo, *El trabajo fluido en la sociedad de la información: organización y división de trabajo en las fábricas de software en España* (Buenos Aires, Miño y Dávila, 2007), p. 37.

[33] Idem.

[34] Ricardo Antunes e Ruy Braga (orgs.), *Infoproletários*, cit.

Trabalho, materialidade, imaterialidade e valor

André Gorz, responsável por uma vasta e conhecida obra, também se alinhou aos autores que defendem a "intangibilidade do valor", uma vez que, segundo ele, o trabalho de perfil predominantemente imaterial não mais poderia ser mensurável conforme padrões e normas preestabelecidos e vigentes nas fases anteriores[35]. Diferentemente do autômato, modalidade de trabalho na era da maquinaria de matriz taylorista-fordista, Gorz afirma que os

> trabalhadores pós-fordistas devem entrar no processo de produção com toda a bagagem cultural que eles adquiriram nos jogos, nos esportes de equipe, nas lutas, disputas, nas atividades musicais, teatrais etc. É nessas atividades fora do trabalho que são desenvolvidas sua vivacidade, sua capacidade de improvisação, de cooperação. É seu saber vernacular que a empresa pós-fordista põe para trabalhar, e explora.[36]

Assim, sempre segundo o autor, o saber se tornou a mais importante fonte de criação de valor, uma vez que está na base da inovação, da comunicação e da auto-organização criativa e continuamente renovada. Desse modo, o "trabalho do saber vivo não produz nada materialmente palpável. Ele é, sobretudo na economia da rede, o trabalho do sujeito cuja atividade é produzir a si mesmo"[37]. Como consequência, aflora a tese da intangibilidade do valor-trabalho:

> O conhecimento, diferentemente do trabalho social geral, é impossível de traduzir e de mensurar em unidades abstratas simples. Ele não é redutível a uma quantidade de trabalho abstrato de que ele seria o equivalente, o resultado ou o produto. Ele recobre e designa uma grande diversidade de capacidades *heterogêneas*, ou seja, *sem medida comum*, entre as quais o julgamento, a intuição, o senso estético, o nível de formação e de informação, a faculdade de apreender e de se adaptar a situações imprevistas; capacidades elas mesmas operadas por atividades heterogêneas que vão do cálculo matemático à retórica e à arte, de convencer o interlocutor; da pesquisa técnico-científica à invenção de normas estéticas.[38]

Sua defesa dessa tese, então, torna-se clara:

> A heterogeneidade das atividades de trabalho ditas "cognitivas", dos produtos imateriais que elas criam e das capacidades e saberes que elas implicam, torna imensuráveis tanto o valor das forças de trabalho quanto

---

[35] André Gorz, *O imaterial*, cit., p. 18.
[36] Ibidem, p. 19.
[37] Ibidem, p. 20.
[38] Ibidem, p. 29.

o de seus produtos. As escalas de avaliação do trabalho se tornam um tecido de contradições. A impossibilidade de padronizar e estandardizar todos os parâmetros das prestações demandadas se traduz em vãs tentativas para quantificar sua dimensão qualitativa, e pela definição de normas de rendimento calculadas quase por segundo, que não dão conta da qualidade "comunicacional" do serviço exigido por outrem.[39]

Desse modo, indica sua conclusão, na mesma direção daqueles que defendem a perda de referência da teoria do valor:

> A crise da medição do tempo de trabalho engendra inevitavelmente a crise da medição do valor. Quando o tempo socialmente necessário a uma produção se torna incerto, essa incerteza não pode deixar de repercutir sobre o valor de troca do que é produzido. O caráter cada vez mais qualitativo, cada vez mais menos mensurável do trabalho, põe em crise a pertinência das noções de "sobretrabalho" e de "sobrevalor". A crise da medição do valor põe em crise a definição da essência do valor. Ela põe em crise, por consequência, o sistema de equivalências que regula as trocas comerciais.[40]

A desmedida do valor torna-se então dominante, levando ao enfraquecimento e à exaustão da teoria do valor. Essa tese, vale dizer, tem nítida confluência com a formulação habermasiana, uma vez que, com o avanço da *ciência*, ocorreria uma inevitável descompensação do valor que torna supérfluo o trabalho vivo. A passagem abaixo explicita a tese de modo transparente:

> Com a informatização e a automação, *o trabalho deixou de ser a principal força produtiva* e os salários deixaram de ser o principal custo de produção. A composição orgânica do capital (isto é, a relação entre capital fixo e capital de giro) aumentou rapidamente. O capital se tornou o fator de produção preponderante. A remuneração, a reprodução, a inovação técnica contínua do capital fixo material requerem meios financeiros muito superiores ao custo do trabalho. Este último é com frequência inferior, atualmente, a 15% do custo total. A repartição entre capital e trabalho do "valor" produzido pelas empresas pende mais e mais fortemente em favor do primeiro. [...] Os assalariados deviam ser constrangidos a escolher entre a deterioração de suas condições de trabalho e o desemprego.[41]

Se o valor não encontra mais possibilidade de *medição* e a ciência informacional termina por *substituir* o trabalho vivo, é inevitável a desmedida do valor, agora fortalecida pela tese da imaterialidade do trabalho.

---

[39] Idem.
[40] Ibidem, p. 29-30.
[41] Idem, "Entrevista", cit., p. 27-8; grifos meus.

Mas não são poucos os problemas presentes nessas formulações que, no espaço deste capítulo, podemos tão somente indicar.

Ao contrário da propositura de André Gorz, nossa hipótese é a de que sua análise, ao converter o trabalho *imaterial* como *dominante* e mesmo *determinante* no capitalismo atual e desvinculado da geração de valor, acabou por realizar um bloqueio que comprometeu a possibilidade de compreender as novas modalidades e formas de vigência dessa lei, modalidades essas que se encontram presentes no novo proletariado de serviços (o cibertariado ou infoproletariado), que exerce atividades de perfil acentuadamente *imaterial*, mas que são parte constitutiva da criação de valor e mais ou menos imbricada com os trabalhos *materiais*.

Assim, nossa hipótese é que a tendência crescente (mas não dominante) do trabalho imaterial expresse, na complexidade da produção contemporânea, distintas modalidades de *trabalho vivo* e, enquanto tal, partícipes em maior ou menor medida do processo de valorização do valor.

Não é demais lembrar que as formulações que hiperdimensionam o trabalho imaterial e o convertem em elemento dominante frequentemente desconsideram as tendências empíricas presentes no mundo do trabalho no Sul global, onde se encontram países como China, Índia, Brasil, México, África do Sul etc., dotados de enorme contingente de força de trabalho.

No universo mais analítico, é preciso acrescentar que, como ciência e trabalho se mesclam ainda mais diretamente no mundo da produção, *a forma social criadora* do trabalho vivo assume tanto o papel *ainda dominante* do trabalho *material* como a *modalidade tendencial* do trabalho *imaterial*, uma vez que a própria criação do maquinário informacional-digital avançado é resultado da interação ativa entre o saber intelectual e cognitivo do trabalho com a máquina informatizada.

Nesse movimento relacional, o trabalho humano transfere parte dos seus atributos subjetivos ao novo equipamento que resultou desse processo, *objetivando atividades subjetivas*[42]. Na síntese de Marx, "são órgãos do cérebro humano criados pela mão humana"[43], o que acaba por conferir, no capitalismo de nossos dias, novas dimensões e configurações à teoria do valor, uma vez que as respostas cognitivas do trabalho, quando suscitadas pela produção, são partes constitutivas do *trabalho social, complexo e combinado* criador de valor.

---

[42] Jean Lojkine, *A revolução informacional* (São Paulo, Cortez, 1995); "De la révolution industrielle à lá révolution informationnelle", cit.

[43] Karl Marx, *Grundrisse*, cit., p. 589.

Para usar uma conceitualização de Jean-Marie Vincent[44], a imaterialidade se tornou, então, expressão do *trabalho intelectual abstrato*, que não leva à extinção do *tempo socialmente médio de trabalho para a configuração do valor*, mas, ao contrário, insere os crescentes coágulos de trabalho imaterial na lógica da acumulação, no tempo social médio de um trabalho cada vez mais complexo, assimilando-os à nova fase da produção do valor.

Portanto, em vez da propalada descompensação ou perda de validade da lei do valor, a ampliação das atividades dotadas de maior dimensão intelectual, tanto nos procedimentos industriais mais informatizados quanto nas esferas compreendidas pelo setor de serviços e/ou nas comunicações, configura um elemento novo e importante para uma efetiva compreensão dos novos mecanismos do valor hoje[45].

Assim, menos do que perda de relevância da teoria do valor, estamos vivenciando a ampliação das suas formas, configurando novos mecanismos de extração do sobretrabalho, conforme os inúmeros exemplos que apresentamos no início deste capítulo.

Portanto, a ampliação da produção imaterial ou "produção não material"[46] hoje acaba por ser mais precisamente definida como expressão da *esfera informacional da forma-mercadoria*[47] do que como intangível e, portanto, não geradora de valor[48].

Quando Gorz[49] afirma que a deterioração das condições de trabalho e o desemprego seriam elementos conformadores da tese do definhamento do trabalho, talvez pudéssemos lembrar que essa tendência está presente desde a gênese do capitalismo.

No Livro III de *O capital*, entre tantas outras partes em que tratou da temática, ao discorrer sobre a *economia no emprego* e a utilização *dos resíduos da produção*, Marx pôde indicar essa tendência de modo premonitório:

---

[44] "Les automatismes sociaux et le 'général intellect'", cit.

[45] Vale recordar que a Toyota, na sua unidade de Takaoka, estampava estes dizeres na entrada da fábrica: *Yoi kangae, yoi shina* (Bons pensamentos significam bons produtos).

[46] Karl Marx, *O capital: livro I – Capítulo VI (inédito)*, cit.

[47] Jean-Marie Vincent, "Les automatismes sociaux et le 'général intellect'", cit., e "Flexibilité du travail et plasticité humaine", cit.

[48] Ver também André Tosel, "Centralité et non-centralité du travail ou la passion des hommes superflus", cit. O enorme avanço produtivo da China e da Índia, especialmente na última década, ancorado na monumental força sobrante de trabalho e na incorporação das tecnologias informacionais, é mais um argumento para recusar a tese da perda de relevo do trabalho vivo no mundo da produção de valor, o que também fragiliza os defensores da imaterialidade do trabalho como forma de *superação* ou *inadequação* ou *descompensação* da lei do valor.

[49] André Gorz, "Entrevista", cit.; *O imaterial*, cit.

Assim como o capital, ao empregar diretamente o trabalho vivo, tem a tendência de reduzi-lo ao trabalho necessário, *abreviando-o sempre, mediante a exploração de sua força produtiva social*, ao trabalho necessário à confecção de um produto, ou seja, à tendência de poupar o máximo possível de trabalho vivo diretamente empregado, ele tende também a empregar esse trabalho – reduzido à medida necessária – sob as condições mais econômicas possíveis, isto é, reduzir ao mínimo possível o valor do capital constante utilizado.[50]

E acrescenta:

A produção capitalista, quando a consideramos de forma isolada, abstraindo do processo de circulação e dos excessos da concorrência, lida de modo extremamente parcimonioso com o trabalho efetivado, objetivado em mercadorias. *Em contrapartida, ela é, num grau muito maior que qualquer outro modo de produção, uma dissipadora de seres humanos, de trabalho vivo, uma dissipadora não só de carne e sangue, mas também de nervos e cérebro.* [...] Como toda essa economia, da qual se trata aqui, resulta do caráter social do trabalho, conclui-se que é esse caráter imediatamente social do trabalho que gera essa dissipação de vida e de saúde dos trabalhadores.[51]

Portanto, se a *economia do emprego* é algo presente na própria lógica do *sistema de metabolismo social do capital*[52], a redução do trabalho vivo não significa perda de centralidade do *trabalho abstrato* na criação do valor, que há muito deixou de ser resultado de uma agregação *individual* de trabalho para se converter em *trabalho social, complexo e combinado*, e que, com o avanço tecnológico-informacional-digital, não para de se *complexificar* e de se *potencializar*, redesenhando a classe trabalhadora, como veremos no capítulo a seguir.

---

[50] Karl Marx, *O capital*, Livro III, cit., p. 115; grifos meus.
[51] Ibidem, p. 116; grifos meus.
[52] István Mészáros, *Para além do capital*, cit.

Capítulo 4

QUEM É A CLASSE TRABALHADORA HOJE?

Depois de tantos autores terem decretado o fim da classe trabalhadora, nossa interrogação é outra: *quem é a classe trabalhadora hoje?* Ela ainda detém um estatuto de centralidade nas transformações sociais? Trata-se de questões cujas respostas não são simples, tampouco fáceis, sobretudo diante da avalanche de teses, desenvolvidas nas últimas décadas, voltadas a desconstruir tanto a noção de classe quanto sua centralidade e sua potencialidade transformadora.

Nossa tese central, que aqui procuraremos desenvolver, é a de que, no capitalismo contemporâneo, dotado de uma lógica destrutiva ampliada, o centro da transformação social ainda está radicado no *conjunto* da classe trabalhadora. Recusamos, desde logo, duas teses equívocas: tanto a de que nada mudou no universo dos trabalhadores quanto seu oposto, a de que a classe trabalhadora não mais seria capaz de transformar radicalmente o universo societal do capital.

É curioso que, enquanto se amplia enormemente o conjunto de seres sociais que vivem da venda de sua força de trabalho, em escala planetária, tantos autores deem *adeus ao proletariado* e defendam a ideia do *descentramento da categoria trabalho* e do *fim* das possibilidades de emancipação humana estruturada a partir do trabalho.

O que vou exercitar aqui é um caminho inverso, esboçar a *crítica da crítica*, de modo a procurar evidenciar o que venho denominando a *nova morfologia do trabalho* e suas potencialidades.

Comecemos com uma questão central: qual é a atual conformação da classe trabalhadora? Se ela não é idêntica àquela de meados do século passado, não está em *vias de desaparição* nem perdeu *ontologicamente* seu sentido estruturante na vida cotidiana do ser social, qual é sua *forma de ser* hoje?

Sabemos que Marx e Engels consideravam classe trabalhadora e proletariado como sinônimos. E que, na Europa de meados do século XIX, os trabalhadores assalariados que inspiraram a reflexão de ambos ganhavam expressão corpórea no proletariado industrial, o que possibilitava a denominação comum e mesmo indiferenciada entre classe trabalhadora e proletariado.

Nosso desafio teórico e político é procurar entender, então, quem é a classe-que-vive-do-trabalho[1] *hoje*, como ela se conforma ou se configura.

Partiremos da formulação de que ela compreende *a totalidade dos assalariados, homens e mulheres que vivem da venda da sua força de trabalho e que são despossuídos dos meios de produção*, conforme a definição marxiana.

Ela tem como núcleo central o conjunto do que Marx chamou de *trabalhadores produtivos*, para lembrar especialmente o *Capítulo VI (inédito)*, bem como inúmeras passagens de *O capital* nas quais a ideia de *trabalho produtivo* é formulada, compreendendo os/as *trabalhadores/as que são produtores de mais-valor; que são pagos por capital-dinheiro; expressam uma forma de trabalho coletivo e social e realizam tanto trabalho material quanto imaterial*[2].

Nesse sentido, evidencia-se em nossa análise que a classe trabalhadora hoje não se restringe somente aos trabalhadores manuais diretos, mas incorpora a *totalidade do trabalho social*, a *totalidade do trabalho coletivo* que vende sua força de trabalho como mercadoria em troca de salário.

Portanto, ela ainda é (centralmente) composta pelo *conjunto de trabalhadores produtivos que produzem mais-valor e que participam do processo de valorização do capital*, por meio da interação entre trabalho vivo e trabalho morto, entre trabalho humano e maquinário científico-tecnológico.

Esse segmento constituiu um dos núcleos centrais do proletariado moderno. Os produtos da Toyota, da Nissan, da General Motors, da IBM, da Microsoft etc. são resultado da interação entre trabalho vivo e trabalho morto (tornando infundadas as teses, desde Habermas até Robert Kurz, de que o *trabalho abstrato* teria perdido sua força estruturante na sociedade atual).

---

[1] A classe de pessoas "que apenas trabalha", conforme designação (com nossa tradução livre) de Marx nos *Manuscritos econômico-filosóficos*, cit., p. 26.

[2] Karl Marx, *O capital*, Livro I, cit., e *O capital: livro I – Capítulo VI (inédito)*, cit.

Se o *trabalho abstrato* (dispêndio de energia física e intelectual para produzir mercadorias, conforme disse Marx em *O capital*) perdeu a sua força estruturante na sociedade de hoje, como são produzidos os automóveis da Toyota, os programas da Microsoft, os carros da General Motors e da Nissan, os tênis da Nike, os hambúrgueres do McDonald's, só para citar alguns exemplos de grandes empresas transnacionais?

Mas – e aqui avançamos um segundo elemento importante – a classe trabalhadora incorpora também o conjunto dos *trabalhadores improdutivos*, outra vez no sentido de Marx. Aqueles cujas formas de trabalho são utilizadas como serviços, seja para *uso* público, como os serviços públicos tradicionais, seja para *uso* capitalista. O *trabalho improdutivo* é aquele que não se constitui enquanto um elemento vivo no processo direto de valorização do capital e de criação de mais-valor. Ele pertence ao que Marx chamou de *falsos custos*[3], os quais, entretanto, são imprescindíveis para a sobrevivência do capital e de seu metabolismo social. Por isso se diferencia do trabalho produtivo, que participa do processo de criação de mais-valor.

Mas, como estão nubladas algumas das diferenças reais – basta lembrar que, no mundo da produção hoje, o mesmo trabalho pode ter simultaneamente atividades produtivas e improdutivas, realizadas pelos/as mesmos/as trabalhadores/as –, a classe trabalhadora ampliada inclui, portanto, o vasto leque de assalariados improdutivos, geradores de um antivalor no processo de trabalho capitalista, mas que vivenciam situações que têm clara similitude com aquelas experimentadas pelos/as trabalhadores/as produtivos/as.

Se todo trabalho produtivo é assalariado (aqui deixando de lado as "exceções", com o ressurgimento do trabalho escravo), mas nem todo trabalhador assalariado é produtivo, uma noção contemporânea de classe trabalhadora *deve incorporar a totalidade dos trabalhadores assalariados*.

Portanto, a *classe trabalhadora hoje é mais ampla, heterogênea, complexa e fragmentada do que o proletariado industrial do século XIX e do início do século XX*[4].

---

[3] Idem.

[4] Em seu escrito sobre a Comuna de Paris, *A guerra civil na França* (ed. bras.: São Paulo, Boitempo, 2011), e em vários outros escritos para a Associação Internacional dos Trabalhadores (AIT), Marx, ao tratar do conjunto de forças sociais envolvidas no processo revolucionário que se desenvolvia em Paris, faz referência também às "classes trabalhadoras", sinalizando para um conjunto heterogêneo e diferenciado de atividades laborativas, que transcendem aquelas que vivem da *venda de sua força de trabalho em troca de salário* e que participaram também de forma ativa da construção da Comuna de Paris e das lutas da AIT. Ver também a excelente coletânea de textos sobre a AIT em Marcello Musto (org.), *Trabalhadores, uni-vos: antologia política da I Internacional* (São Paulo, Boitempo, 2014).

Fica uma importante questão para nosso debate: o proletariado moderno, que exerce atividades consideradas *produtivas* (quer aquelas prevalentemente *materiais* ou *imateriais*, quer aquelas manuais diretas ou nas chamadas tecnologias da informação, nos polos mais avançados das fábricas modernas, exercendo atividades consideradas mais "intelectualizadas"), ainda tem papel de centralidade nas lutas anticapitalistas, exatamente por gerar *valores de troca, mais-valor*? Ou, ao contrário, o conjunto ampliado que configura o proletariado moderno ou a classe-que-vive-do-trabalho, em sua heterogeneidade – inclusive na participação/geração/ampliação do valor, bem como em sua concretude ideológico-política –, não tem mais nenhum polo *necessariamente* central?

Formulando de outro modo: nos embates desencadeados pelos/as trabalhadores/as, que o mundo tem presenciado, é possível detectar maior potencialidade e, até mesmo, centralidade nos estratos mais qualificados da classe trabalhadora, naqueles que vivenciam uma situação mais "estável" e que têm, consequentemente, maior participação no processo de criação de valor? Ou, pelo contrário, o polo mais fértil da ação se encontra exatamente naqueles segmentos sociais mais subproletarizados?

Sabe-se que os segmentos mais qualificados, mais intelectualizados, que se desenvolvem mais próximos do avanço tecnológico-informacional-digital, pelo papel que exercem no processo de criação de valores de troca, poderiam estar dotados, ao menos objetivamente, de maior potencial de rebeldia. Mas, por outro lado, e de modo contraditório, esses setores mais qualificados são os que vivenciam um sistemático processo de manipulação e "envolvimento" (em verdade, trata-se das formas contemporâneas de fetichismo e estranhamento) no interior do espaço de trabalho.

Em contrapartida, o enorme leque de trabalhadores precários, parciais, temporários etc., o chamado *subproletariado moderno*, juntamente com o imenso contingente de desempregados, pelo seu maior distanciamento do processo de criação de valores, poderiam ter, no plano da materialidade, um papel de menor relevo nas lutas anticapitalistas. Porém, sua condição de despossuídos os faz confrontar-se cotidianamente com a ordem destrutiva, uma vez que esses segmentos sociais não têm mais nada a perder no universo da (des)sociabilidade do capital. Sua subjetividade poderia ser, portanto, mais propensa à rebeldia.

Nunca é demais lembrar que a classe trabalhadora é uma *condição de particularidade*, um *modo de ser* com claros, intrínsecos e inelimináveis elementos relacionais de *objetividade* e *subjetividade*. Mas a classe trabalhadora, para Marx, é ontologicamente decisiva pelo papel fundamental que exerce no processo de criação de valores e na luta entre as classes. É na própria materialidade do sistema *e na sua potencialidade subjetiva* que o seu papel se torna central. E, creio, ela só perderá essa *potencialidade* se e quando o *trabalho abstrato* deixar de ser central para a reprodução do capital.

Portanto, a classe trabalhadora, em sentido amplo, incorpora a totalidade daqueles/as que vendem sua força de trabalho em troca de salário, como o proletariado rural, os chamados boias-frias das regiões agroindustriais do Brasil do etanol. Incorpora também o proletariado precarizado, fabril e de serviços, *part time*, que se caracteriza pelo vínculo de trabalho temporário, pelo trabalho precarizado, em expansão na totalidade do mundo do capital.

O exemplo dos imigrantes talvez seja o mais emblemático: com o enorme incremento do *novo proletariado informal*, do subproletariado fabril e de serviços, novas atividades laborativas são exercidas pelos imigrantes que circulam em escala global. A classe trabalhadora, portanto, é composta – e isso é decisivo hoje – da totalidade dos trabalhadores assalariados, em todas as suas distintas modalidades de inserção no mundo do trabalho, incluindo aqueles subempregados, na informalidade e desempregados.

Em nossa concepção ampliada estão *excluídos da classe trabalhadora* os gestores do capital, que são parte constitutiva da classe dominante, pelo papel central que têm no controle, na hierarquia, no mando e na gestão do capital e de seu processo de valorização, bem como os pequenos empresários, a pequena burguesia urbana e rural, que é detentora – ainda que em menor escala – dos meios de sua produção. Estão excluídos também aqueles que vivem de juros e da especulação.

Então, compreender a classe trabalhadora hoje, de modo abrangente, implica entender esse conjunto heterogêneo, ampliado, complexo e fragmentado de seres sociais que vivem da venda da sua força de trabalho, que são assalariados e desprovidos dos meios de produção.

Durante a vigência do taylorismo/fordismo no século XX, os trabalhadores por certo não eram homogêneos; sempre houve homens trabalhadores, mulheres trabalhadoras, jovens trabalhadores, qualificados e não qualificados, nacionais e imigrantes etc., isto é, as múltiplas clivagens que configuraram a classe trabalhadora. É evidente ainda que no passado também já havia terceirização (em geral, os restaurantes, a limpeza e o transporte eram terceirizados). Mas pudemos presenciar, nestas últimas décadas, uma enorme intensificação desse processo, o que alterou sua qualidade, fazendo aumentarem e intensificarem-se as clivagens anteriores.

Também ao contrário do taylorismo e do fordismo (que, é bom lembrar, continuam vigentes em várias partes do mundo, ainda que de forma muitas vezes híbrida ou mesclada), no toyotismo ou nas formas flexíveis de acumulação, os/as trabalhadores/as são interiorizados/as e instigados/as a se tornar *déspotas de si próprios/as*. Na síntese que utilizei em *Adeus ao trabalho?*, eles são instigados a se autorrecriminar e se punir se a sua produção não atingir as famigeradas "metas", sendo pressionados a ser *déspotas de si mesmos*. Eles trabalham num coletivo, em *times* ou *células de produção* e, se um/a companheiro/a não comparece ao trabalho, é "cobrado/a" pelos próprios membros que formam sua equipe. É assim, por exemplo, no ideário do toyotismo. As resistências, as rebeldias, as recusas são completamente rechaçadas pelos gestores como atitudes contrárias "ao bom desempenho da empresa".

Se o sistema taylorista-fordista tinha uma concepção na qual a gerência científica *elaborava* e o trabalhador manual *executava*, o toyotismo e as formas da *flexibilidade liofilizada* incorporaram a ideia de que era preciso deixar que o *saber intelectual do trabalho* florescesse e a subjetividade operária fosse também apropriada pelo capital.

É evidente que, desse processo que se expande e se complexifica nos *setores de ponta do processo produtivo* (o que não pode ser generalizado em hipótese alguma hoje), resultam máquinas "mais inteligentes", que por sua vez precisam de trabalhadores mais "qualificados", mais aptos a operá-las. E, na processualidade desencadeada, novas máquinas, "mais inteligentes", passam a executar atividades outrora feitas pela atividade exclusivamente humana, desencadeando-se um processo de interação entre trabalho vivo diferenciado e trabalho morto mais informatizado.

Tais alterações levaram Habermas a afirmar, erroneamente, que *a ciência transformava-se em principal força produtiva*, tornando supérflua a teoria do valor-trabalho[5]. Ao contrário, conforme indicamos em capítulos anteriores, penso que há uma nova forma de interação do *trabalho vivo* com o *trabalho morto*, que há um processo de *tecnologização da ciência*[6] que, entretanto, não pode eliminar o trabalho vivo na geração do valor. Ao contrário, há evidências razoáveis de que existem, hoje, em paralelo à ampliação das formas de trabalho, novas modalidades de vigência da lei do valor.

Em verdade, estamos presenciando uma intensificação e ampliação dos modos de extração do sobretrabalho, das *formas geradoras do valor*, resultado da articulação de um maquinário altamente avançado (de que são exemplo as TICs que invadiram o mundo das mercadorias), com a exigência, feita pelos capitais, de buscar maiores "qualificações" e "competências" da força de trabalho.

---

[5] Jürgen Habermas, *Técnica e ciência como "ideologia"*, cit.

[6] István Mészáros, *O poder da ideologia* (São Paulo, Boitempo, 2004).

Dada a *nova morfologia do trabalho*, com sua enorme gama de *trabalhadores/as invisíveis*, vem ocorrendo uma potencialização dos mecanismos geradores do *valor*, utilizando-se de novos e velhos mecanismos de intensificação (quando não de *autoexploração* do trabalho). Menos do que perda de validade da teoria do valor, nossa hipótese *é que a invisibilidade do trabalho é uma expressão aparente que encobre a real geração de mais-valor em praticamente todas as esferas do mundo laborativo em que ocorre exploração*. Portanto, contrariamente aos que formulam a desconstrução da teoria do valor, há um importante elemento de ampliação, potencialização e mesmo realização do *mais-valor*.

Particularmente nos serviços, com a privatização das telecomunicações em escala global, a busca pela maior rentabilidade dos ativos nessas empresas acarretou um processo intensificado de terceirização do trabalho, comportando múltiplas formas de precarização e de intensificação dos tempos e movimentos no ato laborativo. Deu-se, então, uma clara confluência entre a terceirização do trabalho e sua precarização, dentro da lógica da *mercadorização* dos serviços que foram privatizados.

Vale lembrar que o trabalho nas TICs é pautado por uma processualidade contraditória, uma vez que articula tecnologias do século XXI com condições de trabalho herdeiras do século XX. Do mesmo modo, combina estratégias de intensa emulação e envolvimento, ao modo da flexibilidade toyotizada, com técnicas gerenciais tayloristas-fordistas de controle sobre o trabalho prescrito.

Portanto, ao contrário das formulações desconstrutoras do trabalho (e da lei do valor como fundamento da sociedade capitalista), as novas modalidades laborativas (incluindo o chamado trabalho imaterial) são expressões do *trabalho vivo*, partícipes, em maior ou menor escala, do processo de valorização do valor. Em nossa análise, a forma imaterial do trabalho ou da produção, quando ocorre, não leva à extinção *da lei do valor*, mas acrescenta *coágulos de trabalho vivo na lógica da acumulação de capital em sua materialidade, inserindo-os no tempo social médio de um processo de trabalho cada vez mais complexo*. Ao contrário da chamada descompensação do valor, somos obrigados a descortinar os novos mecanismos geradores do valor, próprios da *esfera informacional da forma-mercadoria*[7]. A enorme expansão do proletariado na China e na Índia, especialmente nas últimas décadas, ancorada na incorporação das tecnologias informacionais, parece, isto sim, *negar* a tese da perda de relevo do

---

[7] Ver também Jean-Marie Vincent, "Les automatismes sociaux et le 'général intellect'", cit., e "Flexibilité du travail et plasticité humaine", cit.; e André Tosel, "Centralité et-non centralité du travail ou la passion des hommes superflus", cit.

trabalho vivo no mundo da produção de valor, o que fragiliza ainda mais os argumentos dos defensores da imaterialidade como forma de *superação* ou *inadequação* do mais-valor.

É essa, portanto, a *nova morfologia do trabalho* e do *novo proletariado* hoje. Compreender sua *forma de ser*, suas rebeldias e resistências, é vital para que possa haver uma melhor percepção das múltiplas e polissêmicas lutas anticapitalistas de nosso tempo. Mas, do mesmo modo, é vital apreender suas alienações e seus estranhamentos, os seus distintos exercícios de subjetividade. É desse aspecto crucial que trataremos no capítulo seguinte.

Capítulo 5

A SUBJETIVIDADE OPERÁRIA, AS REIFICAÇÕES INOCENTES E AS REIFICAÇÕES ESTRANHADAS

A exteriorização do trabalho: alienação e estranhamento

A questão da alienação contemporânea é reflexão complexa e, ao mesmo tempo, crucial de nosso tempo, o que me obriga a desenhar algumas notas que mantêm, em si, uma clara dimensão relacional.

Sabemos que o trabalho assalariado, responsável pela interiorização das fetichizações e coisificações da classe-que-vive-do-trabalho, expandiu-se com o capitalismo da fase maquínica, parcelar, industrial, desde meados do século XVIII, acarretando profundas repercussões na subjetividade do trabalho. Devemos a Marx[1] a mais decisiva reflexão acerca do complexo social da *alienação* (e, em particular, do *estranhamento*[2]): a sociabilidade do capital é responsável

---

[1] Karl Marx, *Manuscritos econômico-filosóficos*, cit.

[2] Optamos por traduzir como *estranhamento* o termo *Entfremdung*, dada a ênfase, por Marx, em sua dimensão de negatividade. E como *alienação* o termo *Entäusserung*, que pode significar também *exteriorização* e, enquanto tal, parte inelíminável da atividade humana. Assim, em nosso entendimento, essas categorias são partes do complexo social da *alienação*. O *estranhamento* é, então, utilizado para enfatizar a dimensão de *negatividade* que caracteriza o trabalho assalariado no capitalismo. Por outro lado, a *exteriorização* está presente em toda a atividade humana que produz bens. Com a generalização da *forma-mercadoria* e do *trabalho abstrato*, temos a efetivação de um momento histórico em que ocorre uma forte aproximação entre o *estranhamento* e a *exteriorização*. Ver György Lukács, *Para uma ontologia do ser social*, v. 2 (São Paulo, Boitempo, 2013), especialmente o quarto capítulo. E os excelentes estudos (ainda que com abordagens diferenciadas) de István Mészáros, *A teoria da alienação em Marx* (São Paulo,

pelo advento da *forma* trabalho assalariado, do trabalho-mercadoria ou, de modo mais preciso, da generalização da *mercadoria força de trabalho*. Em suas palavras:

> O trabalhador se torna tanto mais pobre quanto mais riqueza produz, quanto mais a sua produção aumenta em poder e extensão. O trabalhador se torna uma mercadoria tão mais barata quanto mais mercadorias cria. Com a *valorização* do mundo das coisas (*Sachenwelt*) aumenta em proporção direta a *desvalorização* do mundo dos homens (*Menschenwelt*). O trabalho não produz somente mercadorias; ele produz a si mesmo e ao trabalhador como uma *mercadoria*, e isso na medida em que produz, de fato, mercadorias em geral.[3]

Isso porque o objeto que o trabalho produz, o seu produto, acrescenta Marx,

> se lhe defronta como um *ser estranho*, como um *poder independente* do produtor. O produto do trabalho é o trabalho que se fixou num objeto, fez-se coisal (*sachlich*), é a *objetivação* (*Vergegenständlichung*) do trabalho. A efetivação (*Verwirklichung*) do trabalho é a sua objetivação. Esta efetivação do trabalho aparece ao estado nacional-econômico como *desefetivação* (*Entwirklichung*) do trabalhador, a objetivação como *perda do objeto* e *servidão ao objeto*, a apropriação como *estranhamento* (*Entfremdung*), como *alienação* (*Entäusserung*).[4]

"A *efetivação do trabalho*, portanto, é sua própria situação de *desefetivação*", o que significa dizer que se trata de uma efetividade que se configura como perda, que o trabalhador se *desrealiza*, se *desefetiva* e se *estranha* no processo de trabalho. Conforme as palavras de Marx:

> A objetivação tanto aparece como perda do objeto que o trabalhador é despojado dos objetos mais necessários não somente à vida, mas também dos objetos do trabalho. Sim, o trabalho mesmo se torna um objeto, do qual o trabalhador só pode se apossar com os maiores esforços e com as mais extraordinárias interrupções. A apropriação do objeto tanto aparece como estranhamento (*Entfremdung*) que, quanto mais objetos o trabalhador produz, tanto menos pode possuir e tanto mais fica sob o domínio do seu produto, do capital.[5]

Boitempo, 2016), e de Jesus Ranieri, *A câmara escura: alienação e estranhamento em Marx* (São Paulo, Boitempo, 2001).

[3] Karl Marx, *Manuscritos econômico-filosóficos*, cit., p. 80.
[4] Idem.
[5] Ibidem, p. 80-1.

Seu *estranhamento*, portanto, se efetiva sempre pela dimensão de *negatividade*, sentimento de perda e desefetivação, presente no processo de produção capitalista, uma vez que o produto gerado pelo trabalho não pertence ao seu criador.

O estranhamento do trabalhador em seu objeto se expressa, segundo a economia política, na medida em que

> quanto mais o trabalhador produz, menos tem para consumir; que quanto mais valores cria, mais sem-valor e indigno ele se torna; quanto mais bem formado o seu produto, tanto mais deformado ele fica; quanto mais civilizado seu objeto, mais bárbaro o trabalhador; que quanto mais poderoso o trabalho, mais impotente o trabalhador se torna; quanto mais rico de espírito o trabalho, mais pobre de espírito e servo da natureza se torna o trabalhador.[6]

Aqui está, então, a *primeira* manifestação do estranhamento em relação à própria natureza humana. Esse *primeiro* momento, mais visível em seu ser fenomenológico, encobre sua *segunda* manifestação: o trabalho também não se reconhece em sua própria atividade produtiva. Trata-se de um trabalho que, em seu exercício de criação, expressa um momento de desefetivação, interiorizando o fetichismo da sociedade da mercadoria presente no próprio processo de trabalho.

Ou seja, a exteriorização do trabalhador sob a modalidade do estranhamento apresenta-se inicialmente em "sua *relação com os produtos do seu trabalho*". Mas, acrescenta Marx, o estranhamento do trabalho não se expressa somente no *resultado* do processo produtivo, e sim no próprio *ato da produção*, na *atividade produtiva* em si mesma.

A pergunta de Marx é clara: como poderia o trabalhador se encontrar

> alheio (*fremd*) ao produto da sua atividade se no ato mesmo da produção ele não se estranhasse a si mesmo? O produto é, sim, somente o resumo (*Resumé*) da atividade, da produção. Se, portanto, o produto do trabalho é a exteriorização, então a produção mesma tem de ser a exteriorização ativa, a exteriorização da atividade, a atividade da exteriorização. No estranhamento do objeto do trabalho resume-se somente o estranhamento, a exteriorização na atividade do trabalho mesmo.[7]

Essa processualidade faz aflorar seu *terceiro* momento, no qual o ser social que trabalha – e que deveria estar realizando uma *atividade vital* – se desrealiza e não se reconhece em sua relação entre "vida do gênero" e "vida individual", o que leva à *quarta* dimensão do

---

[6] Ibidem, p. 82.
[7] Idem.

complexo social do estranhamento: *o ser se estranha em relação ao próprio ser*, ele se *separa de seu ser genérico*[8].

Esses quatro momentos, intrinsecamente articulados e constitutivos do processo de estranhamento em Marx, foram aqui apresentados de forma sintética a partir dos *Manuscritos econômico-filosóficos*, nos quais Marx elaborou sua primeira reflexão articulando filosofia com elementos (ainda embrionários) de economia política. Ele oferece, então, sua síntese contundente, que uma vez mais preferimos citar:

> Em que consiste, então, a exteriorização (*Entäusserung*) do trabalho? Primeiro, que o trabalho é *externo* (*äusserlich*) ao trabalhador, isto é, não pertence ao seu ser, que ele não se afirma, portanto, em seu trabalho, mas nega-se nele, que não se sente bem, mas infeliz, que não desenvolve nenhuma energia física e espiritual livre, mas mortifica sua physis e arruína o seu espírito.[9]

Do que se depreende que

> o trabalhador só se sente, por conseguinte e em primeiro lugar, junto a si [quando] fora do trabalho e fora de si [quando] no trabalho. Está em casa quando não trabalha e, quando trabalha, não está em casa. O seu trabalho não é portanto voluntário, mas forçado, *trabalho obrigatório*.[10]

Ao contrário de efetivar-se como exercício de uma *atividade vital*, satisfação de uma carência, ele se converte em apenas um *meio* para saciar carências fora dele. Sua condição de estranhamento é tão evidente que, "tão logo inexista coerção física ou outra qualquer, foge-se do trabalho como de uma peste", na célebre formulação marxiana. Seu trabalho externo, sua forma de exteriorização, assume, então, a conformação de "um trabalho de autossacrifício, de mortificação"[11].

Assim, a externalidade do trabalho aparece para o trabalhador não como resultado de seu trabalho, mas de *outro*, visto que tanto o

---

[8] Ibidem, p. 85. "O trabalho estranhado faz, por conseguinte: 3) do *ser genérico do homem*, tanto da natureza quanto da faculdade genérica espiritual dele, um ser *estranho* a ele, um *meio* da sua existência *individual*. Estranha do homem o seu próprio corpo, assim como a natureza fora dele, tal como a sua essência espiritual, a sua essência *humana;* 4) uma consequência imediata disso, de o homem estar estranhado do produto do seu trabalho, de sua atividade vital e de seu ser genérico, é o *estranhamento do homem* pelo [próprio] *homem*. Quando o homem está frente a si mesmo, defronta-se com ele o *outro* homem. O que é produto da relação do homem com o seu trabalho, produto de seu trabalho e consigo mesmo, vale como relação do homem com outro homem, como o trabalho e o objeto do trabalho de outro homem", ibidem, p. 85-6.

[9] Ibidem, p. 82-3.

[10] Ibidem, p. 83.

[11] Idem.

produto como seu próprio trabalho não lhe pertencem, mas sim a *outro*. Nesse ponto, Marx encontra um símile na religião:

> a autoatividade da fantasia humana, do cérebro e do coração humanos atua independentemente do indivíduo e sobre ele, isto é, como uma atividade estranha, divina ou diabólica, assim também a atividade do trabalhador não é a sua autoatividade. Ela pertence a outro, é a perda de si mesmo.[12]

Sua conclusão é, uma vez mais, arguta e cáustica: o trabalhador só se sente como ser livre e ativo em suas funções animais, tais como comer, beber e procriar, e, quando exerce suas funções humanas, se sente como os animais. "O animal se torna humano e o humano, animal."[13]

Mas, como Marx sabe que esse terreno é gelatinoso, acrescenta de imediato:

> Comer, beber e procriar etc. são também, é verdade, funções genuina[mente] humanas. Porém na abstração que as separa da esfera restante da atividade humana, e faz delas finalidades últimas e exclusivas, são [funções] animais.[14]

Anteriormente, em seus "Auszüge aus James Mills Buch, *Élémens d'économie politique*" [Extratos de James Mill, *Elementos de economia política*], nos estudos que antecederam os *Manuscritos* de 1844, Marx formulou (provavelmente) pela primeira vez de modo mais articulado sua concepção de alienação e estranhamento:

> Meu trabalho seria livre projeção exterior de minha vida, portanto desfrute de vida. Sob o pressuposto da propriedade privada (em troca), é estranhamento de minha vida, posto que trabalho para viver, para conseguir os meios de vida. Meu trabalho não é vida. [...] Uma vez pressuposta a propriedade privada, minha individualidade se torna estranhada a tal ponto, que essa atividade se torna odiosa, um suplício e, mais que atividade, aparência desta; por consequência, é também uma atividade puramente imposta, e a única coisa que me obriga a realizá-la é uma necessidade extrínseca e acidental, não a necessidade interna e necessária.[15]

Desse modo, o estranhamento é a realização de uma relação social fundada na "abstração da natureza específica, pessoal", do ser social que "atua como homem que se perdeu a si mesmo, desumanizado"[16].

---

[12] Idem.
[13] Idem.
[14] Idem.
[15] Aqui em tradução livre da edição espanhola: "Extractos de lectura: James Mill", em *Manuscritos de Paris y Anuarios Franco-Alemanes 1844* (Barcelona, Grijalbo, 1978, Obras de Marx y Engels, OME, 5), p. 293-9.
[16] Ibidem, p. 278.

Essa reflexão acabou por receber, em sua obra de maturidade maior, *O capital*, um adensamento imprescindível para se compreender o fenômeno social da alienação e do estranhamento, ao discorrer sobre o fetichismo da mercadoria vigente no capitalismo, em que as relações sociais estabelecidas entre os produtores acabam por assumir a forma de relação entre os produtos do trabalho. A relação social estabelecida entre os seres sociais adquire, por força do sistema de metabolismo social existente, *a forma de uma relação entre coisas*.

Aqui aflora o problema crucial do fetichismo:

> A igualdade dos trabalhos humanos assume a forma material da igual objetividade de valor dos produtos do trabalho; a medida do dispêndio de força humana de trabalho por meio de sua duração assume a forma da grandeza de valor dos produtos do trabalho; finalmente, as relações entre os produtores, nas quais se efetivam aquelas determinações sociais de seu trabalho, assumem a forma de uma relação social entre os produtos do trabalho.[17]

Dada a prevalência do trabalho *abstrato* em relação ao trabalho *concreto*, tem-se, então, o afloramento do *caráter misterioso ou fetichizado da mercadoria*, que encobre as dimensões sociais do próprio trabalho, mostrando-as como inerentes aos *produtos do trabalho*. Ao mascarar as relações sociais existentes entre os *trabalhos individuais* e o *trabalho total*, o sistema de metabolismo social do capital as apresenta "naturalmente" como sendo expressão de relações entre *objetos coisificados*, o que leva Marx a afirmar que "é apenas uma relação social determinada entre os próprios homens que aqui assume, para eles, a forma fantasmagórica de uma relação entre coisas"[18].

Na vigência da lei do valor de troca, o vínculo social entre as pessoas se transforma em uma *relação social entre coisas*: a capacidade pessoal se transfigura em capacidade das coisas. Trata-se, portanto, de uma relação reificada e coisificada entre os seres sociais. Não parece crível que tal cenário tenha desaparecido da nossa história recente, uma vez que, em seus traços essenciais, esse trabalho assalariado, abstrato e fetichizado adentrou os séculos XIX e XX. Foi nesse último século que vivenciamos a consagração da sociedade do *trabalho abstrato* e *assalariado*. Com o taylorismo-fordismo e a continuidade avançada da maquinaria e da grande indústria analisados por Marx, consolidou-se a chamada *sociedade do automóvel*, que se espalhou pelo mundo.

---

[17] Karl Marx, *O capital*, Livro I, cit., p. 147.
[18] Idem.

A expropriação do intelecto do trabalho

Como sabemos, Taylor[19], o mestre da engenharia científica do capital, propugnava que os trabalhadores deveriam ser controlados com rigidez pelos tempos e movimentos, sob comando de uma camada de gestores, administradores e engenheiros que *elaborassem* e *concebessem* a produção, a qual, por sua vez, seria executada pela classe dos trabalhadores manuais. Esse é o cerne da teoria taylorista do trabalho: os engenheiros concebem e os trabalhadores manuais – que certa vez Taylor denominou "gorilas amestrados" – executam. Concepção e manualidade, elaboração e execução, aprofundando, desde o espaço microcósmico da produção, a divisão social do trabalho.

Ford, por sua vez, aplicou a engenharia de Taylor em sua produção seriada e homogeneizadora, de modo a aumentar as economias de escala e, consequentemente, os lucros oriundos da produção automotiva, consolidando a sociedade de massa do século XX.

Tratou-se, então, de um casamento que deu certo: Taylor e Ford, o engenheiro científico e o fabricante de automóveis. Eles foram responsáveis pela ampliação e generalização das formas de estranhamento e reificação que marcaram fundo o exercício da subjetividade do trabalho no espaço produtivo, inicialmente fabril e depois para a totalidade dos espaços geradores de valor.

Entretanto, uma análise mais cuidadosa acerca do trabalho taylorista-fordista pode apresentar certas nuances: se ele era predominantemente *maquinal, parcelar, especializado, fragmentado* e *prescrito*, contraditoriamente assumia uma versão mais *contratualista*, relativamente *regularizada* e provida de direitos, resultado de lutas históricas da classe trabalhadora ao longo de vários séculos. Era, portanto, uma variante de trabalho fetichizado, mas *regulamentado*. Ou seja: no que concerne à sua materialidade, à forma de *(des)efetivação* do trabalho, sua conformação fragmentada, sua separação em relação ao produto do seu próprio trabalho, bem como as diversas manifestações de estranhamento, que indicamos na primeira parte deste texto, acabavam por acarretar uma forte repercussão em sua subjetividade, que se configurava como crescentemente coisificada e reificada.

Mas, numa processualidade aparentemente contraditória, esse mesmo trabalho de base taylorista-fordista era dotado de maior regulação, contratualidade e seguridade, resultantes, nunca é demais reiterar, de suas lutas históricas pela regulamentação do trabalho face aos ditames do capital. As lutas pela regulamentação da jornada de trabalho, por direito de greve e organização sindical e política independentes e autônomas, pelo *salário igual para trabalho igual*

---

[19] Frederick W. Taylor, *Princípios da administração científica* (São Paulo, Atlas, 1990).

entre homens e mulheres são alguns dos inúmeros exemplos de reivindicação da classe trabalhadora diante do capital.

Suas formas de reificação, entretanto, que Lukács e Gramsci[20] compreenderam tão vivamente, reafirmavam, em seus traços essenciais, a alienação e o estranhamento, tais como apresentados por Marx, já em meados do século XIX, agora ampliados, uma vez que a própria sociedade assumia a expressão prolongada do microcosmo fabril.

Uma leitura atenta dos capítulos do Livro I de *O capital* nos quais Marx discorre analiticamente sobre a maquinaria e a grande indústria poderá constatar que o taylorismo e o fordismo têm mais elementos de *continuidade* do que de *descontinuidade* em relação às engrenagens propulsoras da grande indústria do século XIX. E que a fábrica moderna de massa só poderia funcionar com um exército de feitores controlando o trabalho, exercitando uma modalidade de despotismo fabril.

Em *História e consciência de classe*, no ensaio "A coisificação e a consciência do proletariado", Lukács demonstrou como a fragmentação taylorista do trabalho penetrava até a "alma do trabalhador", alicerçando os fundamentos da coisificação, numa complexa articulação entre materialidade e subjetividade operária. Gramsci, em seu ensaio "Americanismo e fordismo", explorou a ideia do *homem integral para o capital*, em que até o controle da sexualidade era concebido, de modo a canalizar a virilidade masculina na produção maquínica.

Tempos modernos, de Charles Chaplin (1936), é, no universo fílmico, a mais genial fotografia dessa engrenagem que floresce no chão de fábrica *desumanizada*. *A classe operária vai ao Paraíso*, de Elio Petri (1971), ainda que sem a mesma aura clássica do filme anterior, retrata, de modo contundente, o universo fabril taylorista-fordista e suas repercussões na subjetividade dos trabalhadores no contexto do "outono quente" das lutas operárias da Itália em 1969.

O crescente processo de eliminação de *trabalho vivo* pelo *trabalho morto*, de substituição de trabalhadores por tecnologia maquínica, foi outro traço central na sujeição que a máquina-ferramenta – na verdade, a lógica movida pelo sistema do capital – impôs ao trabalho, reduzindo e até eliminando sua destreza oriunda da fase artesanal e mesmo manufatureira, consolidando o processo de desumanização do trabalho ou, mais rigorosamente, a "desantropomorfização do trabalho", para usar uma concepção de Lukács presente em sua obra de maturidade, *Para uma ontologia do ser social*.

---

[20] György Lukács, *História e consciência de classe* (Porto, Elfos, 1989); Antônio Gramsci, *Escritos políticos*, v. 1 (Rio de Janeiro, Civilização Brasileira, 2004).

Foi desse modo que, ao longo do século XX, a lógica maquínica da fábrica prolongou-se amplamente para o conjunto da sociedade, levando sua engenharia produtiva para quase todas as partes do mundo urbano, industrial e de serviços.

Mas a crise estrutural que se abateu nas economias capitalistas centrais a partir do início dos anos 1970 levou, entre tantas metamorfoses e mutações, a uma monumental reestruturação capitalista de amplitude global, com profundas mudanças no processo de produção e de trabalho. Germinou a denominada "empresa enxuta, flexível", com seu receituário que, se não altera a forma de ser do capital, modifica em muitos aspectos as engrenagens e os mecanismos da acumulação, com fortes consequências na subjetividade do ser social que trabalha, adicionando novos elementos ao fenômeno social da alienação e do estranhamento, por meio da identificação das *personificações* do trabalho como *personificações* do capital. É por isso que, hoje, nenhuma fábrica ou empresa usa, em sua terminologia gerencial, denominações como "operários", "trabalhadores", optando por recorrer à apologética presente na ideologia dos "colaboradores", "parceiros", "consultores" ou denominações assemelhadas.

Em seus traços mais gerais, é possível dizer que a empresa da era da *flexibilidade liofilizada* articula um conjunto de elementos de *continuidade* e de *descontinuidade* em relação ao empreendimento taylorista e/ou fordista. Ela se estrutura com base em uma organização do trabalho que resulta da introdução de técnicas de gestão da força de trabalho próprias da fase informacional; desenvolve uma estrutura produtiva mais flexível, recorrendo frequentemente à deslocalização produtiva, à terceirização (dentro e fora das empresas); utiliza-se do trabalho em equipe, das "células de produção", dos "times de trabalho"; além de incentivar, de todos os modos, o "envolvimento participativo", que preserva, em seus traços essenciais, os condicionantes anteriormente apresentados[21].

Desenha-se, então, uma nova forma de organização e controle do trabalho cuja finalidade central é, de fato, a intensificação do processo laborativo, com ênfase também no envolvimento qualitativo dos trabalhadores e das trabalhadoras, em sua dimensão cognitiva, procurando reduzir ou mesmo eliminar os espaços de *trabalho improdutivo*, que não criam *valor*, sobretudo nas atividades de manutenção, acompanhamento, inspeção de qualidade etc., funções que passaram a ser diretamente incorporadas ao trabalhador *produtivo*. Desse modo, reengenharia, *lean production*, *team work*, eliminação de postos de trabalho, aumento da produtividade, qualidade total, "metas",

---

[21] Ricardo Antunes, *Os sentidos do trabalho*, cit.

"competências", "parceiros" e "colaboradores" são partes constitutivas do ideário e da pragmática cotidiana da "empresa moderna".

Se, no apogeu do taylorismo-fordismo, a pujança de uma empresa estava representada pelo número de trabalhadores que nela atuavam, pode-se afirmar, de modo contrário, que a empresa que tipifica a fase da *flexibilidade liofilizada* é aquela que aglutina o menor contingente de *trabalho vivo* e concentra o maior volume de *trabalho morto*, corporificado no maquinário informacional-digital, o que lhe gera – potencialmente – maiores índices de produtividade e de lucratividade na concorrência interempresas.

Essas metamorfoses no processo de produção tiveram – e ainda têm – consequências significativas no universo do trabalho: desregulamentação dos direitos sociais; precarização e terceirização da força humana que trabalha; aumento da fragmentação e heterogeneização no interior da classe trabalhadora; enfraquecimento do sindicalismo de classe e incentivo à sua conversão em um sindicalismo mais negocial e de parceria, mais de cúpula e menos de base, mais parceiro e colaborador e menos confrontacionista.

A racionalização do processo produtivo, o forte *disciplinamento* da força de trabalho, a implantação de novos mecanismos de *capital* e de *trabalho intensivo* e o envolvimento mais ativo do intelecto no trabalho tornaram-se práticas recorrentes no processo de *liofilização organizacional*, no qual as substâncias vivas são eliminadas e o *trabalho vivo* é substituído pelo *trabalho morto*, pela maquinaria tecnológico-informacional-digital que hoje tipifica o processo de "enxugamento" das empresas.

O trabalho em equipe, a transferência das responsabilidades de elaboração, anteriormente realizada pela gerência científica e agora interiorizada na própria ação dos trabalhadores – um dos traços do *management by stress* –, são outras marcas fortes presentes nessa processualidade.

Preserva-se um número mais reduzido de trabalhadores dentro das empresas matrizes, mais *qualificados*, *multifuncionais* e envolvidos com o ideário dos "colaboradores". Aumenta o universo dos terceirizados e temporários dentro (e fora) das empresas, ampliando-se o fosso no interior da classe trabalhadora. De um lado, em escala minoritária, o trabalhador *polivalente e multifuncional* da era informacional-digital, capaz de exercitar sua dimensão mais intelectual com maior intensidade. De outro, uma massa de trabalhadores precarizados, terceirizados, flexibilizados, informalizados, cada vez mais próximos do desemprego estrutural. A expansão do trabalho *part time*, as formas como o capital se utiliza da *divisão sexual do trabalho*, a ampliação do trabalho dos imigrantes, frequentemente ilegais, são outras marcas dessa processualidade potencialmente estranhada e reificada.

Em síntese: a fábrica taylorista-fordista foi bastante alterada em seu desenho espacial, temporal, em sua organização sociotécnica, em seus mecanismos de controle do trabalho. Basta mencionar suas manifestações mais fenomênicas: as divisórias desapareceram, o trabalho é organizado em células, combinando multifuncionalidade, polivalência, competição, metas, competências, assumindo uma *aparência* mais "participativa", mais envolvente e menos despótica quando comparada à da fábrica taylorista.

Em contrapartida, entretanto, o trabalho se tornou mais desregulamentado, mais informalizado, mais intensificado, gerando uma dissociabilidade destrutiva no espaço de trabalho que procura dilapidar *todos os laços de solidariedade e de ação coletiva*, individualizando as relações de trabalho em todos os espaços onde essa pragmática for possível.

Desse modo, para responder à crise de geração de valor, os capitais, por meio das práticas toyotistas e da empresa da *flexibilidade liofilizada*, foram muito além do taylorismo, em busca do que Taiichi Ohno[22], engenheiro fundador da Toyota, considerava vital: a *expropriação do intelecto do trabalho*. Isso significa dizer que, ao contrário do taylorismo-fordismo, que cultuava um certo desprezo ao saber operário, a pragmática toyotista utiliza-se dele, do intelecto do trabalho, para agregar e/ou potencializar *mais valor* à produção, seja ela prevalentemente material ou imaterial. Os chamados círculos de controle de qualidade ou o incentivo que as empresas fazem para ouvir as sugestões dos trabalhadores e das trabalhadoras são exemplares.

Contemplando traços de continuidade em relação ao fordismo vigente ao longo do século XX, mas seguindo um receituário com claros elementos de diferenciação e descontinuidade, a empresa da *flexibilidade liofilizada* acabou por engendrar novos e mais complexificados mecanismos de interiorização, de personificação do trabalho, sob o "envolvimento incitado" do capital, incentivando o exercício de uma *subjetividade marcada pela inautenticidade*, isto é, aquela que ocorre quando o estímulo para o exercício da subjetividade do trabalho é sempre conformado pelos *interesses das empresas*, não comportando nenhum traço que confronte com o ideário do lucro e do aumento da produtividade. O exercício da subjetividade empresarial não comporta, por exemplo, a propositura de uma greve para melhorar as condições de trabalho. Ao contrário, trata-se de um exercício de subjetivismo anticoletivo, antissindical e intensamente empresarial. O exercício da *subjetividade autêntica* se dá quando não

---

[22] Taiichi Ohno, *O sistema Toyota de produção: além da produção em larga escala* (Porto Alegre, Bookman, 1997).

há constrangimentos que "obrigam" o "envolvimento incitado", a realização de práticas empresariais que objetivam melhorar a "integração" entre trabalhadores e empresas. Por isso, o exercício da *subjetividade autêntica* expressa formas de *autonomia*, enquanto as formas de *subjetividade inautêntica* são próprias da *heteronomia*.

O estranhamento torna-se, então, menos despótico *em aparência*, mas intensamente mais interiorizado. Como procurei sintetizar em *Os sentidos do trabalho*:

> Ainda que fenomenicamente minimizado pela redução da separação entre a elaboração e a execução, pela redução dos níveis hierárquicos no interior das empresas, a subjetividade que emerge na fábrica ou nas esferas produtivas contemporâneas é expressão de uma *existência inautêntica* e estranhada. Contando com maior "participação" nos projetos que nascem das discussões dos círculos de controle de qualidade, com maior "envolvimento" dos trabalhadores, a subjetividade que então se manifesta encontra-se *estranhada* em relação ao *que se produz e para quem se produz*.[23]

E acrescentei:

> Os benefícios aparentemente obtidos pelos trabalhadores no processo de trabalho são largamente compensados pelo capital, uma vez que *a necessidade de pensar, agir e propor dos trabalhadores deve levar sempre em conta prioritariamente os objetivos intrínsecos da empresa, que aparecem muitas vezes mascarados pela necessidade de atender aos desejos do mercado consumidor.* [...] Mais complexificada, a aparência de maior liberdade no espaço produtivo tem como contrapartida o fato de que as *personificações do trabalho* devem se converter ainda mais em *personificações do capital*. Se assim não o fizerem, se não demonstrarem estas "aptidões" ("vontade", "disposição" e "desejo"), são substituídos por outros trabalhadores ou trabalhadoras que demonstrem "perfil" e "atributos" para aceitar estes "novos desafios".[24]

Nesse processo de envolvimento interativo, ampliam-se e complexificam-se as formas da *reificação*, distanciando a subjetividade operária do exercício de uma atividade autêntica e autodeterminada. A *aparência* de um despotismo mais ameno, plasmado pela sociedade produtora de mercadorias desde o seu nível mais microcósmico, tende a aprofundar e interiorizar ainda mais a condição do estranhamento.

Desse modo, a alienação ou, mais precisamente, o *estranhamento* (*Entfremdung*) do trabalho se encontra, em sua essência, preservado, ainda que dotado de novas engrenagens e mecanismos de

---

[23] Ricardo Antunes, *Os sentidos do trabalho*, cit., p. 130.
[24] Idem.

funcionamento. Fenomenicamente minimizada pela redução da separação entre a elaboração e a execução, pela redução dos níveis hierárquicos no interior das empresas, a subjetividade que emerge na fábrica ou nas esferas produtivas mais avançadas e de ponta parece assumir o exercício de uma *subjetividade inautêntica e estranhada*, para recorrer à formulação de Nicolas Tertulian[25].

Além do *saber* operário, que o fordismo expropriou e transferiu para a esfera da gerência científica, para os níveis de elaboração, conforme nos referimos anteriormente, a nova fase do capital, da qual o toyotismo é a melhor expressão, *retransfere* o *savoir faire* para o trabalho, mas o faz apropriando-se crescentemente da sua dimensão *intelectual*, das suas capacidades cognitivas, *procurando* envolver mais forte e intensamente a subjetividade operária.

Mas o processo não se restringe a essa dimensão, uma vez que parte do *saber intelectual* é transferida para as máquinas informatizadas, que se tornam *mais inteligentes, reproduzindo parte das atividades a elas transferidas pelo saber intelectual do trabalho.*

Como a máquina não pode suprimir o trabalho humano, é necessária uma maior *interação* entre a subjetividade que trabalha e a nova "máquina inteligente". Nesse processo, o *envolvimento interativo maquínico* pode intensificar ainda mais o *estranhamento do trabalho*, ampliando as formas modernas da *reificação*, distanciando ainda mais a subjetividade do exercício de uma cotidianidade autêntica e autodeterminada.

Mais: se o estranhamento permanece e, mesmo, se complexifica nas atividades de ponta do ciclo produtivo, naquela parcela aparentemente mais "estável" e inserida da força de trabalho que exerce o *trabalho intelectual abstrato*, o cenário é ainda mais intenso nos estratos precarizados da força humana de trabalho, que vivenciam as condições mais desprovidas de direitos e a instabilidade cotidiana, dada pelo trabalho *part time*, temporário, precarizado, para não falar nos crescentes contingentes que vivenciam o desemprego estrutural. Sob a incerteza e a superfluidade dadas pela condição da precarização ou de risco do desemprego, o estranhamento pode assumir formas ainda mais intensificadas e mesmo brutalizadas, pautadas pela perda (quase) completa da dimensão de humanidade[26].

Nos segmentos mais intelectualizados da classe trabalhadora, que realizam atividades próprias dos hoje denominados trabalhos vinculados às TICs, à pesquisa e ao design, as formas de reificação têm uma concretude particularizada, mais complexificada (mais *"huma-*

---

[25] Nicolas Tertulian, "Le concept d'aliénation chez Heidegger et Lukács", *Archives de Philosophie – Reserches et Documentation*, Paris, n. 56, jul.-set.1993.

[26] Ricardo Antunes, *Os sentidos do trabalho*, cit.

nizada" em sua essência desumanizadora), dada pelas novas formas de "envolvimento" e interação entre trabalho vivo e maquinaria informatizada[27].

Já nos estratos mais penalizados pela precarização e pelo desemprego, a reificação *é diretamente* mais desumanizada e brutalizada em suas formas de vigência. O que apresenta um quadro contemporâneo pautado por estranhamentos, reificações e alienações que parecem mais se ampliar do que se reduzir; diferenciados quanto à sua incidência, mas vigentes como manifestação que atinge a totalidade do trabalho social[28].

Foi perseguindo essas diferenciações existentes no complexo social do estranhamento que a obra de maturidade de Lukács ofereceu uma diferenciação rica, pouco explorada, entre as *reificações inocentes* e as *reificações estranhadas (ou alienantes)*.

Em suas palavras, é na ontologia da vida cotidiana que florescem as reificações que propiciam os estranhamentos:

> por um lado, do ponto de vista do estranhamento em si, quando certos tipos de comportamento social "inocentes" penetram profundamente na vida cotidiana, eles reforçam a eficácia dos que já estão agindo diretamente nesse sentido; por outro lado, os homens singulares se tornam tanto mais facilmente suscetíveis a tendências de estranhamento – poderíamos dizer: se inclinam tanto mais espontaneamente para elas e são tanto mais incapazes de oferecer-lhes resistência – quanto mais as suas relações de vida forem abstrativamente coisificadas e quanto mais deixarem de ser percebidas como processos concretos e espontâneos.[29]

E acrescenta Lukács:

> Com efeito, quanto mais a vida cotidiana dos homens produzir modos e situações de vida coisificados – por enquanto ainda no sentido até aqui indicado –, tanto mais facilmente o homem da vida cotidiana se adaptará espiritualmente a elas enquanto "fatos da natureza" sem oferecer-lhes resistência espiritual-moral, e por essa via pode surgir em média – sem que, em princípio, isso vá necessariamente ocorrer – uma resistência atenuada contra autênticas reificações que produzem estranhamento. As pessoas se habituam a certas dependências reificadas e desenvolvem dentro de si – uma vez mais: possivelmente, em média, não de modo socialmente necessário – uma adaptação geral também a dependências que produzem estranhamento.[30]

---

[27] Idem.
[28] Idem.
[29] György Lukács, *Para uma ontologia do ser social*, v. 2, cit., p. 664.
[30] Idem.

Lukács retoma, então, a formulação marxiana presente no fetichismo da mercadoria, para avançar na caracterização dos suportes materiais da reificação em sua espectral objetividade. Ao discorrer sobre o caráter misterioso da mercadoria e seu símile na esfera da religião, acrescenta que é nesse momento que afloram as diferenciações existentes entre as reificações inocentes e aquelas que estão sedimentadas a partir da "'objetividade fantasmagórica'" do mundo da mercadoria[31].

Nicolas Tertulian explorou sugestivamente as pistas de Lukács, presentes no último volume de sua *Ontologia*, que acabamos de indicar. O autor oferece também uma sugestiva interpretação: segundo ele, as *reificações inocentes* ocorrem quando há a *condensação das atividades em um objeto*, em uma *coisa*, propiciando a "coisificação" das energias humanas, que funcionam como reflexos condicionados e que acabam por levar às *reificações inocentes*. Nesse caso, a subjetividade é reabsorvida no funcionamento do objeto, sem se efetivar uma "alienação" propriamente dita. As reificações estranhadas, que configuram o que Tertulian traduz como *reificações alienantes*, manifestam-se nas atividades em que a subjetividade

> é transformada em um objeto, em um "sujeito-objeto", que funciona para a autoafirmação e a reprodução de uma força estranhada. O indivíduo que chega a autoalienar suas possibilidades mais próprias, vendendo, por exemplo, sua força de trabalho sob condições que lhe são impostas, ou aquele que, em outro plano, sacrifica-se ao "consumo de prestígio", imposto pela lei de mercado.[32]

Ou seja, enquanto as *reificações inocentes* ainda não se encontram moldadas pela forma-mercadoria em sua plena vigência, as *reificações alienantes* são típicas expressões do fetichismo da mercadoria. Claro, portanto, que aqui a recorrência a Lukács e à sua distinção acima indicada não tem a pretensão (o que seria um grave equívoco) de transplantá-la para o capitalismo de nossos dias, mas tão somente indicar que há um fértil terreno analítico que pode e deve ser explorado para que haja uma melhor compreensão dos fenômenos atuais da alienação e dos estranhamentos.

Se, na empresa taylorista-fordista, o *despotismo* é mais explícito em sua conformação, e o estranhamento ou o *modo de ser* da coisificação acaba sendo mais "direto", na fábrica da *flexibilidade liofilizada*, diferentemente, as novas técnicas de "gestão de pessoas", as "colaborações" e as "parcerias" procuram "envolver" as *personificações* do trabalho de modo mais interiorizado, procurando converter

---

[31] Ibidem, p. 665.
[32] Nicolas Tertulian, "Le concept d'aliénation chez Heidegger et Lukács", cit., p. 441.

os empregados "voluntariamente" em uma espécie de *autocontroladores* de sua produção, em *déspotas de si mesmos*.

A compreensão, portanto, desses novos mecanismos e dessas novas engenharias da sujeição nos leva a perceber formas e modalidades mais interiorizadas e complexificadas de alienação e de estranhamento, das quais as flexibilizações, os ganhos por produtividade e lucratividade (a participação nos lucros e resultados) e os envolvimentos são elementos cada vez mais presentes.

Sobre diferenciações e complexificações existentes dentro dos processos de alienação e estranhamento presentes no capitalismo contemporâneo, um bom começo podem ser as indicações finas e inspiradas que encontramos na análise de Lukács para mergulhar mais profundamente no mundo do capital, bem como nos múltiplos, distintos e diferenciados sentidos do trabalho, tema que desenvolveremos no capítulo seguinte.

Capítulo 6

TRABALHO *UNO* OU *OMNI*:
a dialética entre o trabalho concreto e o abstrato

Nos últimos anos, ao mesmo tempo que perdeu relevância o debate em torno do *fim do trabalho*, obteve certo destaque um conjunto de formulações que *unilateralizam* o trabalho, associando-o diretamente ao capitalismo e ao trabalho *assalariado* e *abstrato*, de tal modo que qualquer esforço de emancipação humana e societal só poderia ser vivenciado a partir da *negação do trabalho*. A linhagem de autores é ampla, mas nosso diálogo crítico neste capítulo tem como interlocutor preferencial André Gorz[1] e sua formulação mais recente da *imaterialidade do trabalho* descompensando a lei do valor.

Atividade vital e mercadoria especial
É por demais conhecida a passagem decisiva de *O capital* em que Marx apresenta sua concepção de trabalho. Ao diferenciar o pior arquiteto da melhor abelha, ele afirma que

> No final do processo de trabalho, chega-se a um resultado que já estava presente na representação do trabalhador no início do processo, portanto, um resultado que já existia idealmente. Isso não significa que ele se limite a uma alteração da forma do elemento natural; ele realiza neste último, ao mesmo tempo, seu objetivo, que ele sabe que determina, como lei, o tipo e o modo de sua atividade e ao qual ele tem de subordinar sua vontade.[2]

---

[1] André Gorz, *O imaterial*, cit.
[2] Karl Marx, *O capital*, Livro I, cit., p. 255-6.

E acrescenta:

> Como criador de valores de uso, como trabalho útil, o trabalho é, assim, uma condição de existência do homem, independente de todas as formas sociais, eterna necessidade natural de mediação do metabolismo entre homem e natureza e, portanto, da vida humana.[3]

Por meio do trabalho ocorre uma dupla transformação, uma vez que o ser social que trabalha atua sobre a natureza; desenvolve as potências nela existentes, ao mesmo tempo que ele mesmo se autotransforma. É por meio dessa complexa processualidade que o trabalho humano-social se converte em elemento central do desenvolvimento da sociabilidade humana. Porém, quando se estuda o trabalho social e humano sob o comando do capital, Marx acrescenta que é imperioso compreendê-lo em sua dupla dimensão, dada pelo *trabalho concreto* e pelo *trabalho abstrato*. Em suas palavras:

> Todo trabalho é, por um lado, dispêndio de força humana de trabalho em sentido fisiológico, e graças a essa sua propriedade de trabalho humano igual ou abstrato ele gera o valor das mercadorias. Por outro lado, todo trabalho é dispêndio de força humana de trabalho numa forma específica, determinada à realização de um fim, e, nessa qualidade de trabalho concreto e útil, ele produz valores de uso.[4]

Mas, a partir da vigência do sistema de metabolismo social do capital, o caráter útil do trabalho e sua dimensão concreta se tornam subordinados a outra condição, a de ser *dispêndio de força humana produtiva, física ou intelectual*, socialmente determinada para gerar mais-valor. Aflora o *trabalho abstrato*, o qual faz desaparecer as diferentes formas de trabalho *concreto*, que, segundo Marx, se reduzem a uma única espécie de trabalho, o *trabalho humano abstrato*, dispêndio de energias físicas e intelectuais, necessárias para a produção de mercadorias e de valorização do capital.

Isso nos permite chegar a uma primeira conclusão: se podemos considerar o trabalho como um momento fundante da sociabilidade humana, como *ponto de partida de seu processo de humanização*, também é verdade que na sociedade capitalista o trabalho se torna assalariado, assumindo a forma de trabalho alienado, fetichizado e abstrato. Ou seja, na medida em que ele é imprescindível para criar riquezas para o capital, ele se transforma em objeto de sujeição, subordinação, estranhamento e reificação. O trabalho se converte em mero *meio de subsistência*, tornando-se uma *mercadoria especial*, a força de trabalho, cuja finalidade precípua é valorizar o capital.

---

[3] Ibidem, p. 120.
[4] Ibidem, p. 124.

Em vez do trabalho como *atividade vital*, tem-se uma forma de objetivação do trabalho em que as relações sociais estabelecidas entre os produtores assumem a forma de relação entre os produtos do trabalho, dando origem ao fenômeno social do fetichismo, que desenvolvemos no capítulo anterior, em que a dimensão *abstrata* do trabalho se torna prevalente em relação a sua dimensão *concreta*. Portanto, podemos dizer que se, por um lado, o trabalho é uma *atividade vital*, por outro, com o advento do capitalismo, deu-se uma mutação essencial que adulterou profundamente o trabalho humano[5]. A incompreensão e a desconsideração dessa *dupla e decisiva dimensão* presente no trabalho vêm fazendo com que muitos autores entendam erroneamente a crise da sociedade do *trabalho abstrato* como expressão da crise da sociedade do *trabalho concreto*. Desse modo, defendem equivocadamente o fim do trabalho. Contra qualquer reducionismo e unilateralização, Marx apreende a profunda processualidade dialética presente no trabalho.

Trabalho autônomo e novo modo de vida

Do que foi indicado acima, depreende-se que é não só possível mas absolutamente necessário conceber uma forma de sociabilidade que recuse o trabalho abstrato e assalariado, resgatando o sentido original do trabalho como atividade vital. Por isso, cremos que um desafio imperioso de nosso tempo é construir um novo sistema de metabolismo social, um novo *modo de produção e de reprodução da vida* fundado na *atividade livre, autônoma e autodeterminada*, baseada no *tempo disponível para produzir valores de uso socialmente necessários*, contra a produção *heterodeterminada* (baseada no tempo excedente para a produção exclusiva de valores de troca para o mercado e para a reprodução do capital).

O trabalho abstrato não nasceu com o trabalho em sua forma primeva, mas pela intercorrência e interposição da *segunda natureza*[6], que introduziu a mediação do dinheiro como capital em todas as atividades humanas e em particular no trabalho. Portanto, o primeiro desafio, em nosso entendimento, é conceber um novo *modo de vida* que possa eliminar o *trabalho abstrato*. Para isso, dois princípios vitais se impõem:

---

[5] Em *O capital*, Livro I, cit., p. 124, em nota de rodapé, Engels chamou a atenção para a vantagem dos dois termos distintos (em inglês) para melhor caracterizar essa dimensão ampla do trabalho: *work* e *labour*. O primeiro termo (*work*) é dotado de positividade e está mais próximo da dimensão *concreta* do trabalho, que cria valores socialmente úteis e necessários. O segundo (*labour*) expressa a dimensão cotidiana do trabalho sob a vigência do capital, mais próxima da dimensão *abstrata* do trabalho, do trabalho alienado e desprovido de sentido humano e social.

[6] Karl Marx, *Manuscritos econômico-filosóficos*, cit.

1) o sentido societal dominante será voltado para o atendimento das efetivas necessidades humanas e sociais vitais, sejam elas materiais, sejam imateriais, sem nenhuma intercorrência do sistema de metabolismo social do capital, que deve ser eliminado;
2) o exercício do trabalho, desprovido de suas formas distintas de assalariamento e alienação – em suma, de trabalho abstrato –, só poderá efetivar-se por meio da recuperação/recriação, em novos patamares, do trabalho enquanto sinônimo de autoatividade, isto é, atividade livre baseada no tempo disponível.

Sabemos que, com o domínio da lógica do capital e seu sistema de metabolismo societal, a produção de *valores de uso* socialmente necessários subordinou-se ao seu *valor de troca*. Para tanto, as funções produtivas e reprodutivas vitais, bem como o *controle* e o *comando* do seu processo, foram radicalmente separados entre aqueles que *produzem* e aqueles que *controlam*. Como disse Marx, o capital operou a separação entre trabalhadores e meio de produção, aprofundando a separação entre a produção voltada para o atendimento das necessidades humano-sociais e aquela voltada para as necessidades de autorreprodução do capital.

O segundo princípio societal vital, imprescindível para a instauração de outra forma de sociabilidade – o que Marx denominou "associação livre dos trabalhadores" ou "trabalhadores livremente associados" –, será dado pela conversão do trabalho em *atividade* exercida com base *no tempo disponível*. O que significa recusar a disjunção, interposta pelo capital, entre *tempo de trabalho necessário* para a *reprodução social* dos trabalhadores e *tempo de trabalho excedente* para a *reprodução do capital*. A instauração do princípio livre do *tempo disponível* em um universo societal que encontre vigência *sem os constrangimentos da propriedade privada* é o único antídoto real contra a vigência e a perpetuação do capital e de seu trabalho abstrato. Portanto, nossa luta central é e continuará sendo contra todos os constrangimentos presentes no sistema de metabolismo socioeconômico do capital, que deve ser radicalmente eliminado. A *abstração do trabalho* realizada pelo capitalismo deve ser demolida e superada pela concretude do trabalho dotado de sentido.

Desse modo, o exercício do trabalho autônomo, eliminado o dispêndio de tempo excedente para a produção de mercadorias, eliminado também o tempo de produção *destrutivo* e *supérfluo* (esferas essas controladas pelo capital), possibilitará o resgate verdadeiro do *sentido estruturante do trabalho vivo*. E uma nova forma de sociabilidade capaz de possibilitar o florescimento do *trabalho efetivamente humano e social, exercido por meio do atendimento das autênticas necessidades societais*, fornecendo um novo *sentido* tanto à vida *dentro* do trabalho quanto à vida *fora* dele, onde liberdade e necessidade se realizem mutuamente.

II

A DEVASTAÇÃO DO TRABALHO
CHEGA AO BRASIL
(PRECARIZAÇÃO, TERCEIRIZAÇÃO
E CRISE DO SINDICALISMO)

Capítulo 7

A NOVA MORFOLOGIA DA CLASSE TRABALHADORA NO BRASIL RECENTE:
operariado da indústria, do agronegócio e dos serviços

O capitalismo contemporâneo vem trazendo profundas alterações na composição da classe trabalhadora em escala global. Ao mesmo tempo que o proletariado industrial se reduz em várias partes do mundo, particularmente nos países de capitalismo avançado, em decorrência da nova divisão internacional do trabalho a partir da década de 1970, há uma significativa expansão de novos contingentes de trabalhadores e trabalhadoras nos setores de serviços, bem como na agroindústria e na indústria, especialmente em países no Sul do mundo: Índia, China (e vários outras nações asiáticas), Brasil, México, dentre tantos exemplos que poderiam ser mencionados.

Neste capítulo, vamos apresentar algumas características que particularizam a classe trabalhadora no Brasil, enfatizando certos elementos constitutivos centrais do que venho denominando a nova morfologia do trabalho.

A particularidade do capitalismo e a nova morfologia do trabalho no Brasil

As transformações ocorridas no capitalismo recente no Brasil, marcadamente na década de 1990, impulsionadas pela nova divisão internacional do trabalho, foram de grande intensidade sobretudo no mundo do trabalho. O Brasil se estruturava, então, com base em um desenho produtivo bifronte: de um lado, voltado para a produção de bens de consumo duráveis, como automóveis, eletrodomésticos etc., visando um mercado interno restrito e seletivo. De outro, dada sua condição de dependência em relação ao capitalismo avançado, desenvolvia a produção direcionada à exportação, tanto de produtos primários quanto de produtos industrializados.

Internamente, a dinâmica do padrão de acumulação capitalista se baseava na vigência de um processo de superexploração da força de trabalho, caracterizado por baixos salários, ritmos de produção intensificados, jornadas prolongadas, combinando uma extração tanto do mais-valor absoluto quanto do mais-valor relativo. Esse padrão gerou altas taxas de acumulação, entre as quais aquelas observadas na fase do "milagre econômico" (1968-1973) durante a ditadura civil-militar (1964-1985). O Brasil vivia, então, sob o binômio ditadura e acumulação, arrocho e expansão, tendo no tripé *setor produtivo estatal, capital nacional* e *capital internacional* os seus pilares básicos[1].

Mas foi a partir dos anos 1990, com a vitória do neoliberalismo no Brasil, que se intensificou o processo de reestruturação produtiva do capital, levando as empresas a adotar novos padrões organizacionais e tecnológicos, novas formas de organização social do trabalho, novos métodos denominados "participativos", cujas principais causas foram resultado: 1) das imposições das empresas transnacionais que levaram à adoção, por parte de suas subsidiárias no Brasil, de novos padrões produtivos, em maior ou menor medida inspirados no toyotismo e nas formas flexíveis de acumulação; 2) da necessidade de as empresas brasileiras se adequarem à nova fase marcada por forte "competitividade internacional"; 3) da reorganização efetivada pelas empresas brasileiras que tiveram de responder ao avanço das lutas sindicais e das formas de confronto realizadas pelo "novo sindicalismo", a partir das históricas greves da região industrial do ABC e da cidade de São Paulo, em 1978[2].

Como resultado dessas mutações, ocorreu uma simbiose entre elementos herdeiros do fordismo (que ainda encontram vigência em vários ramos e setores produtivos) e novos instrumentos próprios das formas de acumulação flexível (*lean production*). A combinação entre padrões produtivos tecnologicamente mais avançados, busca pela melhor qualificação da força de trabalho e prática da intensificação da exploração da força de trabalho se tornou característica do capitalismo no Brasil.

A implantação de programas de qualidade total, dos sistemas just-in-time e kanban, além da introdução de ganhos salariais vin-

---

[1] Ricardo Antunes, "As rebeliões de junho", em Plinio de Arruda Sampaio Jr. (org.), *Jornadas de junho: a revolta popular em debate* (São Paulo, Instituto Caio Prado/ICP, 2014).

[2] Giovanni Alves, *O novo (e precário) mundo do trabalho: reestruturação produtiva e crise do sindicalismo* (São Paulo, Boitempo, 2000).

culados à lucratividade e à produtividade (de que é exemplo o Programa de Participação nos Lucros e Resultados, PLR), sob uma pragmática que se adequava fortemente aos desígnios neoliberais, possibilitou a expansão intensificada da reestruturação produtiva no Brasil, tendo como consequências a flexibilização, a informalidade e a precarização da classe trabalhadora.

Se a informalidade (que ocorre quando o contrato empregatício não obedece à legislação social protetora do trabalho) não é sinônimo direto de precariedade, sua vigência expressa formas de trabalho desprovidas de direitos e, por isso, encontra clara similitude com a precarização. A flexibilização do trabalho no Brasil tem sido, como veremos ao longo deste e de outros capítulos, importante instrumento utilizado pelas empresas para burlar a legislação social do trabalho.

Se até a década de 1980 o traço distintivo da economia brasileira se encontrava na forte expansão industrial, nas últimas décadas o setor terciário vem registrando aumento na sua posição relativa em relação ao Produto Interno Bruto (PIB). Entre 1980 e 2008, o setor de serviços "cresceu o seu peso relativo em 30,6%, respondendo atualmente por dois terços de toda a produção nacional, enquanto os setores primário e secundário perderam 44,9% e 27,7%, respectivamente, de suas participações relativas no PIB"[3].

Essas transformações ocorridas no interior da dinâmica da acumulação capitalista acabaram por afetar a composição da força de trabalho. Se a agropecuária reduziu-se de forma drástica, ao mesmo tempo que entre 1950 e 1980 os setores agrícola e industrial aumentaram sua posição relativa na ocupação total, a partir de 1980 os serviços passaram a crescer sistematicamente. Enquanto na agropecuária a diminuição se manteve, reduzindo seu peso relativo em relação ao total de empregos (de 32,9%, em 1980, para 18,4%, em 2008), a indústria se manteve relativamente estável, ocupando quase um quarto do emprego[4]. Foi essa significativa ampliação dos serviços que reconfigurou a classe trabalhadora no Brasil.

A enorme expansão do trabalho em call-centers e telemarketing, das empresas de TIC, cada vez mais inseridas no processo de valorização do capital, gerou o nascimento de um novo proletariado de serviços, o infoproletariado ou o cibertariado[5].

Assim, em plena *era da informatização do trabalho* no mundo maquinal-digital, vem ocorrendo também um processo contraditório,

---

[3] Marcio Pochmann, *Nova classe média? O trabalho na base da pirâmide social brasileira* (São Paulo, Boitempo, 2012), p. 16-7.

[4] Ibidem, p. 17.

[5] Ricardo Antunes e Ruy Braga (orgs.), *Infoproletários*, cit.; Ursula Huws, *The Making of a Cybertariat*, cit.

marcado pela *informalização do trabalho* (trabalhadores sem direitos), presente na ampliação dos terceirizados/subcontratados, flexibilizados, trabalhadores em tempo parcial, teletrabalhadores, potencializando exponencialmente o universo do trabalho precarizado[6].

Desse modo, se o processo de reestruturação produtiva durante os anos 1980 foi limitado e localizado em alguns setores, ele se intensificou sobretudo a partir da década de 1990. A princípio com o governo de Collor de Mello e, na sequência, com o de Fernando Henrique Cardoso, quando o neoliberalismo se desenvolveu com rapidez. O parque produtivo brasileiro, sobretudo o industrial, foi alterado de modo significativo pela privatização do setor produtivo estatal, afetando diretamente a siderurgia, as telecomunicações, a energia elétrica, o setor bancário etc., áreas com forte presença estatal anterior e que passaram para o capital privado, tanto transnacional quanto nacional.

Esse processo desorganizou o tripé que sustentava a economia brasileira (*capitais nacional, estrangeiro* e *estatal*), reduzindo de forma expressiva o setor produtivo do Estado, alterando bastante a estrutura e a composição das classes dominantes, uma vez que, com uma maior internacionalização da economia, amplos setores da burguesia nacional e do setor produtivo estatal foram incorporados ou se associaram ao capital externo.

Mas a combinação entre neoliberalismo, financeirização da economia e reestruturação produtiva acarretou também profundas metamorfoses na classe trabalhadora e em sua morfologia. A flexibilização produtiva, as desregulamentações, as novas formas de gestão do capital, o aumento das terceirizações e da informalidade acabaram por desenhar uma nova fase do capitalismo no Brasil. A introdução das modalidades típicas da era da acumulação flexível[7], combinada com elementos do taylorismo e do fordismo ainda presentes em diversos ramos produtivos, indica que o fordismo brasileiro já se mesclava com novos processos produtivos, principalmente com aqueles oriundos da experiência toyotista ou do chamado modelo japonês[8]. A articulação resultante dessas mutações nos padrões produtivos e tecnológicos, incentivadas pela intensificação dos níveis de exploração da força de trabalho, constituiu-se no *leitmotiv* do capitalismo da era neoliberal no Brasil. As novas modalidades de exploração intensificada do trabalho, as distintas formas

---

[6] Ricardo Antunes, "A nova morfologia do trabalho e suas principais tendências: informalidade, infoproletariado, (i)materialidade e valor, em *Riqueza e miséria do trabalho no Brasil*, v. 2, cit.

[7] David Harvey, *A condição pós-moderna* (São Paulo, Loyola, 1992).

[8] Ricardo Antunes, *Os sentidos do trabalho*, cit.; Giovanni Alves, *O novo (e precário) mundo do trabalho*, cit.

de flexibilização e informalização da força de trabalho (contratos empregatícios que ficavam à margem da legislação social trabalhista), combinadas com um relativo avanço tecnológico, tornaram-se um traço distintivo do capitalismo brasileiro recente.

Quando o governo Lula (2003-2010) teve início, as suas primeiras ações indicaram uma continuidade em relação à política econômica de FHC, ainda que nuançada por uma variante social-liberal. Seu governo preservou os interesses do capital financeiro, com a manutenção do superávit primário (recursos orçamentários destinados ao pagamento dos juros da dívida pública). No que concerne à legislação trabalhista, inicialmente o governo Lula tomou medidas bastante impopulares, como a cobrança de impostos dos aposentados; ao final de seu primeiro mandato, tentou fazer uma reforma sindical e trabalhista que sofreu forte oposição, tanto de sindicatos e centrais sindicais patronais quanto daqueles vinculados aos trabalhadores[9]. O elemento mais negativo dessa reforma trabalhista é que ela permitia que o negociado pudesse prevalecer sobre o legislado, ou seja, um acordo entre sindicatos e empresas poderia se sobrepor à legislação trabalhista existente. Embora a estrutura agrária permanecesse altamente concentrada, houve um grande incentivo ao *agrobusiness* (com consequências importantes para a classe trabalhadora), além da liberação dos transgênicos na produção agrícola[10].

Ao mesmo tempo que criou inúmeras medidas que beneficiavam amplamente os capitais financeiro, industrial, do agronegócio e dos serviços, o governo Lula implementou uma política social assistencialista (Bolsa Família) e possibilitou uma relativa valorização do salário mínimo nacional, quando comparado ao governo FHC. Assim, tanto diminuiu os níveis de pauperismo social como fortaleceu os

---

[9] Ricardo Antunes, "Construção e desconstrução da legislação social no Brasil", em *Riqueza e miséria do trabalho no Brasil*, v. 1, cit.; Marcelo Mattos Badaró, *Trabalhadores e sindicatos no Brasil* (São Paulo, Expressão Popular, 2009); Andréia Galvão, *Neoliberalismo e reforma trabalhista no Brasil* (São Paulo, Revan/Fapesp, 2007).

[10] A principal política social do governo Lula – denominada *Bolsa Família* – é de caráter assistencialista, ainda que de grande amplitude, atingindo milhões de famílias pobres, com renda salarial baixa e que por isso recebem um complemento salarial. Esse programa, citado como exemplo pelo Banco Mundial, ampliou significativamente a base social de apoio que Lula havia perdido em seu primeiro mandato. Ele beneficia não a classe trabalhadora organizada, base de origem de Lula, mas principalmente os setores mais pauperizados da população brasileira, que vivem nas periferias mais distantes dos núcleos urbanos e que, em geral, dependem das políticas do Estado para sobreviver. Comparada ao governo de FHC, essa nova política social assistencialista se tornou, quantitativamente falando, muito mais abrangente. Voltaremos a tratar dessa questão em outros capítulos do livro.

grandes capitais, preservando desse modo uma desigualdade que está entre as mais altas do mundo. Conciliando interesses claramente opostos, o governo Lula não confrontou em nenhum aspecto essencial os pilares estruturantes da desigual sociedade brasileira: a riqueza continuou concentrada, os níveis mais agudos de miserabilidade foram apenas parcialmente minimizados.

Quando a crise mundial atingiu fortemente os países capitalistas centrais a partir de 2008, o governo Lula tomou medidas claras no sentido de incentivar, através do Estado, a retomada do crescimento econômico, com a redução de impostos em setores fundamentais da economia, como o automobilístico, o de eletrodomésticos e o da construção civil, todos eles expressivos incorporadores de força de trabalho. Assim, estimulou a expansão do mercado interno brasileiro, para compensar a retração do mercado externo, que reduziu a procura pelas *commodities* produzidas no Brasil. Combinando uma política de privatização baseada nas parcerias público-privadas (PPP), seu governo ainda incentivou bastante a transnacionalização da economia brasileira, quer pela abertura do mercado interno aos capitais internacionais, quer pelo impulso que deu para a internacionalização de vários setores da burguesia brasileira (de que foi exemplo o da construção civil), que passaram a investir em outras partes do mundo, sempre com o apoio decisivo dos governos do PT.

Dando continuidade ao governo Lula, Dilma Rousseff seguiu as mesmas diretrizes: 1) crescimento econômico baseado na expansão do mercado interno; 2) incentivo à produção de *commodities* para exportação, beneficiando o capital vinculado ao agronegócio; 3) política financeira que, em última instância, garante o apoio do sistema financeiro; 4) redução de tributos que beneficiam os capitais na indústria automobilística, na construção civil etc., visando diminuir os efeitos decorrentes da redução das exportações de *commodities*. Mas o cenário aberto, pela intensificação da crise internacional, para os países intermediários como o Brasil mudou muito a situação econômica, social e política. As rebeliões ocorridas a partir de junho de 2013 são exemplos enfáticos do enorme descontentamento social em relação ao governo Dilma, crise que se ampliou no rico período que vai da Copa das Confederações (em 2013) à Copa do Mundo (em junho de 2014).

Se os governos Lula e Dilma conseguiram aumentar o número de trabalhadores/as empregados/as e formalizados/as, e assim reduzir os índices de desemprego, não foram capazes, no entanto, de eliminar as condições de vulnerabilidade presentes nos níveis de informalidade, terceirização e precarização da força de trabalho no Brasil recente. A desregulamentação do trabalho, a ampliação da terceirização (subcontratação) e a vigência da informalidade se mantiveram, ainda que mais reduzidas em relação aos anos 1990, período que caracterizei como sendo o mais agudo da desertificação neoliberal social no Brasil.

Desse processo complexo e contraditório, com avanços e recuos, tivemos como resultado mais expressivo a expansão do novo proletariado de serviços que se desenvolveu em decorrência da significativa onda de privatizações das empresas estatais e dos serviços públicos. Se ao longo da década de 1980 era relativamente pequeno o número de terceirizados (subcontratados), nas décadas seguintes ele aumentou de forma significativa, ampliando o processo de precarização da força de trabalho no Brasil.

Podemos dizer que, se nos anos 1990 tivemos um período de forte redução nos empregos formalizados[11], na década seguinte foram criados 21 milhões de postos de trabalho, dos quais 94,8% recebiam uma baixa remuneração (1,5 salário mínimo por mês)[12]. As atividades nos serviços geraram 6,1 milhões de empregos; seguidas pelos trabalhadores do comércio, com 2,1 milhões; pelos da construção civil, com 2 milhões; pelos escriturários, com 1,6 milhões; pelos trabalhadores da indústria têxtil e de vestuário, com 1,3 milhão; e pelo setor público, também com 1,3 milhão. Como afirma Marcio Pochmann, essas áreas totalizaram 14,4 milhões de novos postos de trabalho, compreendendo 72,4% de todas as ocupações com remuneração de até 1,5 salário mínimo mensal. Vale acrescentar, ainda, que foi significativa a ampliação do trabalho feminino, chegando a quase 60% das ocupações, sendo que, no que diz respeito à faixa etária, a maior parte concentrou-se entre 25 e 34 anos[13].

Fenomenologia da superexploração do trabalho[14]

Vamos indicar, então, alguns traços constitutivos da fenomenologia da superexploração do trabalho no Brasil. O objetivo principal é apresentar exemplos emblemáticos da nova morfologia do trabalho no país, a partir de três setores distintos: a indústria metalúrgica,

---

[11] Segundo Pochmann, "foram criados 11 milhões de empregos, dos quais 53,6% do total eram sem remuneração. Na faixa de renda de até 1,5 salário mínimo, houve a redução líquida de quase 300 mil postos de trabalho"; *Nova classe média?*, cit., p. 27.

[12] Em junho de 2014, esse valor era de aproximadamente 750 dólares.

[13] Marcio Pochmann, *Nova classe média?*, cit., p. 32.

[14] Todas as informações de pesquisa que constam neste subcapítulo são resultado do projeto coletivo de pesquisa – publicado em *Riqueza e miséria do trabalho no Brasil*, 3 v., cit., por mim organizados – em que foram investigados os mais distintos ramos e setores da economia.

a agroindústria e o setor de serviços de telemarketing e call-center. Assim, começaremos com a indústria, na qual encontramos o proletariado industrial herdeiro, em maior ou menor medida, da fase de vigência do taylorismo-fordismo no Brasil. Em seguida apresentaremos as dimensões da exploração do trabalho no agronegócio e, por fim, as do proletariado de serviços (call-center) que se expandiu exponencialmente na era da financeirização e da privatização neoliberal.

O setor metalúrgico[15]

A pesquisa junto à indústria automotiva foi realizada por Luci Praun, com trabalhadores da General Motors (GM) do Brasil, na unidade produtiva instalada no município de São José dos Campos-SP[16]. Os principais resultados indicaram a clara articulação entre as diferentes formas de exploração do trabalho, causadas pela aceleração intensa dos ritmos e pela intensificação da atividade laborativa, acarretando alta incidência de acidentes e de adoecimentos do trabalho, especialmente a partir de 2008, quando a GM, em decorrência da profunda crise em que se encontrava, desencadeou uma nova fase de implantação do denominado sistema global de manufatura. No contexto de crise, a empresa aumentou a integração dos processos produtivos de suas diversas unidades, em escala global. Os resultados mais imediatos desse processo de "racionalização" foram: fechamento de unidades produtivas e demissão de trabalhadores, além de realocação e transferência de atividades entre as diversas unidades produtivas da GM.

Esse processo se concretizou mediante: 1) demissões diretas ou por meio de planos de demissão voluntária (PDV); 2) novos pisos salariais reduzidos; 3) maior ritmo e intensidade do trabalho, com a introdução de novos mecanismos de medição e padronização de atividades, a fim de reduzir o tempo das operações; 4) maior robotização

---

[15] Todas as informações que constam neste item – "O setor metalúrgico" –, referentes à General Motors (GM), foram levantadas e redigidas por Luci Praun, integrante do grupo de pesquisa "As metamorfoses do mundo do trabalho" (Unicamp/CNPq), e constam em *Não sois máquina! Reestruturação produtiva e adoecimento na General Motors do Brasil* (tese de doutorado em Sociologia, Campinas, Instituto de Filosofia e Ciências Humanas, Unicamp, 2014), sob orientação do professor Ricardo Antunes. Os principais resultados serão publicados em Ricardo Antunes (org.), *Riqueza e miséria do trabalho no Brasil*, v. 4 (São Paulo, Boitempo, no prelo). A elaboração final do resumo neste item, a partir do texto original da pesquisadora, foi feita por Ricardo Antunes.

[16] A GM possui no Brasil três complexos industriais voltados à produção de automóveis: o de São Caetano do Sul-SP, em operação desde 1930, o de São José dos Campos-SP, inaugurado em 1959, e o de Gravataí-RS, organizado desde o início de suas atividades, em 2000, sob o modelo de consórcio modular.

do processo produtivo; e) intensificação de sistemas de metas e resultados, com destaque para a PLR, e maior controle nos sistemas de avaliação, individual ou da equipe de trabalho etc.

A diferenciação salarial e de condições de trabalho também tem sido, como destaca Luci Praun, uma importante característica do setor metalúrgico, diferenciação esta não só entre os países que compõem a cadeia produtiva global da GM mas também dentro do próprio país, por meio de particularidades regionais, maior ou menor organização e resistência sindical etc. O quadro I, abaixo, apresenta as expressivas diferenças salariais existentes nas três unidades produtivas da GM no Brasil.

QUADRO I Renda média dos trabalhadores da General Motors (em R$)

	São Caetano do Sul	São José dos Campos	Gravataí
2012	5.996,19	4.813,21	2.505,43
2011	6.223,66	4.928,22	2.549,64
2010	6.883,78	4.851,84	2.643,27
2009	6.725,46	4.751,31	2.569,74
2008	5.906,93	4.628,50	2.666,82
2007	6.434,58	4.767,54	2.592,50

Fonte das informações: Dieese, 2012, citado em Luci Praun, *Não sois máquina!*, cit., p. 13.

Assim como as diferenciações salariais, há por parte da GM uma prática intensificada de redução do "tempo morto" de trabalho, mediante a reorganização dos ciclos de operações. Um exemplo pode ser encontrado no ciclo de operações de fixação dos freios ABS em picapes S10, executado em 175 segundos (*actual takt time*), que, depois da reorganização, trouxe uma redução de quase 30% no tempo de execução. Do mesmo modo, uma mudança nos sistemas computadorizados de projeção e execução do processo produtivo foi realizada pela GM, acarretando maior intensificação do trabalho. Segundo disse o então vice-presidente de manufatura da GM América do Sul, José Eugênio Pinheiro, em 2013, o impacto desses procedimentos na execução de novos projetos da corporação pode ser claramente mensurado:

> Graças à tecnologia e ao processo de melhorias contínuas, podemos ganhar um segundo a mais, dois segundos a mais no ciclo de cada veículo. Para se ter uma ideia da importância disso, em Gravataí, que tem capacidade para 360 mil unidades por ano, ganhar um segundo, só nas operações de gargalo da produção, significa 7 mil carros a mais por ano.[17]

---

[17] Citado em Luci Praun, *Não sois máquina!*, cit., p. 113.

As consequências dessa intensificação para os trabalhadores podem ser constatadas no depoimento do operário Alex Gomes, representante da comissão interna de prevenção de acidentes (Cipa), na fábrica da GM de São José dos Campos:

> Esse aumento dessa pressão interna na fábrica, o trabalhador com medo de ser mandado embora, ele trabalha o tempo todo com esse pavor na cabeça, que é um clima de terror. A gente vive um clima constante de terror. Depois de 2011 só se agravou. O cara entra todo dia na fábrica achando que vai ser demitido. Isso tira a atenção dele na hora de fazer o trabalho, aumenta a incidência, isso gera um risco maior de acidente.[18]

Em relação às avaliações de desempenho, o depoimento acrescenta ainda que:

> Todo ano, na semana do aniversário do trabalhador, ele é chamado pela supervisão para fazer o PAD, que é o plano de análise de desempenho. Ali tem uma série de avaliações, de assiduidade, de resposta à qualidade. Se o cara em um ano tem uma questão de produzir menos, produzindo defeito, isso tudo entra na avaliação. E aí é feita uma conversa do supervisor com o CT [coordenador de time] da pessoa. Ele é chamado na mesa. O supervisor passa tudo aquilo para ele: "Você está ruim nisso aqui, está ruim naquilo ali" e dá para o trabalhador assinar.[19]

A GM também realiza avaliações das equipes de trabalho, cujos resultados são apresentados por meio de bolas coloridas afixadas em quadros próximos de cada equipe: *bola verde* significa que a produção está normal; *bola amarela* indica que é preciso melhorar; e *bola vermelha* quer dizer que a produção está abaixo do esperado. Essa forma de avaliação do desempenho, além de levar ao aumento da intensidade e do ritmo de produção, provoca uma divisão ainda maior entre os trabalhadores (mais e menos produtivos), além de práticas de assédio moral, conforme o depoimento abaixo:

> Era um setor dentro da fundição [...]. Lá tinha um supervisor. Nesse setor, devido ao ritmo acelerado de trabalho e o tipo de trabalho, gerou uma série de lesionados. Com o fim da produção, o pessoal foi sendo transferido e esse grupo com cinco pessoas passou a ser maior que o [grupo] de não lesionados. Tinha três ou quatro que não eram lesionados e o restante era lesionado. Um dia [o supervisor] pegou esses cinco trabalhadores e trancou eles numa sala, um escritório, apagou a luz, foi lá e desligou a chave geral e trancou a porta por fora para que esses lesio-

---

[18] Citado em ibidem, p. 72.
[19] Citado em ibidem, p. 59.

nados não saíssem, como se fosse um castigo. Deixou eles lá por três ou quatro horas trancados na sala.[20]

Além da destruição do corpo produtivo dos trabalhadores em sua fisicidade, há também manifestações importantes de sofrimento e adoecimento psíquico decorrentes do trabalho, que são tratadas com o uso de antidepressivos. O sentimento de descartabilidade e de inutilidade como resultado de adoecimentos também é recorrente, conforme o depoimento a seguir: "O trabalho é importante. O trabalho é tudo. Me sinto um lixo. A empresa me usou 25 anos e depois jogou fora um bagaço. Sempre fui um bom trabalhador"[21].

As inúmeras Lesões por Esforços Repetitivos (LERs)[22] que afetam o corpo produtivo dos trabalhadores e das trabalhadoras acabam por incapacitá-los para o trabalho, sendo que, na indústria automobilística, essas lesões se localizam principalmente nos membros superiores, em especial nos ombros e na região das colunas lombar e cervical.

A intensificação e a racionalização acabam por se converter em engrenagens do aumento da exploração do trabalho, que se apropria do valor criado pelo trabalhador e o descarta quando sua produtividade já não acompanha o ritmo da produção.

A agroindústria

Outro setor emblemático para a compreensão da nova morfologia do trabalho no Brasil é o da agroindústria. Vamos apresentar, então, alguns resultados da pesquisa realizada por Juliana Guanais junto à agroindústria canavieira, na Usina Açucareira Ester S.A., localizada em Cosmópolis, interior de São Paulo, na região de Campinas[23].

---

[20] Eduardo Oliveira Silva Carneiro, dirigente sindical da GM de São José dos Campos, 24 jul. 2013, citado em Luci Praun, *Não sois máquina!*, cit., p. 144-5.

[21] Operário 1, GM de São José dos Campos, citado em Luci Praun, *Não sois máquina!*, cit., p. 123.

[22] Sabemos que o que se denomina LER é o conjunto de lesões causadas por esforço repetitivo. As LERs compreendem a tenossinovite, a tendinite, a bursite e outras doenças. Embora conhecidas havia mais de cem anos, as LERs se tornaram, a partir da década de 1990, muito frequentes em decorrência do advento da informática e dos computadores. Já o Dort, que significa distúrbio osteomuscular relacionado ao trabalho, é exatamente igual às LERs, porém identifica a origem do problema: o trabalho. As LERs e o Dort podem ser causados por esforço repetitivo, em decorrência de má postura, estresse ou trabalho excessivo, como no caso das teleoperadoras; disponível em: <http://www.aergonomiaquefunciona.com.br/>; acesso em: 13 jul. 2005.

[23] As informações referentes à agroindústria canavieira foram levantadas por Juliana Guanais, integrante do grupo de pesquisa "As metamorfoses do mundo do trabalho" (Unicamp/CNPq), e estão publicadas em "Quanto mais se corta, mais se ganha", em Ricardo Antunes (org.), *Riqueza e miséria do trabalho no Brasil*,

Em 2010, a usina possuía aproximadamente mil assalariados rurais que se dedicavam ao corte de cana. Vale destacar que a produção da cana-de-açúcar se tornou central para a fabricação do etanol, combustível utilizado em larga escala no Brasil como substituto da gasolina, extraída do petróleo.

O salário dos trabalhadores e das trabalhadoras está muitas vezes atrelado à quantidade de cana colhida diariamente, variando a remuneração em decorrência da maior ou da menor produção realizada, o que acarreta uma expressiva intensificação do trabalho. Os empresários se beneficiam sobremaneira desse sistema de remuneração, uma vez que o aumento da produção também interessa aos trabalhadores, que querem receber mais e produzem em ritmo intenso, diferentemente do sistema de trabalho pago por jornada, em que o pagamento não tem relação direta com o que foi produzido. Com o desenvolvimento do processo de reestruturação produtiva do setor sucroalcooleiro, as usinas buscam tornar os trabalhadores, além de mais produtivos, também mais controlados e disciplinados em suas atividades. Foi desse modo que tal forma de pagamento – o salário por produção –, que já era utilizado por várias usinas antes da década de 1970, tornou-se predominante no setor sucroalcooleiro. Mas há ainda outro elemento que configura a superexploração do trabalho na agroindústria: o cálculo do que foi produzido. Como não são os trabalhadores que contabilizam a produção, e sim funcionários das usinas, esse cálculo tem sido um instrumento frequente de burla e redução do total produzido.

Os adoecimentos, as mutilações e o envelhecimento precoce passam a fazer parte do cotidiano do trabalho na agroindústria. Os depoimentos abaixo ilustram essa realidade:

> Eu mesma entrei nessa cobrança deles e já no primeiro mês de trabalho tive que pegar atestado porque machuquei o pulso. [...] Eu mesma estourei o pulso [...], fui tentar acompanhar os outros e estourei o pulso. (Maria, trabalhadora rural)

> Hoje você trabalha de empreita[24] e tem regra, você tem hora de almoço e de descanso, mas ninguém tira hora de almoço [...], se você tirar você não ganha dinheiro [...]. O cara acaba de comer e já vai trabalhar [...], uns já comem de manhã cedo e ficam o dia inteiro sem comer, toma só um cafezinho. (Osvaldo, trabalhador rural)

---

v. 2, cit. A elaboração final do resumo, a partir do texto original da pesquisadora, foi feita por Ricardo Antunes.

[24] "Trabalhar de empreita" é sinônimo de trabalhar por produção.

Como cada trabalhador recebe pela quantidade do que produz diariamente, os gestores também têm o controle dos que produzem mais e dos que são considerados improdutivos, preservando os primeiros e demitindo os últimos. A conclusão apresentada por Juliana Guanais[25] é clara: uma vez que os salários estão vinculados à produção, os trabalhadores rurais acabam exaurindo suas energias físicas, visando produzir cada vez mais. Isso acarreta o prolongamento de sua longa jornada, reforçando a superexploração do trabalho, além de intensificar a concorrência entre os trabalhadores. A burla e a superexploração se tornam o cotidiano dos canaviais da agroindústria do etanol. A consequência acaba sendo devastadora para os trabalhadores vinculados ao corte da cana, pois eles se tornam corresponsáveis pelo volume da produção, respondem pela intensidade que vão imprimir na sua atividade, por quantas pausas querem fazer, por quanto vão receber de salário, até quando seu corpo produtivo puder suportar. Além de aumentarem significativamente o lucro e o mais-valor, constatam o aumento das doenças decorrentes do excesso de trabalho, das inúmeras mutilações em seu corpo produtivo, dos acidentes e das mortes no trabalho, o que certa vez denominei, de forma provocativa, *karoshi tropical*.

Esse quadro permite que a *produção diária média* exigida pelas empresas no corte da cana seja a fotografia mais dura da superexploração do trabalho na agroindústria. Segundo a excelente pesquisadora Maria Aparecida de Moraes Silva[26], o significativo aumento da produtividade pode ser visualizado nas seguintes cifras: em 1980, a média exigida no corte da cana estava entre seis e oito toneladas diárias; na década de 1990, aumentou para dez; e, a partir de 2000, atingiu de doze a quinze toneladas, sendo que o preço de uma tonelada de cana era pouco mais de três reais em 2010. Em acordo feito com o setor da agroindústria do etanol no estado de São Paulo, a partir de 2017 o trabalho manual foi eliminado no corte da cana e substituído pelas colhedeiras.

Na agroindústria, outra atividade de destaque é a produção avícola[27]. A pesquisa foi realizada em uma das maiores empresas

---

[25] "Quanto mais se corta, mais se ganha", cit.

[26] Maria Aparecida de Moraes Silva, "Trabalhadores rurais: a negação dos direitos", *Revista Raízes*, Campina Grande, v. 27, n. 1, 2008; disponível em: <http://revistas.ufcg.edu.br/raizes/artigos/Artigo_200.pdf>; acesso em: 11 abr. 2018.

[27] As informações referentes à produção agrícola foram levantadas por Vera Navarro e Marcos Neli, vinculados ao grupo de pesquisa "As metamorfoses do mundo do trabalho" (Unicamp/CNPq), e estão publicadas em "Reestruturação produtiva e saúde do trabalhador na agroindústria avícola do Brasil", em Ricardo Antunes (org.), *Riqueza e miséria do trabalho no Brasil*, v. 2, cit. A elaboração final do resumo, a partir do texto original, foi feita por Ricardo Antunes.

produtoras mundiais de carne de frango e derivados, em sua unidade em Toledo, estado do Paraná, onde empregava aproximadamente 6.500 pessoas e funcionava em sistema de turnos de trabalho de forma ininterrupta, 24 horas por dia, durante 7 dias na semana. O turno de trabalho é de 8 horas e 48 minutos, com 1 hora de almoço. A organização do trabalho no setor é predominantemente taylorista e fordista, com uma esteira que conduz o produto a ser desossado. O ritmo do trabalho é variável, mas a média de movimentos realizados para se desossar uma perna de frango (coxa mais sobrecoxa) é de 18 movimentos em 15 segundos.

A temperatura ambiente é controlada entre 10 e 12 graus; a umidade e o barulho são intensos, assim como o cheiro forte peculiar nesse tipo de atividade. O resultado mais frequente é o desgaste físico e emocional dos trabalhadores e das trabalhadoras, sendo comuns os adoecimentos e os acidentes, conforme se constata do depoimento a seguir, que discorre sobre o tempo e a intensidade da produção:

> No começo eram 25 segundos [o tempo exigido], agora são 20 segundos [...]. A [velocidade da] esteira aumentou, o mínimo é 19 segundos, mas a gente ainda não consegue [...]. (M. S., 27 anos, há 9 meses na empresa)

O adoecimento corpóreo também aflora na fala operária:

> A cada 20 minutos um fica sentado, mas a maioria do tempo é em pé [...], cansa ficar sentado em cima daquelas cadeiras [...], daí começa a doer as costas [...], então o máximo que eu consegui ficar naquelas cadeiras foi uma hora [...], daí começa a dor nas costas, dor no ombro. (M. S., 27 anos, há 9 meses na empresa)

Além do ritmo intenso e das condições adversas de temperatura, os operários se referem ao sistema de metas que torna ainda mais extenuante o trabalho:

> Tem uma meta pra ser atingida, então a nossa é no máximo seis erros que pode ter uma mesa de produção [...], a mesa inteira tem que atingir essa meta, se passar de seis erros a meta é estourada e o supervisor responde pelas anomalias. (L. D., 20 anos, há 8 meses na empresa)

Combinando elementos da organização taylorista/fordista do trabalho com um plano de metas e de envolvimento inspirado nos círculos de controle de qualidade típicos do toyotismo, a agroindústria na avicultura tem conseguido potencializar a exploração da força de trabalho, convivendo com o risco cotidiano de adoecimentos físicos e mentais, ajudando a configurar a nova morfologia do trabalho pautada pela precarização e pela superexploração.

Os serviços de telemarketing e call-center[28]

Outro segmento que tem sido responsável pela significativa expansão da classe trabalhadora no Brasil é o dos serviços, que vem se tornando emblemático para a compreensão da nova morfologia do trabalho no país. A pesquisa de Claudia Mazzei Nogueira foi realizada junto à Atento, em Campinas, empresa de prestação de serviços de atendimento através de *contact centers*.

A Atento iniciou suas operações em abril de 1999, na cidade de São Paulo, com pouco mais de 1.000 funcionários. Em 2003, a empresa contava com uma equipe de 29.434 profissionais, dos quais 28.960 realizavam funções diretamente relacionadas às operações. Consta ainda que o avanço desse segmento foi intenso, sendo que em 2013 a empresa atingiu a marca de 84.131 trabalhadores/as. Esses números, conforme indica o site, tornaram a Atento uma das maiores empresas privadas de telemarketing e call-center. Para desenvolver o seu trabalho, a operadora de telemarketing (mais de 70% desse conjunto é feminino) fica de 85% a 90% de sua carga horária diária sentada e com atenção total no monitor do microcomputador, no teclado e no fone de ouvido. Conforme o depoimento da ex--teleoperadora Ignez:

> Eu trabalhava das duas às oito da noite, eu ficava seis horas sentada, só tinha quinze minutos pra tomar café e ir ao banheiro. [...] Eram seis horas sentada recebendo ligação direto... Eu não quero ficar sentada num lugar seis horas por dia sem você poder se movimentar.

Para controlar o trabalho, há a presença constante da supervisora exigindo um aumento de produtividade por meio do controle do tempo médio operacional (TMO) ou tempo médio de atendimento (TMA) das teleoperadoras, controle que pode levar a trabalhadora a contrair mais rapidamente algumas doenças profissionais. Em relação a essa questão, a teleoperadora Luiza conta:

> Você tem uma meta, quando você vai passar uma informação, você fica atenta ao seu TMO, tempo médio para passar as informações, por exemplo, eles pedem 29 segundos e tem pessoas que não querem só aquela informação, elas querem falar mais alguma coisa, então nisso você acaba atendendo mal aquela pessoa. Por exemplo, você não vai dar atenção a ela porque você sabe que o seu TMO está subindo, então, é isso que

---

[28] As informações que constam neste item foram levantadas por Claudia Mazzei Nogueira, vinculada ao grupo de pesquisa "As metamorfoses do mundo do trabalho" (Unicamp/CNPq), e estão publicadas em "A feminização do trabalho no mundo do telemarketing", em Ricardo Antunes (org.), *Riqueza e miséria do trabalho no Brasil*, v. 1, cit. A pesquisa foi publicada integralmente em Claudia Mazzei Nogueira, *O trabalho duplicado* (São Paulo, Expressão Popular, 2011). A elaboração final do resumo, a partir do texto original, foi feita por Ricardo Antunes.

deixa a gente tensa no serviço. E mais, eles também ficam falando que a produtividade caiu e por isso nem a parada particular[29] nós podemos fazer. Porque eles falam: "Gente, vamos abaixar o TMO". Vou abaixar o TMO como? As pessoas querem as informações, as pessoas não querem um robô...

O controle do trabalho é intenso e, em grande medida, facilitado pela avançada tecnologia presente nesse segmento. A máquina, por sua vez, torna-se tão absorvente que a possibilidade da existência de relações interpessoais é quase nula. Fernanda relata:

> É engraçado quando as pessoas chegam, uma olha pra cara da outra e tchau! Não dá tempo pra gente conversar. Você tem que conversar antes de entrar, porque depois que você entra não se consegue mais conversar. E, quando acaba a nossa jornada, a gente está tão exausta que você entra no elevador e fala: "Mais um dia"; e o outro só consegue responder: "Mais um dia".

O controle do tempo é extremamente rígido, e a intensificação da jornada de trabalho cerceia e reduz a liberdade das operadoras de telemarketing, a quem os *scripts* e os fluxogramas de atendimento são predeterminados. Muitas empresas de telemarketing padronizaram os diálogos, objetivando facilitar o trabalho das teleoperadoras, por meio da prescrição de uma norma de comportamento que as orienta, inclusive, quanto à entonação da voz, já que a resposta dada ao cliente é muitas vezes aceita ou não dependendo da sua tonalidade. O controle da teleoperadora pela empresa é outro fator importante, uma vez que mostra com clareza como esse espaço de trabalho afeta profundamente os aspectos emocionais. Isso implica a necessidade de autocontrole da trabalhadora, uma vez que é preciso que se revertam situações de agressividade e mesmo de assédio a que são submetidas com frequência. Assim, independentemente da postura dos clientes, ela deverá manter o mesmo padrão de atendimento no que se refere tanto ao tom da fala como ao *script* predeterminado.

Todo esse controle passa por uma hierarquia, que pode ser representada da seguinte forma: a direção cobra dos gestores (coordenadoras), que pressionam as supervisoras, que por sua vez controlam as teleoperadoras. É de se imaginar que os sofrimentos, os constrangimentos e mesmo os adoecimentos psicológicos nesse espaço de trabalho sejam grandes.

Outra situação que indica que o trabalho no segmento de telemarketing é extremamente exigente e precarizado é a do controle

---

[29] A "parada particular" é um intervalo de cinco minutos que a teleoperadora tem para ir ao banheiro, ao longo de uma jornada de trabalho de seis horas.

existente nos intervalos de descanso. As operadoras que trabalham seis horas diárias têm quinze minutos de pausa para o lanche, que são compensados no final da jornada, além de cinco minutos de pausa particular, que é o tempo permitido para utilizar o banheiro. Conforme o depoimento da teleoperadora Luiza:

> Os intervalos são pouquíssimos. São cinco minutos, assim, para ir ao banheiro, que eles chamam de pausa particular, e o almoço seria o intervalo de uns quinze minutos, quer dizer que quem traz comida ou coisa assim não mastiga, engole. Porque não dá. Muitas vezes eu não consigo fazer a pausa particular, eu tento conter, mas tem pessoas que não conseguem, porque têm esse negócio de retenção urinária ou que toma remédio. Então é difícil [...], eles lá não têm respeito, tem pessoas que precisam ir ao banheiro e não podem [...].

Assim, o monitoramento da duração dos atendimentos feito pelas supervisoras em tempo real visa manter o padrão das chamadas, sendo por isso um mecanismo de controle e de redução de custos, já que com esses procedimentos evita-se a contratação de um número maior de trabalhadoras.

O depoimento da teleoperadora Maria sobre essa vigilância efetiva é revelador:

> Depois que contrataram algumas empresas para estar monitorando a gente, todo dia estão monitorando, tem outros supervisores de outros sites supervisionando também, fora ainda [o controle de] qualidade telefônica, que também fica monitorando a gente, então eu acho que piorou o ambiente de trabalho. É muita cobrança, é muita coisa, eles exigem muito da gente, a gente se sacrifica bastante pela empresa e a empresa não reconhece, não dá incentivo, lá é assim.

Além desse controle, há também ações contra os atrasos e o absenteísmo no trabalho, por meio de campanhas desenvolvidas pela empresa para incentivar a disciplina das teleoperadoras. A funcionária Havana relata o seguinte:

> Este mês mesmo a gente está tendo a "jornada" [...], eu nem lembro qual é o título mesmo, mas é assim, se você não falta, se você não chega atrasada, você concorre no final do mês a bicicleta, a um DVD, televisão, celular. Então isso é um incentivo para não estar faltando [...].

Outro elemento importante para o trabalho de telemarketing, na visão patronal, são as campanhas que estimulam a produtividade, geralmente promovidas pelo setor de qualidade. Essas campanhas, conhecidas como um "incentivo motivacional", pretendem estimular a competitividade entre as funcionárias, tendo como objetivo aumentar a produtividade com a intensificação do ritmo de trabalho, utilizando mecanismos para dificultar que as trabalhadoras tenham consciência desse objetivo.

Os adoecimentos se tornam, então, rotineiros no telemarketing, causados pelos ruídos, pelo mobiliário, pelo espaço físico etc. O depoimento abaixo confirma esse problema:

> O problema que eu tenho é do braço. Ele dói muito, principalmente quando o tempo muda, mas isso aconteceu de tanto eu fazer esforço repetitivo. Eu já fui no médico, ele ainda não disse que é LER/Dort, essas coisas, ele falou para fazer a fisioterapia, mas eu não consigo marcar a fisioterapia porque não tem vaga, aí tem que ficar na fila e só tem em dois hospitais da cidade. E aí eu continuo fazendo o meu trabalho e vai piorando cada vez mais. Ele [o médico] nem pediu uma licença médica para mim, o que ele passou foi só injeção e pronto. Eu já até tomei as cinco injeções e aliviou a dor. Só que volta tudo de novo.

Embora a pesquisa apresente inúmeros outros resultados nos quais não nos aprofundaremos aqui, é possível constatar a intensidade da precarização do trabalho das teleoperadoras, em suas múltiplas dimensões. Na unidade da Atento, onde a pesquisa foi realizada, de um contingente de 1.863 trabalhadoras/es, dos quais 1.467 são mulheres e 396 são homens, encontram-se afastados do serviço por doença ou acidente de trabalho cerca de 136 funcionários, ou seja, aproximadamente 7,5% do total de trabalhadores, sendo ainda que desses 136 somente 6 (1,5%) são do sexo masculino. Evidencia-se que essa realidade afetou sobretudo o trabalho feminino.

Podemos afirmar, então, que o trabalho de telemarketing e call-center é pautado pela exploração intensificada, visando atingir as metas de produtividade, dentro dos tempos e padrões impostos pela empresa. Para além de seus objetivos aparentes, quais sejam, "garantir a qualidade dos atendimentos" e a "satisfação do cliente", as operadoras de telemarketing vivem um significativo processo de exploração da força de trabalho, visível quando se investigam suas condições de saúde, tempo, "qualidade", "motivação", alienação, heteronomia do processo de trabalho, dentre tantos elementos que os depoimentos acima nos indicaram.

A Associação Brasileira de Telesserviços (ABT), entidade que representa as principais companhias de call-center, estima que, em 2012, mais de 1,4 milhão de trabalhadores encontravam-se empregados no setor, conforme indica Ruy Braga[30]. Desse contingente, grande parcela era de jovens e de mulheres, sendo que as empresas

---

[30] Ruy Braga, "A formação do precariado pós-fordista no Brasil", em Ricardo Antunes (org.), *Riqueza e miséria do trabalho no Brasil*, v. 3, cit.

Contax e Atento se tornaram as maiores do setor no Brasil. Vale acrescentar que 96% das centrais de teleatividades brasileiras foram criadas após 1990, em especial depois da privatização do sistema Telebrás, em 1998. Como se trata de uma modalidade de emprego com baixa qualificação da força de trabalho e pouca experiência de atuação dos sindicatos, ainda segundo Braga, os salários brasileiros no setor estão entre os menores do mundo, superando apenas os dos trabalhadores indianos[31].

A exigência de metas, a rotinização do trabalho, o despotismo dos coordenadores e supervisores, os baixos salários, os adoecimentos e padecimentos decorrentes das condições de trabalho são traços constitutivos desse novo proletariado de serviços que está em expansão no Brasil e em várias partes do mundo. Constitui, portanto, uma nova parcela que amplia e diversifica a nova morfologia do trabalho no Brasil e em várias partes do mundo.

Contrariamente às teses que advogam a perda de relevância do trabalho no mundo contemporâneo, somos desafiados a compreender sua nova morfologia, cujo elemento mais visível é o desenho multifacetado, resultado das fortes mutações que afetaram o capitalismo nas últimas décadas. Nova morfologia que, no Brasil, compreende desde o operariado industrial e rural clássicos até os assalariados de serviços, os novos contingentes de homens e mulheres terceirizados, subcontratados, temporários. Nova morfologia que presencia a ampliação do número de proletários do mundo industrial, de serviços e do agronegócio, de que são exemplos também as trabalhadoras de telemarketing e call-center, além dos digitalizadores que laboram (e se lesionam) nos bancos e que se desenvolveram na era digital, da informática e da telemática, dos assalariados do fast-food, dos trabalhadores jovens dos hipermercados, dos motoboys que morrem nas ruas e avenidas, usando suas motocicletas para transportar mercadorias etc.

Eles são parte das forças sociais do trabalho que participam, direta ou indiretamente, da geração de mais-valor e da valorização do capital. São trabalhadores e trabalhadoras que oscilam entre a grande heterogeneidade em sua forma de ser (gênero, etnia, geração, espaço, qualificação, nacionalidade etc.) e a impulsão tendencial para uma forte homogeneização que resulta da condição precarizada presente em distintas modalidades de trabalho que se ampliam em escala global. Essas distintas modalidades de trabalho vêm desempenhando um papel de destaque não só na criação de novas formas geradoras de mais-valor, mas também no desencadeamento de novas

---

[31] Conforme a pesquisa de Ruy Braga, "A formação do precariado pós-fordista no Brasil", cit. Ver também Ricardo Antunes e Ruy Braga (orgs.), *Infoproletários*, cit.

lutas sociais, das quais os assalariados da indústria, da agroindústria e de serviços têm tido papel de relevo.

Com uma população economicamente ativa que ultrapassou a casa dos 100 milhões de trabalhadores, o Brasil é uma boa fotografia dessa nova realidade. E, junto com ela, vieram novos vilipêndios e enormes padecimentos, como veremos a seguir.

Capítulo 8

A SOCIEDADE DOS ADOECIMENTOS NO TRABALHO[1]

As transformações ocorridas no capitalismo a partir das últimas três décadas do século XX impactaram profundamente o mundo do trabalho. Após o longo período de crescimento da economia capitalista, iniciado no pós-guerra, os anos 1970 seriam marcados pela estagnação e pela crise do padrão de acumulação taylorista e fordista, que encontrava suas determinações mais profundas na própria estrutura do sistema do capital[2].

Em resposta aos obstáculos impostos ao processo de acumulação, nos anos 1980, um conjunto de medidas, articuladoras de velhas e novas formas de exploração do trabalho, passou a redesenhar a *divisão internacional do trabalho*, alterando também de forma significativa a composição da classe trabalhadora em escala global. Movendo-se com facilidade pelo globo, fortemente enraizado no capital financeiro, um número cada vez mais reduzido de corporações transnacionais passou a impor à classe-que-vive-do-trabalho, nos diferentes países do mundo, patamares salariais e condições de existência cada vez mais rebaixados[3].

Com o deslocamento de parcela considerável da atividade produtiva para áreas localizadas na periferia do sistema, reduziu-se o proletariado industrial, particularmente nos países de capitalismo

---

[1] Escrito em coautoria com Luci Praun.
[2] István Mészáros, *Para além do capital*, cit.; Ricardo Antunes, *Os sentidos do trabalho*, cit.
[3] Ricardo Antunes, *Os sentidos do trabalho*, cit.; *Adeus ao trabalho?*, cit.

avançado. Como parte do mesmo processo, em vários países no Sul do mundo, expandiu-se significativamente o contingente de trabalhadores e trabalhadoras abrigados sobretudo nos setores de serviços, na agroindústria e também na indústria. Em essência, a resposta do capital à sua crise baseou-se, potencializada pela internacionalização da economia, em uma forma particular de articulação de estratégias de extração de mais-valor absoluto e relativo. Essas medidas seriam acentuadas a partir de 2008, em meio às novas manifestações da crise estrutural do sistema.

No Brasil, em particular na década de 1990, as transformações geradas pela nova *divisão internacional do trabalho* foram de grande intensidade, já que partiram de uma dinâmica interna, característica dos países de industrialização dependente, fundada na superexploração da força de trabalho. A imposição de baixos salários, associada a ritmos de produção intensificados e jornadas de trabalho prolongadas, foi ainda acentuada pela desorganização do movimento operário e sindical, imposta pela vigência, entre 1964 e 1985, da ditadura civil-militar[4].

Portanto, esse é o contexto no qual, com a vitória do neoliberalismo no Brasil nos anos 1990, se desenvolve o processo de reestruturação produtiva. Um processo desencadeado em meio a condições de exploração particulares e articuladoras de elementos herdeiros do fordismo (ainda vigentes em vários ramos e setores produtivos) com os novos mecanismos, próprios das formas de acumulação flexível[5].

A implantação de programas de qualidade total, dos sistemas just-in-time e kanban, além da introdução de ganhos salariais vinculados à lucratividade e à produtividade (de que é exemplo o programa de PLR), sob uma pragmática que se adequava fortemente aos desígnios neoliberais, possibilitou a expansão intensificada da reestruturação produtiva, tendo como consequências a flexibilização, a informalidade e a profunda precarização das condições de trabalho e vida da classe trabalhadora brasileira.

Parte dos efeitos desse processo se materializa, conforme indicam diferentes pesquisas, na relação direta entre trabalho terceirizado e alta incidência de acidentes de trabalho, inclusive aqueles que resultam no óbito do trabalhador. Outra manifestação, bastante significativa, diz respeito aos adoecimentos com nexo laboral, sobretudo aqueles relacionados a lesões osteomusculares e transtornos mentais.

As mudanças em curso nas últimas décadas vêm produzindo indicadores de acidentes e doenças profissionais cada vez mais altos,

---

[4] Ricardo Antunes, *Os sentidos do trabalho*, cit.

[5] David Harvey, *A condição pós-moderna*, cit.

mesmo que, por conveniência política e econômica, impere a não notificação, que se expressa de forma ainda mais aguda no caso das doenças profissionais. Este capítulo tem por objetivo apresentar elementos que possam contribuir com a compreensão desse fenômeno.

Trabalho e adoecimento no contexto da acumulação flexível

Os acidentes de trabalho[6] e as manifestações de adoecimento com nexo laboral[7] não são fenômenos novos, mas processos tão antigos quanto a submissão do trabalho às diferentes formas de exploração. Sob o capitalismo, Engels descrevia em 1845, no livro *A situação da classe trabalhadora na Inglaterra*, baseado na observação direta e em outros estudos sobre as condições de trabalho no século XIX, como as condições de vida e trabalho do operariado de algumas cidades industriais inglesas se encontravam na raiz de um conjunto de enfermidades que, não raramente, levavam à morte desses trabalhadores.

Ao longo do século XX, com a produção em massa, a ampliação do controle e a intensificação do trabalho, proporcionadas pela expansão do taylorismo-fordismo, novas formas de acidentes e adoecimentos com nexo laboral passaram a fazer parte do cotidiano do trabalho[8].

---

[6] Utilizaremos a expressão *acidentes de trabalho* em referência aos *acidentes típicos*, que são aqueles que ocorrem durante a jornada de trabalho, fatais ou não, geralmente causadores de lesões, ferimentos, fraturas e mutilações no corpo, entre outros impactos físicos.

[7] A referência ao adoecimento ou à enfermidade com nexo laboral será realizada considerando processos que resultem da exposição do trabalhador a condições de trabalho nocivas à sua saúde e que gerem como desdobramento o adoecimento físico e/ou mental.

[8] No ABC Paulista, espaço de concentração da indústria automobilística instalada no Brasil durante os anos 1950, as manifestações de adoecimento originadas pelo trabalho são sintetizadas por uma reportagem publicada pelo jornal *O Estado de S. Paulo*, em 29 de janeiro de 1979. Nela, evidenciam-se as condições particulares assumidas pelo trabalho no capitalismo periférico e sob o regime militar: "Se legalmente, para efeitos de aposentadoria, a velhice chega após os sessenta anos, no ABC, especialmente entre os operários do setor metalúrgico, a chamada terceira idade é antecipada: dos 840 sócios da Associação dos Aposentados Metalúrgicos de São Bernardo do Campo e Diadema, 530 interromperam suas atividades profissionais antes dos cinquenta anos, por invalidez. Os 310 restantes se aposentaram por tempo de serviço. 'Neurose, pressão alta acompanhada de derrame cerebral e moléstias da coluna vertebral são as doenças profissionais responsáveis pela maior parte das aposentadorias por invalidez.' O presidente do Sindicato dos Metalúrgicos de São Caetano do Sul, João Lins Pereira, exemplifica com o caso de um operário que, depois de várias tentativas, conseguiu sua aposentadoria por neurose pelo serviço. 'Adoecia ao se aproximar dos portões da fábrica. Consultou especialistas, fez tratamentos para os nervos, sem resultados. Afinal, foi descoberta a causa: trabalhou mais de cinco anos na empresa, sem folga e sem férias, fazendo de duas a quatro horas extras por dia'".

O que mudou, então? Por um lado, ao cotidiano do mundo do trabalho incorporaram-se novas enfermidades, típicas das recentes formas de organização do trabalho e da produção. Por outro, fruto da *nova divisão internacional do trabalho*, disseminaram-se práticas que articulam os pressupostos da *liofilização organizacional*[9], da empresa enxuta (*lean production*), a condições de baixa (ou nenhuma) proteção do trabalho.

A nova divisão internacional do trabalho estabeleceu, concomitantemente, um novo mapa de acidentes e doenças profissionais. Essas alterações acabam sendo mais perceptíveis no interior de corporações de grande porte, nas quais a gestão dos processos de trabalho é potencializada pela presença de robôs e sistemas informacionais e comunicacionais sofisticados. Mas vale acrescentar que essas condições acabam por repercutir de diferentes maneiras ao longo da cadeia produtiva.

Dessa forma, por um lado, os trabalhadores pertencentes ao núcleo que atua com maquinário mais avançado, dotado de maior tecnologia, encontram-se cada vez mais expostos à flexibilização e à intensificação do ritmo de suas atividades, expressas não só pela cadência imposta pela robotização do processo produtivo, mas, sobretudo, pela instituição de práticas pautadas por multifuncionalidade, polivalência, times de trabalho interdependentes, além da submissão a uma série de mecanismos de gestão pautados na pressão psicológica voltada ao aumento da produtividade. Por outro, uma parcela da classe trabalhadora, numericamente superior, passa a experienciar, cada vez mais, diferentes modalidades de vínculos e condições de trabalho em ambientes que articulam menor desenvolvimento tecnológico a jornadas mais extensas, maior insegurança e vulnerabilidade.

Essa divisão, muitas vezes perceptível nas condições da cadeia produtiva em cada país, é projetada em escala global, desenhando um mapa dos acidentes e doenças oriundos da atividade laborativa, cujos tipo e grau de incidência evidenciam, de uma perspectiva ampla, parte das diferenças entre o centro e a periferia do sistema. Quanto mais frágil a legislação protetora do trabalho e a organização sindical na localidade, maior o grau de precarização das condições de trabalho, independentemente da "modernização" das linhas de produção ou dos ambientes de trabalho como um todo[10].

Trata-se, nesse sentido, de um redesenho do mapa mundial dos acidentes e doenças profissionais e do trabalho cuja base de reconfiguração se assenta em uma *nova morfologia do trabalho* expressa

---

[9] Ricardo Antunes, *Os sentidos do trabalho*, cit.
[10] Luci Praun, *Não sois máquina!*, cit.

por clivagens e transversalidades entre trabalhadores estáveis e precários, homens e mulheres, jovens e idosos, brancos, negros e índios, qualificados e desqualificados, empregados e desempregados, nativos e imigrantes, entre tantos outros exemplos[11].

Uma reconfiguração do trabalho que articula a ampliação de grandes contingentes que se precarizam ou perdem o emprego e vivenciam novos modos de extração de sobretrabalho e do mais-valor com aqueles setores que atuam inseridos em ambientes que fazem uso das chamadas TICs, dos trabalhadores e trabalhadoras de call-centers, telemarketings, supermercados, empresas de fast-food etc., o que denominamos novo proletariado de serviços, que ganha papel de destaque nas lutas sociais e do trabalho no mundo contemporâneo[12].

A flexibilização como base do adoecimento

A flexibilidade ou flexibilização constitui hoje uma espécie de síntese ordenadora dos múltiplos fatores que fundamentam as alterações na sociabilidade do capitalismo contemporâneo. Do ponto de vista de seu impacto nas relações de trabalho, a flexibilização se expressa na diminuição drástica das fronteiras entre atividade laboral e espaço da vida privada, no desmonte da legislação trabalhista, nas diferentes formas de contratação da força de trabalho e em sua expressão negada, o desemprego estrutural.

Pode ser percebida ainda no dia a dia da atividade laboral, diante da forte sensação de que o tempo foi comprimido, e também na clara densificação da jornada de trabalho, na qual todos se desdobram para executar sozinhos o que antes era feito por dois ou mais trabalhadores. Além disso, é visível nos bancos de dias e de horas que ajustam a jornada às demandas flexíveis do mercado, assim como na instituição de uma parcela variável do salário subordinada ao cumprimento de metas de produção e "qualidade"[13].

Essas diversificadas formas de manifestação da flexibilidade no cotidiano do trabalho, além de resultarem pura e simplesmente de adaptações organizacionais potencializadas por inovações tecnológicas, constituem um traço essencial da atual fase de desenvolvimento do capitalismo. O fenômeno da flexibilidade é parte da essência da onda de mundialização da economia desencadeada pela crise dos anos 1970, da qual a esfera financeira, tal como destacou Chesnais[14], constitui elemento essencial.

---

[11] Ricardo Antunes, *Os sentidos do trabalho*, cit.

[12] Idem.

[13] Luci Praun, *Não sois máquina!*, cit.

[14] François Chesnais (coord.), *A mundialização financeira: gênese, custos e riscos* (São Paulo, Xamã, 1998).

Visto dessa perspectiva, o impacto da flexibilização no mundo do trabalho assume nova dimensão, uma vez que não se trata de característica contingencial, mas intrínseca às engrenagens da acumulação de capital. É nesse contexto que "o predomínio da financeirização sob o capitalismo mundial tende a incrementar a velocidade, a intensidade e a amplitude do ser-precisamente-assim do capital, propiciando um salto qualitativo em seu potencial ofensivo sobre o trabalho assalariado"[15].

A flexibilização e sua expressão multifacetada no mundo do trabalho sintetizam o que parte dos autores da sociologia tem definido, desde os anos 1980, como *precarização do trabalho*. Compreendida como processo contraditório, a precarização tanto desperta resistências por parte dos trabalhadores quanto, tendencialmente, se apresenta como processo contínuo cujos mecanismos de imposição se entrelaçam com as necessidades permanentes de valorização de capital e autorreprodução do sistema. Nesse sentido, a precarização é, por um lado, um fenômeno intrínseco à sociabilidade construída sob o signo do capital; por outro, uma forma particular assumida pelo processo de exploração do trabalho sob o capitalismo em sua etapa de crise estrutural, podendo, portanto, ser mais ou menos intensa, uma vez que não é uma forma estática. Nas épocas de crise – ainda mais quando esta tem um claro acento estrutural –, o que se assiste é a sua intensificação, que vimos denominando a persistente tendência à *precarização estrutural do trabalho em escala global*, da qual o trabalho imigrante é sua expressão mais brutal e visível.

Não existem, nesse sentido, limites para a precarização, apenas formas diferenciadas de sua manifestação. Formas capazes de articular em uma única cadeia produtiva desde o trabalho terceirizado, quarteirizado, muitas vezes realizado na casa dos próprios trabalhadores, até aquele intensificado ao limite, desenvolvido nos ambientes "modernos" e "limpos" das corporações mundiais. Por isso que, sob a atual fase do capitalismo, o domínio do trabalho é, mais do que nunca, domínio do tempo de trabalho[16].

A pressão pela capacidade imediata de resposta dos trabalhadores às demandas do mercado, cujas atividades passaram a ser ainda mais controladas e calculadas em frações de segundos, assim como a obsessão dos gestores do capital por eliminar completamente os tempos mortos dos processos de trabalho, tem convertido, paulatinamente, o ambiente de trabalho em espaço de adoecimento.

---

[15] Giovanni Alves, *O novo (e precário) mundo do trabalho*, cit., p. 26.

[16] Ricardo Antunes, *Os sentidos do trabalho*, cit.; *Adeus ao trabalho?*, cit.; István Mészáros, *O desafio e o fardo do tempo histórico: o socialismo do século XXI* (São Paulo, Boitempo, 2007).

Esse contexto foi considerado por Leny Sato, que identificou, entre os fatores que contribuem para a maior incidência do processo de adoecimento, a progressiva diminuição ou ausência do mínimo de controle dos trabalhadores sobre o processo de trabalho. Para a autora, essa ausência se constitui em risco real para o desenvolvimento de diferentes formas de adoecimento que se desdobram em "problemas osteoarticulares, distúrbios gastrintestinais, alterações cardiovasculares, distúrbios de saúde mental e acidentes de trabalho"[17].

Laços solidários rompidos: individualização e solidão no local de trabalho

A origem desses processos de adoecimento tem também como pano de fundo, entre outros, o crescente processo de individualização do trabalho e a ruptura do tecido de solidariedade antes presente entre os trabalhadores[18]. É essa quebra dos laços de solidariedade e, por conseguinte, da capacidade do acionamento das *estratégias coletivas de defesa* entre os trabalhadores que se encontra na base do aumento dos processos de adoecimento psíquico e de sua expressão mais contundente, o suicídio no local de trabalho[19].

A presença dos laços de solidariedade, hoje rompidos, estaria na raiz da baixa incidência de suicídios nos locais de trabalho no período que antecede os anos 1980, pontuam Dejours e Bègue[20]. Naquele período, a capacidade gestada na coletividade de converter situações de sofrimento em um jogo de chacotas e escárnio acabava por criar condições capazes de mascarar situações desfavoráveis e tecer entre os integrantes do grupo pactos de apoio subjetivo mútuo. Em situações mais extremadas, quando o trabalhador não conseguia dissimular seu sofrimento, os próprios laços de solidariedade constituídos acabavam, não raras vezes, sendo acionados de forma a

---

[17] Leny Sato, "Saúde e controle no trabalho: feições de um antigo problema", em Maria da Graça Jacques e Wanderley Codo (orgs.), *Saúde mental e trabalho: leituras* (Petrópolis, Vozes, 2003), p. 41.

[18] Ver, entre outros, os estudos desenvolvidos por Danièle Linhart, *A desmedida do capital*, cit.; Christophe Dejours, "A avaliação do trabalho submetida à prova do real", em Laerte Idal Sznelwar e Fausto Leopoldo Mascia (orgs.), *Cadernos TTO* (São Paulo, Blucher, 2008); Christophe Dejours e Florence Bègue, *Suicídio e trabalho: o que fazer?* (Brasília, Paralelo 15, 2010); Vincent de Gaulejac, *Gestão como doença social: ideologia, poder gerencialista e fragmentação social* (Aparecida, Ideias e Letras, 2007); Edith Seligmann-Silva, "Psicopatologia no trabalho: aspectos contemporâneos", *Anais do Congresso Internacional sobre Saúde Mental no Trabalho*, Goiânia, CIR, 2007, e *Trabalho e desgaste mental: o direito de ser dono de si mesmo* (São Paulo, Cortez, 2011).

[19] Christophe Dejours e Florence Bègue, *Suicídio e trabalho*, cit.

[20] Idem.

protegê-lo ou confortá-lo. O desmonte dessas condições tem contribuído, conforme os autores, para o aumento da incidência de suicídios nos locais de trabalho. São o resultado extremado de um processo de sofrimento psíquico, mas já destituído de apoio e solidariedade dos demais.

Para os autores citados, que pesquisaram a incidência desses episódios na França durante os anos 2000, um suicídio, como toda conduta humana, é uma mensagem endereçada à comunidade da qual seu sujeito faz ou fazia parte. Trata-se, conforme os autores, de uma "mensagem brutal", que versa sobre a solidão que emerge das novas formas de organização e gestão do trabalho.

> Que um suicídio possa ocorrer no local de trabalho indica que todas essas condutas de ajuda mútua e solidariedade – que não eram nem mais nem menos que uma simples prevenção das descompensações, assumidas pelo coletivo de trabalho – foram banidas dos costumes e da rotina da vida de trabalho. Em seu lugar instalou-se a nova fórmula do cada um por si, e a solidão de todos tornou-se regra. Agora, um colega afoga-se e não se lhe estende mais a mão. Em outros termos, um único suicídio no local de trabalho – ou manifestamente em relação ao trabalho – revela a desestruturação profunda da ajuda mútua e da solidariedade.[21]

O suicídio é a expressão radicalizada da deterioração das condições de trabalho sob a vigência da gestão flexível. Ele e todo o sofrimento que o cerca encontram espaço para se desenvolver na medida em que a classe trabalhadora se vê diante de uma organização do trabalho voltada para o controle acentuado de sua atividade, sob condições em que as margens para a autonomia e o improviso, mesmo que já bastante limitadas na fase anterior do capitalismo, tenham sido gradativamente eliminadas. Uma organização do trabalho que oscila o tempo todo entre o discurso de valorização e o controle físico e mental extremados[22].

Esses ambientes, marcados pela lógica da gestão flexível, tendem a fragilizar "o conjunto de instâncias e forças" outrora existentes, "que presidem à mobilização dos indivíduos na defesa de sua saúde física e mental – defesa que se dá em um mundo compartilhado", já distante do vivenciado em dias atuais[23].

Convém destacar que parte dessas instâncias que favoreciam a existência desse sentimento de coletividade, de pertencimento,

---

[21] Ibidem, p. 21.

[22] Luci Praun, *Não sois máquina!*, cit.

[23] Philippe Davezies, citado em Edith Seligmann-Silva, *Trabalho e desgaste mental*, cit., p. 467.

manifestava-se na capacidade de mobilização coletiva e na presença de entidades sindicais politicamente fortalecidas, o que sem dúvida também contribuía para o amparo ao sofrimento dos trabalhadores dentro e fora do local de trabalho. A ofensiva do capital sobre o trabalho, ao submetê-lo à sua lógica destrutiva, promovendo a individualização e o isolamento, é, nesse sentido, uma ação que busca desmontar de forma cotidiana sua manifestação de classe historicamente antagônica aos interesses da ordem capitalista.

A gestão por metas

Entre os diferentes mecanismos que buscam o envolvimento e o engajamento dos trabalhadores nos objetivos das corporações, assumem destaque na transição da década de 1980 para a seguinte aqueles organizados a partir de sistemas de metas.

A gestão por metas começou a ser disseminada nos ambientes de trabalho como desdobramento das primeiras medidas de reestruturação produtiva, implantadas a partir dos anos 1980. Esse modelo de gestão coincidiu com o fortalecimento de uma lógica de racionalização da economia global, com repercussão no mundo do trabalho, fundada na crescente mensuração de resultados. Sua mola propulsora tem como base duas características marcantes do período aberto pela crise dos anos 1970: a crescente financeirização das grandes corporações, como parte de um processo mais amplo de mundialização financeira, e a necessidade intrínseca de aceleração, fruto da intensificação da concorrência intercapitalista e da pressão crescente dos investidores, dos ciclos de renovação e do aumento dos indicadores de produtividade.

A obtenção desses indicadores, segundo Dejours e Bègue[24], entrelaça-se ao princípio toyotista de *melhorias contínuas* e ao seu almejado desdobramento, a *qualidade total*, largamente adotados pelas corporações mundiais. Encontra-se ainda em perfeita sintonia com o fenômeno que Linhart[25] denominou *individualização* do trabalho. Se por um lado o princípio da qualidade total, quando subtraído do discurso ideológico que o sustenta, caminha essencialmente na direção da eliminação dos poros da jornada e do trabalho vivo do processo produtivo, a crescente individualização do trabalho funcionaria, de acordo com a autora, como uma espécie de arremate das alterações vivenciadas dentro e fora dos locais de trabalho. A individualização, desse modo,

---

[24] Christophe Dejours e Florence Bègue, *Suicídio e trabalho*, cit.

[25] Danièle Linhart, "O indivíduo no centro da modernização das empresas: um reconhecimento esperado, mas perigoso", *Trabalho & Educação*, Belo Horizonte, n. 7, jul.-dez. 2000, e *A desmedida do capital*, cit.

evoca um novo período, que se abre em uma fantástica ambivalência em que, com os terríveis desafios impostos pela concorrência, o cliente sairia triunfante, mas o assalariado também, pois a empresa, para satisfazer esse cliente nas melhores condições, é forçada à excelência, imperativo que repercute em todos os níveis da hierarquia. O que implicaria uma nova organização do trabalho, oferecendo as condições para cada qual desenvolver suas competências a serviço da variedade, da qualidade e da rapidez.[26]

Impregnadas da lógica concorrencial típica do padrão flexível de acumulação e de sua expressão político-ideológica neoliberal, as relações sociais como um todo e sua expressão nos locais de trabalho se materializam cada vez mais em um projeto que se apresenta de forma paradoxal. Um projeto que transita entre as incertezas do mercado e a necessidade do engajamento como saída para se manter empregado; entre o reconhecimento de uma realidade aparentemente exterior ao indivíduo, perpassada pelas mais diversas formas de precarização do trabalho, e o discurso de valorização de suas potencialidades cotidianamente propagado no ambiente de trabalho.

É nesse marco que se inserem as estratégias corporativas de gestão por metas: a participação nos lucros e resultados (PLR) ou, simplesmente, participação nos resultados (PR). Essas estratégias, além de seu efeito prático de flexibilização salarial, funcionam como uma espécie de compensação (ou recompensa) pelo esforço e engajamento de cada trabalhador ou trabalhadora no alcance das metas estipuladas pela corporação.

A referência à participação nos lucros e/ou nos resultados obtidos pela corporação se constitui, nesse contexto, em clara alusão a uma suposta repartição dos ganhos de produtividade alcançados. Sua adoção, no entanto, sintetiza pelo menos três estratégias de controle que podem ser largamente observadas, conforme sistematiza Sato[27], nos ambientes de trabalho dos anos 1990 em diante: o direcionamento da tarefa a ser executada pelo trabalhador ou trabalhadora, a avaliação do seu desempenho e a premiação por disciplinamento.

É importante destacar que as metas da PLR/PR são estabelecidas a cada ano, o que equivale a dizer que a vida do local de trabalho se organiza, na maior parte dos meses, em torno do seu cumprimento. A PLR/PR é, nesse sentido, um mecanismo a mais para alavancar o ritmo de produção, o disciplinamento do trabalho, bem como o ambiente difuso de vigilância entre os trabalhadores. Essa disciplina e essa vigilância muitas vezes prescindem da presença direta do chefe.

---

[26] Ibidem, p. 227.
[27] Leny Sato, "Saúde e controle no trabalho", cit.

Dessa forma, o gerenciamento por metas opera em diferentes sentidos: a) no desenvolvimento de mais um mecanismo disciplinador do trabalho, como na instituição de uma espécie de engajamento "voluntário" dos trabalhadores e trabalhadoras visando o aumento da produtividade; b) no incentivo ao controle de faltas exercido, não raro, entre os próprios membros dos times de produção/equipes de trabalho; c) na diminuição do tempo de repouso; d) na promoção da competição entre os trabalhadores e suas equipes, visando o recebimento dos valores estipulados nos acordos firmados para essa finalidade; e) no aprofundamento das experiências de acordos coletivos firmados por empresas[28].

No Brasil, os acordos que articulam remuneração flexível e metas ganham relevância na segunda metade dos anos 1990, logo após a regulamentação, em 1994[29], do sistema de PLR. Instituídos, conforme consta no primeiro artigo da Lei n. 10.101/00, "como instrumento[s] de integração entre capital e trabalho e como incentivo à produtividade", os acordos coletivos que estabelecem a PLR ou PR articulam uma série de precondições, expressas em metas, que determinam os indicadores a serem atingidos para que o trabalhador receba a remuneração acordada.

Enquanto instrumentos privilegiados da gestão por metas, esses acordos envolvem com frequência o alcance de pelo menos quatro indicadores[30] – produção, assiduidade/absenteísmo, parâmetros de qualidade, redução de custos –, que pretendem impulsionar um desempenho pautado pela ampliação da produtividade e da competitividade da empresa no mercado.

---

[28] Luci Praun, *Não sois máquina!*, cit.

[29] A PLR é instituída pela Medida Provisória n. 794, de 1994. Seis anos depois, o sistema passa a ser regulamentado pela Lei n. 10.101, de 19 dez. 2000.

[30] Um estudo realizado pelo Dieese, "Participação dos trabalhadores nos lucros e resultados das empresas – 2005", *Estudos e Pesquisas*, ano 3, n. 22, 2006, a partir de 123 acordos de PLR firmados em 2005, mais de dez anos depois da medida provisória sobre o tema, indicou que o setor industrial (73%), particularmente a categoria metalúrgica (36,6%), ainda concentrava a maioria desses acordos. O mesmo estudo aponta que 78% dos acordos então analisados continham cláusulas que vinculavam o recebimento do valor acordado ao cumprimento de metas relacionadas à produtividade e à competitividade da empresa no mercado. Essas metas muitas vezes se expressaram por meio de indicadores sobre assiduidade/absenteísmo (42,3%), volume de produção (17,1%), lucro (36,6%), redução de despesas (21,1%), redução de refugos (12,2%), produtividade (8,9%) e, inclusive, contraditoriamente, conforme veremos mais adiante, redução de acidentes (23,6%). Outro indicador que também aparece na pesquisa realizada pelo Dieese como constante nos acordos, presente em 35,8% dos documentos analisados, é o de conformidade, que, ao ligar-se à qualidade do resultado do trabalho, pode também ser inserido no contexto geral dos indicadores de produtividade.

Vale lembrar que a instituição do sistema de PLR coincidiu, no Brasil, com a medida de desindexação salarial imposta pelo Governo Federal como parte do Plano Real. Ocorreu concomitante ao fim do ciclo dos acordos das câmaras setoriais, que deram impulso ao processo de reestruturação produtiva. Passou a vigorar também em meio à fase denominada por Alves[31] expansão do "toyotismo sistêmico". Não por acaso, o polo disseminador dos acordos de PLR foi o da indústria automobilística instalada na região do ABC Paulista, laboratório de um conjunto de medidas de flexibilização do trabalho e da produção.

Sobre esses acordos, é curioso perceber que, apesar de firmados no contexto de uma prática de negociação que institui as chamadas contrapartidas, os que tratam especificamente de PLR ou PR passam longe delas. Se nos acordos por fábrica as empresas passaram a impor a ideia da contrapartida como forma de barganhar a retirada de direitos anteriormente adquiridos "em troca" de novos investimentos na planta produtiva, no caso daqueles de remuneração flexível a perspectiva se coloca ainda mais favorável à empresa. O cumprimento das metas estabelecidas, que implicam o aumento da intensidade do trabalho e da produtividade, não vem acompanhado de nenhum compromisso, por parte das corporações, para a melhora das condições de trabalho, como limitação da jornada, ritmo de produção ou outros instrumentos que preservem a saúde do trabalhador.

Os estudos de Pina e Stotz[32], sobre os acordos firmados pelo Sindicato dos Metalúrgicos do ABC com as montadoras da região entre 2001 e 2008, apontam que alguns casos, como o dos acordos firmados no período com a Ford, são considerados indicadores relativos à segurança do trabalho. Contudo, a presença desse indicador, expresso por meio da apuração de um índice de comportamento seguro, não deixa dúvida sobre a concepção de segurança em questão. Os problemas de segurança na fábrica, longe de estarem relacionados às condições gerais e específicas de desenvolvimento do trabalho, estariam vinculados à postura do trabalhador, individualizada, diante do processo produtivo. Nesse contexto, caso ocorra um acidente, este será considerado fruto de um comportamento inseguro.

O assédio como estratégia de gestão

Espaços de trabalho propulsores de altos índices de desempenho e produtividade, estruturados com base em exigências que cada vez mais

---

[31] Giovanni Alves, *O novo (e precário) mundo do trabalho*, cit.

[32] José Augusto Pina e Eduardo Navarro Stotz, "Participação nos lucros ou resultados e banco de horas: intensidade do trabalho e desgaste operário", *Revista Brasileira de Saúde Ocupacional*, São Paulo, v. 36, n. 123, 2011.

extrapolam as capacidades física e mental humanas, não conseguem se manter senão por meio de diferentes e sofisticados mecanismos de controle e coerção. O assédio moral é parte dessa engrenagem.

Práticas associadas ao assédio moral são, como sabido, anteriores aos processos de reorganização do trabalho e da produção vivenciados desde as últimas décadas do século XX. Apesar disso, é no contexto da acumulação flexível que elas assumem novo significado e se disseminam com vigor pelo mundo do trabalho.

"Todos estão expostos", assinala Barreto[33]. Apesar de na maioria das vezes ser direcionado a um trabalhador específico, o assédio repercute sobre o coletivo. Em se tratando de uma ferramenta de gestão, sua prática, apesar de personificada na figura de um chefe, supervisor ou outro agente cuja relação de poder possa desencadeá-la, encontra-se em consonância com o conjunto de diretrizes que ordenam o trabalho coletivo na empresa[34].

As práticas dessa natureza são ferramentas de gestão voltadas para garantir, por meio da pressão institucionalizada, tanto o aumento constante da produtividade como o isolamento e a exclusão daqueles que se constituem como "barreiras" para sua plena realização.

Terceirização: porta aberta para os acidentes e mortes no trabalho

Nas últimas décadas, a terceirização vem se convertendo em instrumento central das estratégias de gestão corporativa. A importância desse mecanismo de contratação se deve, entre outros aspectos, ao fato de que, ao dissimular as relações sociais estabelecidas entre capital e trabalho, convertendo-as em relações interempresas, viabiliza maior flexibilidade das relações de trabalho, impondo aos trabalhadores contratos por tempo determinado, de acordo com o ritmo produtivo das empresas contratantes, auxiliando também, de forma importante, na desestruturação da classe trabalhadora[35].

---

[33] Margarida Barreto, "Assédio moral: trabalho, doenças e morte", *Anais do Seminário Compreendendo o Assédio Moral no Ambiente de Trabalho*, São Paulo, Fundacentro, 2013, p. 18.

[34] Margarida Barreto, "Assédio moral", cit.; Margarida Barreto e Roberto Heloani, "Assédio laboral e as questões contemporâneas à saúde do trabalhador", em Edvânia Ângela de Souza Lourenço e Vera Lúcia Navarro (orgs.), *O avesso do trabalho III: saúde do trabalhador e questões contemporâneas* (São Paulo, Outras Expressões, 2013); Vincent de Gaulejac, *Gestão como doença social*, cit.

[35] Ricardo Antunes e Graça Druck, "A epidemia da terceirização", em Ricardo Antunes (org.), *Riqueza e miséria do trabalho no Brasil*, v. 3, cit.; Paula Marcelino, *Trabalhadores terceirizados e luta sindical* (Curitiba, Appris, 2013); Graça Druck, "Trabalho, precarização e resistências", cit.

Essa tendência contaminou indelevelmente a indústria, os serviços, a agricultura, o funcionalismo, generalizando-se não só para as atividades-meio mas também para as atividades-fim, conforme veremos nos próximos capítulos. As diferenças se acentuam nos níveis salariais, nas jornadas mais prolongadas, na intensidade do trabalho[36], na maior rotatividade (*turn over*), nas condições de insegurança e insalubridade, nos adoecimentos, entre tantos outros aspectos.

Ao criar e acentuar tantas diferenciações, a terceirização aumenta ainda mais a fragmentação, a heterogeneização e a divisão intraclasse trabalhadora, além da concorrência entre os que trabalham no mesmo espaço produtivo. Impõe, dessa forma, uma divisão entre os distintos sindicatos existentes em uma mesma empresa.

Desse modo, essas precárias condições de trabalho têm contribuído para ampliar a deterioração das condições de saúde. Os terceirizados são os mais vulneráveis e suscetíveis aos acidentes de trabalho nos ramos de energia elétrica, extração e refino de petróleo e na siderurgia. Conforme dados oferecidos pela Federação Única dos Petroleiros (FUP), de 1995 até 2010 foram registradas 283 mortes por acidentes de trabalho, das quais 228 ocorridas com trabalhadores terceirizados[37].

Em contraposição ao discurso empresarial que justifica a terceirização como parte da "modernização" das empresas na era da globalização, visando maior "especialização" das atividades produtivas, as pesquisas atestam que as empresas também terceirizam para transferir os riscos para os trabalhadores, desobrigando-se de cumprir e seguir as exigências da legislação e dos direitos trabalhistas, que se tornam de responsabilidade das terceirizadas. Não é difícil constatar, então, que a terceirização se transformou num dos elementos que ampliam de modo significativo os índices de acidentes, presentes praticamente em todos os ramos, setores e espaços do trabalho.

---

[36] Sadi Dal Rosso, *O ardil da flexibilidade: os trabalhadores e a teoria do valor* (São Paulo, Boitempo, 2017).

[37] Conforme depoimentos de dirigentes sindicais: "É bem conhecida pelo conjunto dos trabalhadores a desigualdade das condições de segurança nas empresas da categoria [...]. Frequentemente os terceirizados, embora em uma mesma planta industrial, por vezes desenvolvendo as atividades com maior exposição ao risco, estão completamente desprotegidos coletiva e individualmente. Quando da ocorrência de acidentes, tem sido habitual a omissão das empresas principais contratantes, alegando que não têm nada a ver com o trabalhador e que o contrato é de serviço, e não de pessoal. [...] O número de vítimas é crescente entre os trabalhadores terceirizados (Sindiquímica, 2001, citado em Graça Druck e Tânia Franco, "Terceirização e precarização: o binômio antissocial em indústrias", em Graça Druck e Tânia Franco (orgs.), *A perda da razão social do trabalho: terceirização e precarização* (São Paulo, Boitempo, 2007).

Resgatar o sentido de pertencimento de classe

Em sua lógica destrutiva, o capital não reconhece nenhuma barreira para a precarização do trabalho. A exploração sem limites da força de trabalho é em si expressão das contradições estruturais de dada forma de sociabilidade, que, ao mesmo tempo que não pode prescindir do trabalho vivo para sua reprodução, necessita explorá-lo ao extremo, impondo-lhe o sentido mais profundo de sua mercantilização: a abreviação de seu tempo de uso como resultado do aprofundamento, pelo adoecimento, de sua característica de mercadoria de alta descartabilidade.

As mudanças ocorridas no mundo do trabalho nas últimas décadas resultaram na constituição de um exército de trabalhadores mutilados, lesionados, adoecidos física e mentalmente, muitos deles incapacitados de forma definitiva para o trabalho. Em outras palavras, trata-se de um modelo de gestão que simultaneamente se organiza visando o envolvimento da *subjetividade inautêntica*[38], o *controle da subjetividade*[39] dos trabalhadores, mecanismo necessário para a obtenção de altos índices de produtividade, e se configura cada vez mais como incapaz, pela própria intensidade concorrencial e instabilidade do mercado, de garantir condições de trabalho minimamente adequadas à saúde física e mental dos trabalhadores.

Não se trata, portanto, de mera casualidade que a maior incidência de casos de LER/Dort e de transtornos mentais ocorra simultaneamente à disseminação em escala global dos processos de reorganização do trabalho e da produção e, de maneira articulada, à expansão das diferentes formas de precarização do trabalho, entre elas a terceirização.

É diante desse cenário que novos desafios se impõem aos sindicatos. De nossa parte, cremos que a *ferramenta sindicato* ainda é imprescindível, enquanto perdurar a sociedade do capital, com sua exploração do trabalho, suas precarizações, seus adoecimentos e seus padecimentos corpóreos físicos, psíquicos etc. Mas é preciso dizer que há inúmeros desafios a serem enfrentados.

Impõe-se a necessidade de adoção de estratégias de organização e luta que considerem a nova morfologia assumida pelo trabalho no capitalismo contemporâneo. É urgente que as entidades representativas dos trabalhadores rompam com a enorme barreira social que separa os trabalhadores "estáveis", em franco processo de redução, daqueles submetidos às jornadas de tempo parcial, precarizados, subproletarizados, em significativa expansão no atual cenário mundial. Há também o desafio de articular uma efetiva dimensão de

---

[38] Ricardo Antunes, *Os sentidos do trabalho*, cit.
[39] Danièle Linhart, *A desmedida do capital*, cit.

classe, no sentido amplo de classe trabalhadora, em sua *nova morfologia*, articulando-a com outras dimensões decisivas, como a de *gênero, a geracional e a étnica*[40].

Essa é condição essencial para fazer frente, do ponto de vista imediato, às constantes tentativas de desmonte dos direitos e flexibilização do trabalho. O eufemismo "flexibilizar", expresso nos discursos que propõem o fim da CLT, é a forma branda encontrada pelas forças do capital para desconstruir os direitos do trabalho, arduamente conquistados em tantas décadas de embates e batalhas. Basta olhar o que se passa hoje na Europa e constatar que lá também o receituário é flexibilizar, acentuando ainda mais o desmonte dos direitos trabalhistas.

As flexibilizações, as terceirizações, o aumento da informalidade e a ampliação do desemprego serão ainda mais intensos se a CLT for desfigurada ou eliminada. A atual tentativa de liberar plenamente a terceirização, conforme propõe o PL 4.330/2004, é um passo contundente rumo ao fim dos direitos do trabalho consagrados na CLT e à nefasta sociedade da terceirização total. É desse aspecto que trataremos no próximo capítulo.

Do ponto de vista estratégico, se forem capazes de unir os laços de solidariedade e o sentido de pertencimento de classe, conjugando suas ações, as entidades representativas dos trabalhadores poderão, mais do que qualquer outra força social, demolir efetivamente o sistema de metabolismo societal do capital e sua lógica destrutiva e, assim, também começar a desenhar um *novo modo de vida*. E os sindicatos de classe ainda poderão ter um papel de destaque nesse processo, se forem capazes de entender o século XXI e, em especial, a *nova morfologia do trabalho*.

---

[40] Ricardo Antunes, *Os sentidos do trabalho*, cit., e *Adeus ao trabalho?*, cit.

Capítulo 9

A PRECARIZAÇÃO DO TRABALHO COMO REGRA[1]

O capitalismo no plano mundial, nas últimas quatro décadas, transformou-se sob a égide da acumulação flexível, trazendo uma ruptura com o padrão fordista e gerando um modo de trabalho e de vida pautados na flexibilização e na precarização do trabalho. São mudanças impostas pelo processo de financeirização e mundialização da economia num grau nunca antes alcançado, pois o capital financeiro passou a dirigir todos os demais empreendimentos do capital, subordinando a esfera produtiva e contaminando todas as suas práticas e os modos de gestão do trabalho. O Estado passou a desempenhar cada vez mais um papel de "gestor dos negócios da burguesia financeira", cujos governos, em sua imensa maioria, pautam-se pela desregulamentação dos mercados, principalmente o financeiro e o de trabalho.

Trata-se de uma hegemonia da "lógica financeira" que, para além de sua dimensão econômica, atinge todos os âmbitos da vida social, dando um novo conteúdo aos modos de trabalho e de vida, sustentados na volatilidade, na efemeridade e na descartabilidade sem limites. É a lógica do curto prazo, que incentiva a "permanente inovação" no campo da tecnologia, dos novos produtos financeiros e da força de trabalho, tornando obsoletos e descartáveis os homens e mulheres que trabalham. São tempos de desemprego estrutural, de trabalhadores e trabalhadoras empregáveis no curto prazo, por

---

[1] Escrito em coautoria com Graça Druck.

meio das (novas e) precárias formas de contrato[2], em que terceirização, informalidade, precarização, materialidade e imaterialidade são mecanismos vitais, tanto para a preservação quanto para a ampliação da sua lógica.

Neste capítulo, ofereceremos uma contribuição da sociologia crítica do trabalho, visando uma compreensão mais profunda dos significados desse movimento, procurando sobretudo um melhor entendimento da chamada terceirização. Comecemos por sua expansão recente: qual foi a contextualidade histórica que a permitiu?

A reestruturação produtiva global e a acumulação flexível

A crise do padrão de acumulação taylorista/fordista, que aflorou em fins de 1960 e início de 1970, fez com que o capital desencadeasse um amplo processo de reestruturação produtiva, visando recuperar seu ciclo reprodutivo e, ao mesmo tempo, repor seu projeto de hegemonia, então confrontado pelas forças sociais do trabalho, que, especialmente em 1968, questionaram alguns dos pilares da sociedade do capital e seus mecanismos de controle social[3].

O capital deflagrou, então, várias transformações no próprio processo produtivo, com a constituição das formas de acumulação flexível, do *downsizing*, da gestão organizacional, do avanço tecnológico, dos modelos alternativos ao binômio taylorismo/fordismo, dos quais se destaca sobretudo o toyotismo ou modelo japonês.

Opondo-se à contra-hegemonia que florescia nas lutas sociais oriundas do trabalho, buscando recuperar seu projeto de dominação societal, o capital deslanchou os processos de acumulação flexível, com base nos exemplos da Califórnia, do norte da Itália, da Suécia, da Alemanha, entre tantos outros, com destaque para o toyotismo. Este se expandiu e se ocidentalizou, a partir dos anos 1980, em escala global, tendo enormes consequências no mundo do trabalho, por meio da chamada *liofilização organizativa* da "empresa enxuta".

Em seus traços mais gerais, é possível dizer que o padrão de *acumulação flexível* articula um conjunto de elementos de *continuidade* e de *descontinuidade* que acabam por conformar algo *relativamente* novo e bastante distinto do padrão taylorista/fordista de acumulação. De modo sintético, podemos dizer que o toyotismo e a empresa flexível se diferenciam do fordismo basicamente nos seguintes traços[4]:

---

[2] Graça Druck, "Trabalho, precarização e resistências", cit.; Graça Druck e Tânia Franco, "Terceirização e precarização", cit.

[3] Ricardo Antunes, *Os sentidos do trabalho*, cit.

[4] Ver, sobre o toyotismo, Ricardo Antunes, *Os sentidos do trabalho*, cit., e *Adeus ao trabalho?*, cit.; Graça Druck, *Terceirização: (des)fordizando a fábrica – um estudo do complexo petroquímico* (São Paulo, Boitempo, 1999); Thomas Gounet, *Fordismo e toyotismo na civilização do automóvel* (São Paulo, Boitempo, 1999);

1) é uma produção diretamente vinculada à demanda, diferenciando-se da produção em série e de massa do taylorismo/fordismo;
2) depende do trabalho em equipe, com multivariedade de funções, rompendo com o caráter parcelar típico do fordismo;
3) estrutura-se num processo produtivo flexível, que possibilita ao trabalhador operar *simultaneamente* várias máquinas, diferentemente da relação homem-máquina na qual se baseava o taylorismo/fordismo;
4) têm como princípio o just-in-time, isto é, a produção deve ser efetivada no menor tempo possível;
5) desenvolve-se o sistema de kanban, senhas de comando para reposição de peças e de estoque, uma vez que no toyotismo os estoques são os menores possíveis, em comparação ao fordismo;
6) as empresas do complexo produtivo toyotista têm uma estrutura horizontalizada, ao contrário da verticalidade fordista. Enquanto na fábrica fordista aproximadamente 75% da produção era realizada no seu interior, a fábrica toyotista é responsável por apenas 25%, e a terceirização/subcontratação passa a ser central na estratégia patronal. Essa *horizontalização* se estende às subcontratadas, às firmas "terceirizadas", *acarretando a expansão dos métodos e procedimentos para toda a rede de subcontratação.* Tal tendência vem se intensificando ainda mais nos dias atuais, quando a empresa flexível defende e implementa a terceirização não só das atividades-meio, como também das atividades-fim;
7) desenvolve-se a criação de círculos de controle de qualidade (CCQs), visando a melhoria da produtividade das empresas e permitindo que elas se apropriem do *savoir faire* intelectual e cognitivo do trabalho, que o fordismo desprezava.

Desse modo, flexibilização, terceirização, subcontratação, círculo de controle de qualidade total, kanban, just-in-time, kaizen, *team work*, eliminação do desperdício, "gerência participativa", sindicalismo de empresa, entre tantos outros pontos, tornaram-se dominantes no universo empresarial.

Koichi Shimizu, "Kaizen et gestion du travail: chez Toyota motor et Toyota motor kyushu-un problème dans la trajectorie de Toyota", *Actes du Gerpisa: Réseau Internationale*, Paris, 1994; disponível em: <http://gerpisa.org/ancien-gerpisa/actes/13/13-2.pdf>; acesso em: 26 dez. 2017; Muto Ichiyo, *Toyotismo: lucha de classes e innovación tecnológica en Japón* (Buenos Aires, Antídoto, 1995); Benjamin Coriat, *Penser à l'envers, travail et organization dans l'enterprise japonaise* (Paris, Christian Bourgeois, 1991); Andrew Sayer, "New Developments in Manufacturing: the Just-in-Time System", *Capital & Class*, Londres, n. 30, 1986; e Satoshi Kamata, *Japan in the Passing Lane: an Insider's Account of Life in a Japanese Auto Factory* (Nova York, Pantheon, 1982).

Inspirando-se na experiência do ramo têxtil e, também, na dos supermercados dos Estados Unidos, que originaram o kanban, o toyotismo, e de forma mais ampla a empresa flexível, aumentou significativamente a produtividade, uma vez que os trabalhadores operam várias máquinas diversificadas ao mesmo tempo, com maior ritmo e velocidade da cadeia produtiva, além da decisiva apropriação das atividades *intelectuais* do trabalho, interagindo com um maquinário automatizado, informatizado e digital, que possibilitou a retomada do ciclo de valorização do capital em detrimento dos direitos do trabalho, os quais passaram a sofrer um significativo processo de erosão e corrosão. Esse processo foi responsável pela acentuação das formas de precarização do trabalho[5]. O entendimento cuidadoso dessa tendência à informalidade nos leva a buscar uma melhor compreensão da chamada terceirização.

Uma fenomenologia preliminar dos *modos de ser* da precarização demonstra a ampliação acentuada de trabalhos submetidos a sucessivos contratos temporários, sem estabilidade, sem registro em carteira, dentro ou fora do espaço produtivo das empresas, quer em atividades mais instáveis, quer nas temporárias, quando não na situação de desemprego[6]. Crescentemente, a busca da "racionalidade instrumental" do capital vem impulsionando as empresas à flexibilização das relações de trabalho, da jornada, da remuneração, reintroduzindo novas relações e formas de trabalho que frequentemente assumem feição informal.

Estamos, portanto, diante de uma nova fase de desconstrução do trabalho sem precedentes em toda a era moderna, aumentando os diversos modos de ser da informalidade e da precarização. Se no século XX presenciamos a vigência da *era da degradação do trabalho*, na transição para o século XXI passamos a estar diante de novas modalidades e *modos de ser* da precarização, da qual a *terceirização* tem sido um de seus elementos mais decisivos.

A precarização do trabalho e a terceirização no Brasil: o que as pesquisas mostram

As informações levantadas por pesquisas realizadas em todo o país nos últimos vinte anos evidenciam de forma unânime a indissociabilidade entre terceirização e precarização do trabalho, em investigações tanto de natureza qualitativa, por meio de estudos de casos,

---

[5] Muto Ichiyo, *Toyotismo*, cit. p. 45-6. Ver também Thomas Gounet, *Fordismo e toyotismo na civilização do automóvel*, cit.; e Ricardo Antunes, *Os sentidos do trabalho*, cit., e *Adeus ao trabalho?*, cit.

[6] Em Ricardo Antunes (org.), *Riqueza e miséria do trabalho no Brasil*, 3 v., cit., há um desenho abrangente das características principais da informalidade, bem como das diferentes dimensões do processo de precarização no Brasil.

como quantitativa, com o uso de estatísticas de fontes oficiais ou de instituições sindicais e do direito do trabalho.

São investigações que demonstram resultados do que de fato acontece num país cuja regulação pelo Enunciado 331, que proíbe terceirizar a atividade-fim, não impediu a criação de trabalhadores e trabalhadoras de primeira e segunda categorias, num quadro de desrespeito à legislação trabalhista, originando uma vulnerabilidade social e política que coloca em risco a relação de emprego como elemento básico dos contratos formais.

Em todas as dimensões e modalidades de precarização do trabalho no Brasil, conforme classificação de Franco e Druck[7], a terceirização está presente como fenômeno central. Assim, quando se examina a dimensão "mercado de trabalho", isto é, as formas de mercantilização da força de trabalho, encontra-se uma condição de heterogeneidade e segmentação, marcada por uma vulnerabilidade estrutural que se reconfigura, com formas de inserção (contratos) precárias, sem proteção social, com salários mais baixos, presentes na terceirização de forma exemplar e cujo crescimento exponencial pode ser observado em diferentes segmentos da classe trabalhadora.

A relação entre o número de terceirizados e o número de contratados diretamente pela empresa, para algumas categorias profissionais, revela uma proporção muito grande de empregados subcontratados, superando a de efetivos, como entre petroleiros. Segundo dados apresentados por Coutinho[8], a proporção de terceirizados é de 418% em relação aos contratados, ou seja, 4,2 para 1. No setor elétrico brasileiro, segundo dados da Fundação Coge[9], o índice é de 135% de terceirizados em relação aos efetivos. Na indústria química, informações do Anuário da Indústria Química Brasileira mostram que, em algumas empresas do setor petroquímico, a proporção varia entre 31% e 571%. Essa relação é de 84% para o caso dos bancários, conforme dados apresentados por Sanches[10], considerando apenas os correspondentes bancários como terceirizados. Em pesquisa realizada na Universidade Federal da Bahia, os terceirizados correspondem

---

[7] Tânia Franco e Graça Druck, *O trabalho contemporâneo no Brasil: terceirização e precarização* (Seminário Fundacentro, mimeo, 2009); Graça Druck, "Trabalho, precarização e resistências", cit.

[8] Grijalbo Fernandes Coutinho, *Terceirização: máquina de moer gente trabalhadora – a inexorável relação entre a nova marchandage e a degradação laboral, as mortes e mutilações no trabalho* (São Paulo, LTr, 2015).

[9] Fundação Coge (Comitê de Gestão Empresarial), *Relatório de estatísticas de acidentes de trabalho no setor elétrico brasileiro*, 2013; disponível em: <http://www.relatorio.funcoge.com.br/>; acesso em: 1 jun. 2015.

[10] Ana Tercia Sanches, "Terceirização e ação sindical no setor financeiro", *Anais do Encontro Nacional da Abet*, Campinas, 2009.

a 64% em relação aos servidores técnico-administrativos. Quando se analisa o agregado em "serviços tipicamente terceirizados", esse índice é de 36% em relação aos demais empregados de atividades tipicamente contratantes, de acordo com dados apresentados na CUT-Dieese[11].

Essa relação do número de trabalhadores subcontratados (terceirizados) com o número de diretamente contratados (efetivos) modificou-se no tempo, pois houve um crescimento exponencial da terceirização em todos os setores de atividades, levando a um aumento muito maior do número de terceirizados do que de efetivos.

Na indústria do petróleo, no período 2000-2013, o número de terceirizados cresceu 631,8%, enquanto os funcionários próprios (contratados em regime de CLT) aumentaram em 121%. No setor elétrico, entre 2003 e 2012, os terceirizados cresceram 199%, enquanto os funcionários próprios apenas 11%. Nos petroquímicos, o aumento do número de terceirizados no período 2009-2012 foi maior do que as contratações diretas para seis de dez empresas que forneceram informações, chegando a diferenças percentuais muito grandes, como 128% a 15%, 157% a 43% ou 102% a 15%. Cabe observar que esse crescimento ocorre num contexto em que o PL 4.330 ainda não estava em vigor, ou seja, quando ainda não havia sido aprovada a terceirização sem limites.

Os indicadores sobre as diferenças salariais também reafirmam uma condição de maior precarização. No caso dos petroquímicos, na média os terceirizados ganham 52% dos salários dos efetivos, encontrando-se variações por função entre 27% e 87%. No setor de petróleo, o salário do terceirizado representa na média 46% do salário do empregado direto da Petrobras. Na categoria bancária, os salários dos trabalhadores em telemarketing representam 44% do salário dos bancários, conforme Sanches[12]. E, para o agregado de trabalhadores empregados nos "serviços tipicamente terceirizáveis", os salários são 24,7% menores do que os dos demais empregados.

Numa segunda dimensão, "os padrões de gestão e organização do trabalho", inspirados no toyotismo, revelam-se condições extremamente precárias, com a intensificação do trabalho (imposição de metas inalcançáveis, extensão da jornada, polivalência etc.) sustentada na gestão pelo medo, nas formas de abuso de poder, no assédio moral e na discriminação criada pela terceirização. É entre os terceirizados

---

[11] CUT-Dieese, *Terceirização e desenvolvimento: uma conta que não fecha – dossiê acerca do impacto da terceirização sobre os trabalhadores e propostas para garantir a igualdade de direitos*, São Paulo, 2014; disponível em: <https://cut.org.br/acao/dossie-terceirizacao-e-desenvolvimento-uma-conta-que-nao-fecha-7974/>; acesso em: 26 dez. 2017.

[12] Ana Tercia Sanches, "Terceirização e ação sindical no setor financeiro", cit.

que essas condições de trabalho são piores, com maiores jornadas, maior rotatividade e menor acesso a benefícios.

No que se refere à jornada de trabalho, os dados agregados para os trabalhadores em "serviços tipicamente terceirizáveis" mostram que eles trabalham três horas a mais do que os demais empregados. No caso dos bancários, a diferença chega a ser muito maior, encontrando-se nove horas de trabalho a mais na semana, isto é, 31 horas para bancários e 40 horas para correspondentes bancários.

Quanto ao tempo de permanência na empresa, ou seja, à rotatividade, cuja taxa no Brasil para todos os trabalhadores é uma das mais altas do mundo, no caso dos terceirizados em "serviços tipicamente terceirizáveis" a média de permanência é de dois anos e sete meses, enquanto para os demais trabalhadores é de cinco anos e oito meses[13].

Quando se trata dos benefícios ou outros elementos que são assim considerados, para todas as categorias profissionais analisadas, os terceirizados não têm PLR, ou recebem um valor fixo e quase simbólico, nem auxílio-creche e educação; seu vale-alimentação é sempre menor do que o dos empregados diretos, e eles não recebem ajuda para deslocamento nem têm direito ao transporte da empresa. O valor pago para horas extras é menor do que aquele obtido por convenções coletivas (caso dos petroquímicos, petroleiros e bancários).

No que diz respeito à dimensão "condições de (in)segurança e saúde no trabalho", observa-se que são os terceirizados que sofrem o maior número de acidentes, por maior exposição aos riscos, resultado dos padrões de gestão que desrespeitam o necessário treinamento, as informações sobre riscos, as medidas preventivas coletivas etc.

Os trabalhadores terceirizados, além de ganhar menos, trabalhar mais, ter mais instabilidade e menos direitos, são os que mais morrem e se acidentam. Tais vulnerabilidade de saúde e maior exposição aos riscos decorrem exatamente dessa condição mais precária de trabalho.

Destacam-se três grandes setores de atividades: indústria do petróleo, eletricidade e construção civil, pela importância da produção gerada, pelo lugar estratégico que ocupam na economia do país e pelo número de trabalhadores que empregam.

No caso da Petrobras, no período de 1995 a 2013, foram 320 acidentes com vítimas fatais, sendo que 84%, ou 268, eram terceirizadas, e 16%, ou 52, eram contratadas diretamente. Considerando a relação de quatro terceirizados para um efetivo, pode-se argumentar que essa diferença é explicada pelo universo de terceirizados (360.180) em relação ao total dos efetivos (86.108), isto é, o número de acidentes sempre será maior entre os terceirizados. Para evitar

---

[13] CUT-Dieese, *Terceirização e desenvolvimento*, cit.

essa distorção, serão apresentadas as taxas de mortalidade[14] para os diferentes segmentos.

No período 2000-2013, a taxa média anual de acidentes fatais, calculada com base nos dados sistematizados por Coutinho[15], foi de 8,6 por 100 mil para os trabalhadores terceirizados, enquanto que para os contratados diretamente foi de 5,6 por 100 mil, ou seja, 50% maior entre os terceirizados. A variação nesse período de catorze anos foi ampla, mas a taxa de mortalidade dos trabalhadores subcontratados manteve-se sempre mais alta.

As razões dessa maior frequência de acidentes entre os terceirizados do setor petrolífero são expostas em várias pesquisas de natureza qualitativa sobre a terceirização e as condições de trabalho, em que a falta de medidas preventivas, as jornadas longas e a maior exposição a riscos, com a constante transferência de operações perigosas aos terceirizados numa clara ação de terceirização dos riscos, aparecem com maior incidência, além da ausência de treinamentos e qualificação adequados num quadro em que o número de terceirizados cresceu sete vezes nesse período, saltando de 49.217 em 2000 para 360.180 em 2013.

A terceirização no setor elétrico brasileiro tem sido classificada como uma das mais perigosas no sentido de pôr em risco a vida dos trabalhadores, tanto pela natureza técnica do processo de trabalho, de alta periculosidade, como pela reestruturação sofrida pelo setor, principalmente com as privatizações[16]. A evolução do quadro de empregados próprios e terceirizados e de acidentes fatais, calculada pela Fundação Coge[17], indica e comprova a tese da indissociabilidade entre terceirização e precarização da saúde. Pois, assim como no caso da indústria petrolífera, o número de acidentes fatais com trabalha-

---

[14] Taxa de mortalidade estabelece a relação entre determinada população e os óbitos ocorridos nesse universo, anulando a influência exercida pelos diferentes tamanhos da população, permitindo a comparação entre as mortes de diferentes segmentos, como é o caso dos trabalhadores terceirizados e dos contratados diretamente na Petrobras, o que possibilita fazer um diagnóstico mais preciso do risco de morte por acidente de trabalho, estabelecendo uma relação de mortes por conjuntos de 100 mil trabalhadores. A taxa de mortalidade é obtida a partir da seguinte fórmula: mortes por acidentes de trabalho/n. de trabalhadores x 100 mil.

[15] Grijalbo Fernandes Coutinho, *Terceirização*, cit.

[16] O setor que apresenta o melhor banco de informações é o elétrico, inclusive para o quadro de empregados de todas as empresas de eletricidade do país, tanto próprios como terceirizados, disponibilizando as estatísticas de acidentes, cobrindo todos os segmentos de trabalhadores, sob a responsabilidade da Fundação Coge, uma instituição técnico-científica criada em 1998, que realiza pesquisas sobre o setor elétrico brasileiro, congregando 67 empresas públicas e privadas.

[17] Fundação Coge, *Relatório de Estatísticas de Acidentes de Trabalho no Setor Elétrico Brasileiro*, cit.

dores terceirizados foi sempre maior em todos os anos no período entre 2003 e 2012.

O número de terceirizados cresceu de 36.649, em 2003, para 146.314 em 2012 (um aumento de 299% ou quatro vezes), enquanto o número de empregados próprios cresceu de 97.399 para 108.133 (isto é, um aumento de apenas 11%). Os terceirizados representavam, em 2012, 58% do quadro de empregados no sistema elétrico nacional. Nesses mesmos setor e período, quando se examinam os números de acidentes fatais, constata-se que 87% das mortes ocorreram entre os terceirizados, uma proporção muito maior do que a dos terceirizados no quadro total. Ao se levar em conta as taxas de mortalidade calculadas para cada um dos agrupamentos de trabalhadores, obtém-se o seguinte resultado: a taxa média anual é de 12 por 100 mil empregados do quadro próprio e de 67,4 por 100 mil entre os terceirizados. Ou seja, 5,6 vezes maior para estes.

As causas que levam a essas mortes têm origem nas condições de trabalho, no descumprimento das normas regulamentadoras (em relação à prevenção em saúde e segurança), na falta de treinamento, na qualificação e na capacitação profissional insuficientes, na falta de experiência e de conhecimento sobre o processo de trabalho, especialmente nas redes elétricas, na ausência de reciclagens, no não fornecimento de equipamento de proteção individual (EPI) e equipamento de proteção coletiva (EPC), na inexistência de comissão interna de prevenção de acidentes (Cipa) (ou em seu não funcionamento, quando existe), conforme demonstrado em processos julgados pela Justiça do Trabalho, em ações civis públicas encaminhadas pelo Ministério Público do Trabalho (MPT) e em inspeções realizadas por auditores fiscais do trabalho[18].

A construção civil lidera o ranking de acidentes de trabalho, o que é explicado pela negligência das construtoras em relação às normas de saúde e segurança. É também um setor conhecido por, tradicionalmente, recorrer à terceirização, com as redes de subcontratação e o uso da intermediação de mão de obra, do "gato", denominação retirada da experiência no trabalho rural. É o setor que apresenta as mais altas taxas de rotatividade de mão de obra. Mais recentemente, radicalizou o uso das cadeias de subcontratação no plano nacional e internacional, nas quais a fiscalização do trabalho passou a encontrar, de forma recorrente, trabalhadores em condições análogas à escravidão, conforme analisado por Filgueiras[19], que,

---

[18] Grijalbo Fernandes Coutinho, *Terceirização*, cit.

[19] Vitor Araújo Filgueiras, "Terceirização e trabalho análogo ao escravo: coincidência?", *Repórter Brasil*, 24 jun. 2014; disponível em: <http://reporterbrasil.org.br/2014/06/terceirizacao-e-trabalho-analogo-ao-escravo-coincidencia/>; acesso em: 22 abr. 2018.

dentro do imenso setor da construção, encontrou subsetores[20]: 1) o de construção de rodovias, ferrovias, obras não especificadas, ruas praças e calçadas registrou 4,55 vezes mais acidentes fatais entre seus trabalhadores em comparação com a totalidade dos setores; 2) o de obras para geração e distribuição de energia, telecomunicações, redes de água e coleta de esgoto, instalações industriais e estruturas metálicas apresentou 4,92 vezes mais mortes; 3) o de demolição e preparação de terreno, 3,3 vezes mais acidentes fatais entre os trabalhadores formalizados do que a média do mercado de trabalho[21].

Para uma análise dos terceirizados em Classificação Nacional de Atividades Econômicas (CNAEs) selecionados no setor de construção, foram levantadas informações do número de mortos em 2013 e do número de terceirizados mortos nesse conjunto, obtendo-se os seguintes resultados: em obras de acabamento, houve 2,32 vezes mais incidência de fatalidades entre os terceirizados, em comparação com o conjunto do mercado formal. Foram vinte trabalhadores mortos, dos quais dezoito eram terceirizados. Em obras de terraplanagem, a chance de morrer foi 3,3 vezes maior do que no restante do mercado de trabalho: dos dezenove mortos, dezoito eram terceirizados. Em serviços especializados não especificados e obras de fundação, morreram trinta terceirizados e quatro contratados diretamente, tendo o setor 2,45 vezes maior índice de mortes em relação aos empregados formais da economia como um todo[22].

Quando se analisa o plano da subjetividade dos trabalhadores, especialmente entre os terceirizados, percebe-se uma condição de isolamento, de falta de vínculos ou de inserção, em que a perspectiva de identidade coletiva se enfraquece, resultante da descartabilidade, da desvalorização e da discriminação a que estão submetidos, o que dificulta a solidariedade de classe.

Outra dimensão é o enfraquecimento da organização sindical e das formas de luta e representação dos trabalhadores, decorrente da violenta concorrência entre eles, da sua heterogeneidade e divisão, implicando uma pulverização dos sindicatos, criada principalmente pela terceirização.

No âmbito da representação sindical, as informações confirmam as teses debatidas nas pesquisas sobre terceirização: a pulverização dos sindicatos, a fragmentação dos trabalhadores, o enfraquecimento

---

[20] Levantamento realizado tomando por base as Comunicações de Acidentes de Trabalho (CATs) emitidas no Brasil em 2013 e os dados sobre emprego formal, elaborados pelo IBGE, dos quais se obteve a Classificação Nacional de Atividades Econômica (CNAE) informada nessas bases de dados.

[21] Graça Druck e Vitor Araújo Filgueiras, "A epidemia da terceirização e a responsabilidade do STF", *Revista do TST*, Brasília, v. 80, n. 3, jul.-set. 2014.

[22] Idem.

das ações coletivas e a perversa disputa entre os próprios sindicatos, pois chegam a existir entre quatro e seis sindicatos de maior porte numa mesma categoria, como é o caso dos petroquímicos, dos petroleiros, dos bancários e do serviço público.

Por fim, há ainda a dimensão "direito do trabalho", questionada em sua tradição e existência, expressa no ataque às formas de regulamentação do Estado, cujas leis trabalhistas e sociais têm sido violentamente condenadas pelos princípios liberais de defesa da flexibilização como processo inexorável trazido pela "modernidade dos tempos de globalização". Todos esses elementos estão sintetizados no PL 4.330, que tem sido caracterizado pelos juristas como um ataque frontal à CLT e ao direito do trabalho no Brasil.

A sonegação dos direitos estabelecidos pela CLT também tem uma incidência muito grande, sobretudo no caso dos petroquímicos, dos petroleiros e dos servidores públicos. Os direitos estabelecidos para os empregados com carteira assinada são desrespeitados no que têm de mais básico: o salário e o 13º salário atrasam, o FGTS não é depositado, não há gozo de férias, não são criadas Cipas. Entre os terceirizados no serviço público, caso estudado em uma universidade federal, foram encontrados trabalhadores sem férias há dez anos, pois existe um rodízio de empresas contratadas que não cumprem os contratos e desaparecem, sendo substituídas por outras do mesmo naipe, situação em que seus empregados não chegam a ter um ano de trabalho e, por isso, não podem tirar férias.

Todas as informações fornecidas pelas pesquisas acima apresentadas configuram um quadro em que é notória a desigualdade em todos os indicadores: os terceirizados recebem menos, trabalham mais, têm menos direitos e benefícios, são mais instáveis, estão crescendo mais do que os demais trabalhadores e são aqueles que com maior frequência sucumbem a acidentes fatais.

Em síntese, a terceirização é o fio condutor da precarização do trabalho no Brasil. Constitui-se num fenômeno onipresente em todos os campos e dimensões do trabalho, sendo uma prática de gestão/organização/controle que discrimina e, ao mesmo tempo, é uma forma de contrato flexível e sem proteção trabalhista. É também sinônimo de risco de saúde e de vida, responsável pela fragmentação da identidade coletiva dos trabalhadores, com a intensificação da alienação e da desvalorização do trabalho humano, assim como é um instrumento de pulverização da organização sindical, que incentiva a concorrência entre os trabalhadores e seus sindicatos. Ela ainda cobre com um "manto de invisibilidade" os trabalhadores nela enquadrados, como facilitadora do descumprimento da legislação trabalhista, como forma ideal para o empresariado não ter limites (regulados pelo Estado) no uso da força de trabalho e da sua exploração como mercadoria.

Com a ampliação global da terceirização, é imprescindível enfatizar que se amplia o processo de produção do mais-valor, sobretudo (mas não só) no setor de serviços, decorrente da privatização de inúmeras empresas públicas que passam a ter o lucro como atividade central. Em um universo em que a economia está sob hegemonia do capital financeiro e o processo de privatização é intenso, as empresas procuram ampliar seus altos lucros exigindo dos trabalhadores e transferindo a eles a pressão pela intensificação do tempo de produção, pelo aumento das taxas de produtividade, pela redução dos custos de remuneração da força de trabalho e pela flexibilização crescente dos contratos de trabalho. Assim, a expansão das empresas terceirizadas tem se convertido em importante elemento propulsor e gerador de mais-valor, dado que várias delas se tornaram também produtivas para o capital. O que no passado recente era realizado por empresas estatais prestadoras de serviços públicos sem fins lucrativos, com o neoliberalismo, a financeirização e a privatização, passou a ser cada vez mais parte direta ou indireta do processo de valorização do capital, incrementando e ampliando as modalidades de extração de mais-valor[23].

O PL 4.330 ou PLC 30: a legalização da precarização do trabalho

Do ponto de vista da legislação, um primeiro movimento no sentido de instituir o trabalho terceirizado é realizado, sob o governo Médici, por meio da Lei 6.019/1974, que versa sobre trabalho temporário e, ao defini-lo, estabelece a possibilidade de que parte das atividades desenvolvidas por uma empresa seja posta "à disposição de outras empresas", ainda que temporariamente. Uma legislação posterior, a Lei 7.103/1983, passaria a autorizar a terceirização de serviços de vigilância patrimonial e de transportes de valores por estabelecimentos financeiros, contribuindo para legitimar uma prática que já era usual na área de serviços. Vale destacar que outra lei, a 5.645/1970, voltada para o setor público, autorizava, já nos anos 1970, a subcontratação de serviços de transporte, conservação, custódia, operação de valores, limpeza e outros assemelhados e considerava ilícita a terceirização em quaisquer atividades permanentes das empresas.

Com base nessa legislação, o Tribunal Superior do Trabalho (TST) editou o Enunciado 256 (1986), que declarava ilegal a contratação de trabalhadores por empresa interposta, salvo para o trabalho temporário e serviço de vigilância[24]. Mas em 1993, pressionado pela

---

[23] Ricardo Antunes, "A nova morfologia do trabalho e suas principais tendências", cit.

[24] Gabriela Neves Delgado e Helder Santos Amorim, *Os limites constitucionais da terceirização* (São Paulo, LTr, 2014).

iniciativa privada, o TST reconheceu a legalidade na contratação de quaisquer serviços ligados à atividade-meio da empresa e editou o Enunciado 331, que cancelou o anterior e definiu como lícita e sem formar vínculo de emprego a contratação de serviços de vigilância, limpeza e conservação, bem como a de serviços especializados ligados à atividade-meio da contratante.

Assim, os limites à terceirização passaram a ser mais flexíveis, permitindo-a nas atividades permanentes das empresas. A diferença agora era entre atividade-meio e atividade-fim, o que gerou um interminável debate técnico e jurídico sobre a natureza de cada uma delas. Embora a Súmula 331 tenha sofrido alterações, manteve seus dois elementos fundamentais: a proibição de terceirizar a atividade-fim e a responsabilidade subsidiária da empresa contratante. Desse modo, apesar dessa flexibilização, ainda havia um limite que balizou os julgamentos da Justiça do Trabalho: a proibição de terceirizar a atividade-fim. O que não foi suficiente para impedir a ampliação da terceirização, configurando uma verdadeira epidemia que se desenvolveu nos anos 1990 e cresceu sem controle nos anos 2000, conforme demonstrado anteriormente.

Foi com base no Enunciado 331 que o poder público atuou, especialmente o Ministério Público do Trabalho (MPT) e o Ministério do Trabalho e Emprego (MTE), por meio da fiscalização dos auditores do trabalho. No caso do MPT, há uma definição de setores/empresas prioritários a serem investigados, que toma por base as denúncias de trabalhadores e de suas entidades de representação. Nos últimos anos, são os centros industriais mais importantes em cada região do país que têm sido objeto de denúncia e investigação, como é o caso das siderúrgicas e da terceirização do processo produtivo de carvão e reflorestamento em Minas Gerais. Ao longo dos últimos oito anos, o órgão ajuizou 23 ações civis públicas contra cerca de 40 empresas da área. No interior de São Paulo, que abrange 599 municípios, o MPT da 15ª Região propôs 24 ações civis públicas e firmou 104 Termos de Ajustamento de Conduta (TACs) nos últimos dois anos. Os municípios de Campinas, São José dos Campos e São Carlos, que abrigam diversas multinacionais, foram alvo das principais ações.

Na Bahia, o Polo Petroquímico de Camaçari tem sido objeto de investigação e, desde 2008 até o início de 2010, o MPT firmou 23 TACs com empresas e ajuizou seis ações[25]. Em 2008, o órgão ajuizou ação civil pública contra a Empresa Baiana de Águas e Saneamento

---

[25] Agência Repórter Brasil, "Empresas respondem a centenas de processos contra terceirização", 19 abr. 2010; disponível em: <http://reporterbrasil.org.br/2010/04/empresas-respondem-a-centenas-de-processos-contra-terceirizacao/>; acesso em: 28 abr. 2018.

S/A (Embasa) por terceirizar mão de obra para a prestação de serviços ligados à sua atividade-fim. A Justiça do Trabalho julgou procedente a ação e determinou a realização de concurso público para a contratação de mão de obra no prazo máximo de quinze dias, indenização por dano moral coletivo no valor de 400 mil reais e, em caso de descumprimento das obrigações, multa diária de 5 mil reais por trabalhador encontrado em situação irregular[26].

No âmbito das fiscalizações do Ministério do Trabalho, são encontradas as mesmas tendências, isto é, a terceirização ilícita: via intermediação de mão de obra, contratação de empresas fantasmas e atividades nucleares desenvolvidas por trabalhadores terceirizados sob a gerência da contratante.

Quando se analisam as decisões do Tribunal Superior do Trabalho (TST) e do Tribunal Regional do Trabalho (TRT-BA), encontram-se, para a região da Bahia, 61 processos com sentenças definidas somente em 2010, contra 53 em 2009, 48 em 2008 e 44 em 2007.

Em agosto de 2010, o Tribunal de Contas da União (TCU) recomendou o fim da contratação de terceirizados nas empresas estatais, sugerindo um prazo de cinco anos para sua substituição por concursados. Isso porque foram identificadas várias irregularidades, com um grande número de terceirizados exercendo funções previstas em planos de carreiras, conforme afirmou o ministro-relator[27].

É nesse quadro de epidemia da terceirização no Brasil e de uma frágil regulação por meio do Enunciado 331 que surge o PL 4.330/2004, proposto pelo então deputado e empresário Sandro Mabel. Um projeto que tem por objetivo central derrubar qualquer limite à terceirização, isto é, liberá-la para todas as atividades da empresa, permitindo redes de subcontratação, "pejotização", negando a responsabilidade solidária plena para as contratantes em qualquer caso. Nas várias tentativas de colocá-lo em votação, houve movimentos de resistência organizados por sindicatos, juristas do trabalho, pesquisadores, instituições do direito do trabalho e até mesmo por 19 ministros dentre os 26 que compunham o TST e que, em carta publicada em 2013, manifestavam a sua condenação ao PL 4.330, afirmando, entre outras ponderações, que a sua aprovação

> provocará gravíssima lesão social de direitos sociais, trabalhistas e previdenciários no país, com a potencialidade de provocar a migração massiva de milhões de trabalhadores hoje enquadrados como efetivos das empresas e instituições tomadoras de serviços em direção a um novo enquadramento, como trabalhadores terceirizados, deflagrando

---

[26] Em Tribunal Regional do Trabalho da Região: www.trt5.just.br. Ver também Ricardo Antunes e Graça Druck, "A epidemia da terceirização", cit.

[27] Ricardo Antunes e Graça Druck, "A epidemia da terceirização", cit.

impressionante redução de valores, direitos e garantias trabalhistas e sociais.[28]

Mais recentemente, em abril de 2015, o PL 4.330 foi posto em votação na Câmara dos Deputados sem discussão no Plenário, via uso da força regimental que dá poderes ditatoriais ao seu presidente, o deputado Eduardo Cunha, que vem sistematicamente usando e abusando desse poder para impor votações de projetos polêmicos que alteram radicalmente a vida da sociedade, sem encaminhar um processo democrático de discussão. Em resposta, houve uma ampla mobilização nacional, realizada por diversas centrais sindicais e movimentos sociais, com paralisações, manifestações de rua e nas redes sociais, que, mesmo influenciando uma redefinição da primeira votação, não impediu que o PL fosse aprovado por uma pequena margem de votos na Câmara dos Deputados.

Foi também nesse mesmo período, quando as atenções estavam voltadas para o Congresso Nacional, que o Supremo Tribunal Federal (STF) decidiu sobre uma Ação Direta de Inconstitucionalidade (ADI) proposta em 1998, em relação à lei editada pelo governo Fernando Henrique Cardoso, que estabelecia que o Estado poderia contratar organizações sociais para prestação de serviços nas áreas de saúde, educação, cultura, desporto e lazer, ciência e tecnologia e meio ambiente. Ou seja, a terceirização por meio da intermediação das chamadas organizações sociais (fundações, ONGs, cooperativas etc.) nas atividades-fim do serviço público. A decisão é pela constitucionalidade, liberando, portanto, a terceirização para todos esses setores. Trata-se da vitória de uma concepção neoliberal de Estado, que transferirá recursos públicos para organizações de caráter privado, as quais estarão livres para contratar trabalhadores sem concurso público e sem licitação, implicando no progressivo fim do serviço público, da carreira de servidor, cuja função social é fundamental num Estado democrático[29].

A campanha contra o PL 4.330 continuou, nas audiências públicas ocorridas nas capitais dos principais estados do país, nas manifestações de rua, nas greves do funcionalismo e de terceirizados das universidades públicas; a manifestação contra a terceirização tem presença constante, denunciando os seus objetivos centrais, como a redução dos salários, a retração crescente dos direitos do trabalho e, o que é também de enorme relevância, o aumento da fragmentação,

---

[28] Carta ao Excelentíssimo senhor deputado federal Décio Lima, presidente da Comissão de Constituição, Justiça e Cidadania da Câmara dos Deputados (CCJC) e demais deputados; disponível em: <http://www.sindipetro-rs.org.br/index.php/noticias/item/1111-sindipetro-rs-encaminha-carta-ao-presidente-da-ccjc-pedindo-aos-membros-da-comissao-a-rejeicao-ao-pl-4330>; acesso em: 26 dez. 2017.

[29] Graça Druck, "Terceirização e ajuste fiscal: uma dupla ofensiva contra os direitos do trabalho", *Jornal dos Economistas*, Rio de Janeiro, n. 311, 2015.

procurando desorganizar ainda mais a classe trabalhadora, tanto na esfera sindical como nas distintas formas de solidariedade coletiva que florescem no espaço produtivo.

Em nome da falaciosa "melhoria da qualidade do produto ou da prestação de serviço", o PL 4.330 (renomeado como PLC 30[30], finalmente aprovado no Senado) eliminou de uma só vez a disjuntiva (já limitada) existente entre as atividades-meio e as atividades-fim, rasgando *de fato* a CLT. Em tese, praticamente todas as modalidades de trabalho estarão sujeitas à terceirização. Não só quem exerce atividades de limpeza, transporte, alimentação, call-center etc., mas até os pilotos e copilotos de aeronaves poderão ser contratados no sistema de *terceirização total* que o capital querem impor à classe trabalhadora.

Com um Congresso que tem a mais alta taxa de rejeição da história recente do país, completamente prisioneiro da lógica dos interesses dominantes, instaura-se uma nova *servidão do trabalho*, agora adaptada aos moldes do século XXI.

Recebendo salários menores, enfrentando jornadas de trabalho bem mais extensas do que as do conjunto dos assalariados contratados sem tempo determinado e com direitos, sofrendo constantemente as burlas em relação à legislação social do trabalho, vivenciando a expansão dos acidentes e adoecimentos, a terceirização não para de se ampliar, agora com o respaldo legal que vem sendo obtido pelo governo da devastação. Avançamos tragicamente em direção à *sociedade da terceirização total*, conforme veremos no capítulo seguinte.

---

[30] PLC é a sigla para Projeto de Lei da Câmara.

Capítulo 10

A SOCIEDADE DA TERCEIRIZAÇÃO TOTAL

A luta pelo trabalho regulamentado
O trabalho assumiu desde logo uma dimensão central e decisiva na história da humanidade, que em nenhuma de suas distintas fases pôde prescindir dessa *atividade vital*. Produzir os bens materiais e simbólicos tem sido, desde os primórdios até os dias atuais, resultado ineliminável do fazer humano. Oscilando entre criação e sujeição, atividade catártica e servidão, o mundo do labor vivenciou um pouco de tudo: trabalho compulsório, escravidão, fruição, trabalho livre, servidão etc. *Poiésis* e *tripalium, ergon* e *ponos*, ato e punição, assim caminhou a dialética do trabalho.

Desde a Grécia antiga (para não falar da Antiguidade egípcia), passando pelo suspiro omnilateral do Renascimento, a luta pela dignidade e pela vida dotada de sentido no trabalho tem sido prometeica. Isso porque o acesso à boa vida fora do trabalho é exclusividade dos estratos sociais dominantes, restando às multidões perambular em busca de qualquer ocupação ou amargar o desemprego, as privações e a penúria.

Se é verdade que a sociabilidade humana não pode prescindir do trabalho, também é demasiado triste saber que parcelas imensas, que se contam aos bilhões, vivem exclusivamente do labor, do trabalho manual pesado e da fadiga, não dispondo de um mínimo de tempo verdadeiramente livre e dotado de sentido, mesmo que seja para a pura e bela fruição.

No Brasil, se o trabalho primevo havia sido um exercício comunal e autônomo realizado pelos indígenas, a saga europeia do colonizador introduziu, desde cedo, o trabalho compulsório dos aborígenes e, em seguida, a ainda mais brutal escravização dos africanos. Em nome da modernidade mercantil nascente, o vilipêndio vicejou na jovem colônia tropical.

Mais tarde, com a abolição da escravidão, o imigrante branco europeu foi o escolhido para o assalariamento urbano-industrial como principal alternativa aos trabalhadores negros, que povoavam a nossa produção agrária. Senhorial, escravista e elitista, nossa aristocracia rural converteu o trabalho escravo negro, transformando especialmente as mulheres em assalariadas domésticas, uma forma de perpetuar a herança servil da nova *casa grande* nas cidades.

Foi somente a partir de 1930 que a modernização capitalista do país obrigou, depois de décadas de lutas operárias, a se pensar em uma legislação social protetora do trabalho. De modo conflituoso e contraditório, foi assim que nasceu, sob Vargas, a CLT, que tinha a aparência da *dádiva* e da *outorga*, mas cuja real impulsão era a rebeldia operária nascente. Carregando sua contradição original, a CLT acabou por se tornar, no universo da vida cotidiana da classe trabalhadora, uma espécie de *constituição do trabalho no Brasil*. Foi assim que ela entrou para a história do trabalho em nosso país. Mas é bom recordar: seus direitos excluíam as massas assalariadas do campo. Nossa aristocracia rural, já naquela época, não brincava em serviço.

A desfiguração do trabalho

Hoje estamos diante de um novo vilipêndio em relação aos direitos do trabalho no país, cujo significado tem requintes comparáveis aos da escravidão. Descontentes com os parcos direitos conquistados pela classe trabalhadora, os capitais exigem a *terceirização total* do trabalho, conforme consta de modo cabal no PL 4.330 (depois modificado para PLC 30/2015).

As falsidades presentes no projeto que objetiva a terceirização total são conhecidas: ao invés de criar empregos, ela de fato desemprega, uma vez que os terceirizados trabalham mais, recebendo menos. Assim, a terceirização efetivamente *reduz os* empregos e subtrai salários.

Em vez de "qualificar" e "especializar", temos fortes evidências em outra direção: é nas atividades terceirizadas que se ampliam os acidentes de trabalho (vejam-se os ramos do setor eletricitário, petroquímico, entre tantos outros), dadas as limitações frequentes daqueles que são responsáveis por atividades sem o preparo adequado.

É nessas atividades *terceirizadas* que as burlas à legislação social protetora do trabalho se tornam mais recorrentes. Bastaria dizer que, na Justiça do Trabalho, há incontáveis casos de terceirizados que não conseguem nem localizar as empresas responsáveis, que não poucas vezes desaparecem sem deixar rastro[1]. Muitos terceirizados ficam anos sem usufruir de um dia sequer de férias, pois a contingência e a incerteza avassalam o seu cotidiano. Só uma minoria recorre à Justiça do Trabalho, pois o terceirizado (e a terceirizada) não tem tempo nem recursos e, frequentemente, carece do apoio de sindicatos para fazê-lo. Nos serviços, em que a terceirização se expande com rapidez, sabemos que viceja de forma ampla a informalidade e a alta rotatividade.

Indo ao *fundo do debate e da questão*, o PLC não pretende, como aparentemente propugna, *regulamentar os terceirizados, mas ampliar o universo em que a regulamentação do trabalho é mais burlada do que vigente. Assim, com a aparência do avanço e da "conquista", se objetiva, numa dialética infernal, de fato desregulamentar o trabalho em geral, reduzindo a maioria da classe trabalhadora assalariada, regida pela CLT, em assalariados terceirizados (numa gama de possibilidades), em deserdados dos direitos do trabalho, abrindo caminho para uma admirável sociedade da terceirização completa.*

Assim, além da redução salarial, redução de custos, burla de direitos, enfraquecimento da organização sindical e ruptura de seus laços de solidariedade, o projeto da terceirização total objetiva uma regressão, sem precedentes na história moderna do trabalho no Brasil, imposta pelo mundo financeirizado (entenda-se, não só dos bancos, mas abarcando também o grande empresariado industrial, o agroindustrial e o de serviços, que dependem e são comandados, no plano mais geral, pelo capital financeiro). Esses setores exigem a terceirização total.

A terceirização total e o novo vilipêndio

Sabemos que o capitalismo, desde o início da década de 1970, vem apresentando um movimento tendencial em que a *informalidade* e a *precarização* se tornaram mecanismos recorrentes para a ampliação do lucro das empresas, sejam elas globais – as transnacionais –, sejam elas microcósmicas – as pequenas e as médias empresas. E a *terceirização*, por sua vez, vem se consolidando, em tantas partes do mundo, como uma ferramenta, uma verdadeira

---

[1] Vitor Araújo Filgueiras, *Estado e direito do trabalho no Brasil: regulação do emprego entre 1988 e 2008* (tese de doutorado em Ciências Sociais, Faculdade de Filosofia e Ciências Humanas, Universidade Federal da Bahia, 2012).

praga propulsora dessa *razão instrumental* profundamente destrutiva em relação ao trabalho[2].

Em meio ao furacão da mais recente crise mundial, a partir de 2008, esse quadro se intensificou ainda mais, aprofundando a derrelição do trabalho contratado e regulamentado, taylorista e fordista, cujos mecanismos de regulação e contratação social vêm sendo corroídos em profundidade, em amplitude global, pela desregulamentação *que de fato* ocorre com a expansão da *terceirização*, da *informalidade* e da *precarização* (fenômenos distintos, mas interligados e aparentados), da qual o principal objetivo é o de incrementar os mecanismos e formas de extração do sobretrabalho, de sujeição e divisão dos trabalhadores e das trabalhadoras a essa pragmática perversa que se expande tanto na indústria quanto na agricultura e nos serviços, todos eles praticantes da lógica financeirizada que os conduz.

Assim, impulsionados no *topo* pela lógica destrutiva do capital financeiro, que acelera o tempo e modifica o espaço a cada segundo, o vilipêndio do trabalho e a sua corrosão constituem-se em instrumental imprescindível. Capital financeiro no cume e trabalho desregulado nas cadeias produtivas de valor. As formas contemporâneas de trabalho escravo, semiescravo, precarizado, informalizado, terceirizado, flexibilizado, dando contemporaneidade às formas pretéritas do *outsourcing*, do *putting out* etc., contemplam um universo *compósito e heterogêneo*, para lembrar uma expressão que Florestan Fernandes tanto gostava de mencionar.

É nesse cenário, nesse mundo produtivo, que a informalidade deixa de ser a exceção para tendencialmente se tornar a regra. O aumento da precarização se transforma no principal resultado desse capitalismo dito flexível, da *lean production*, da empresa liofilizada, em especial nos espaços em que não se encontram formas vigorosas de contraposição (social, sindical, política, jurídica, valorativa) a esse movimento tendencial destrutivo em relação à classe-que-vive-do--trabalho. Na contrapartida, ampliar todos os modos e formas de confrontação a esse grave ataque ao mundo do trabalho se torna imperativo vital.

A terceirização vem se conformando como um dos principais instrumentos, nos mais diversos ramos e setores produtivos, para

---

[2] Ricardo Antunes, *Os sentidos do trabalho*, cit.; Ricardo Antunes e Graça Druck, "A epidemia da terceirização", cit. Ver também o excelente livro de José Dari Krein, *As relações de trabalho na era do neoliberalismo no Brasil* (São Paulo, LTr, 2013, Debates Contemporâneos, v. 8). Sobre as consequências dessas transformações no processo de *intensificação do trabalho*, ver os melhores estudos realizados no Brasil em Sadi Dal Rosso, *Mais trabalho! A intensificação do labor na sociedade contemporânea* (São Paulo, Boitempo, 2008), e idem, *O ardil da flexibilidade*, cit.

incrementar a *acumulação flexível* que se desenvolve com a desconcentração produtiva das redes de subcontratação (empresas terceirizadas), do trabalho em equipe, da flexibilidade salarial, das "células de produção", dos 'times de trabalho", dos grupos "semiautônomos", além de exercitar, ao menos no plano discursivo, o "envolvimento participativo" dos trabalhadores e das trabalhadoras.

O "trabalho polivalente", "multifuncional", "qualificado", combinado com uma estrutura mais horizontalizada e integrada entre diversas empresas, inclusive nas terceirizadas, tem como finalidade reduzir o tempo de produção e de circulação do capital, ampliando assim a intensidade e, consequentemente, a exploração[3].

A sistemática imposição de "metas" como medição cotidiana da produção e as definições de "competências" a serem cumpridas e efetivadas pelos "colaboradores" viraram o ideário e a pragmática empresarial da empresa flexível vigente no mundo financeiro.

A terceirização se tornou, então, o novo elixir da vida empresarial. Atingindo praticamente todos os setores e ramos produtivos e de serviços, as empresas globais – respaldadas pelos governos – alegam ter de aumentar sua produtividade e competitividade, o que só pode ser feito por meio da corrosão das condições e dos direitos do trabalho. Como é cada vez mais difícil competir com os padrões chineses e indianos de superexploração do trabalho, até a Europa caminha celeremente para o desmonte do chamado *Estado de bem--estar social*.

Quanto mais avança o receituário imposto pelo capital financeiro, mais se esparrama essa pragmática *letal* para o trabalho. Consequência: proliferam, em todos os cantos, as mais diversas formas de trabalho terceirizado, *part time*, desprovidas de direitos ou "pejotizadas". A precarização do trabalho se expressa ainda na disseminação das falsas cooperativas, no apelo ao voluntariado, assim como no incentivo ao empreendedorismo – uma espécie de empregador e assalariado de si próprio. Em comum nesse conjunto de formas assumidas pelo trabalho, pode-se observar a erosão dos empregos associada à corrosão dos direitos do trabalho[4]. Desse modo, a terceirização, que no passado recente era a *exceção* (existente principalmente nos setores de limpeza, segurança e transporte de trabalhadores), vem se tornando a *regra*.

A resultante dessa irrazão instrumental é límpida: *a informalidade se expande em todas as partes do mundo e a terceirização constitui-se em um dos seus principais mecanismos.* Os trabalhadores e trabalhadoras, suas principais vítimas, veem aumentar ainda

---

[3] Sadi Dal Rosso, *Mais trabalho!*, cit., e *O ardil da flexibilidade*, cit.
[4] Ricardo Antunes e Graça Druck, "A epidemia da terceirização", cit.

mais os níveis de *precarização*. Como essa é uma processualidade, e não uma forma pautada pela fixidez, os níveis máximos de precariedade ainda estão longe dos patamares que a lógica destrutiva dos capitais busca implementar. Proliferam, por exemplo, no mundo da máquina *informacional-digital*, presente nas TICs (que invadiram especialmente o setor de serviços agora quase todo *mercadorizado*), os mais distintos e diversificados *modos de ser* da *informalidade* (cujos contratos desconsideram os direitos e a regulamentação social protetora do trabalho), aumentando a precarização (que, repetimos, é um processo no qual as condições de trabalho podem ser sempre mais *intensificadas*). Se não bastasse tudo isso, a mesma pragmática neoliberal, implementada nas empresas privadas, também se expande para as empresas públicas que, junto com o amplo receituário anteriormente descrito, passaram a introduzir também as terceirizações.

Essas se converteram em mecanismo central da estratégia patronal, já que em suas diversas modalidades, principalmente nas empresas de subcontratação, acabam por estabelecer "contratos" que dissimulam as relações entre capital e trabalho, apresentando-as como "contratação interempresarial", entre a empresa contratante e a contratada[5].

Nesse cipoal de empresas terceirizadas, os assalariados e as assalariadas constatam a corrosão crescente de seus parcos direitos, que são diuturnamente burlados. Nunca é demais recordar que, como o trabalho tem sexo, são ainda mais intensas as formas e os modos de exploração do trabalho feminino. Quando o olhar se volta para a divisão sociossexual do trabalho, evidencia-se a penalização ainda mais intensa imposta às mulheres terceirizadas[6].

Não é sem motivo que, na feliz expressão de Graça Druck, estamos presenciando uma verdadeira *epidemia* que vem atingindo a indústria, a agricultura, a agroindústria, os serviços e, em particular, também o setor público[7]. Em um cenário de *crise estrutural do capital*, os capitais exigem a terceirização não só para as chamadas atividades-meio, mas também para as atividades-fim.

Criando trabalhadores e trabalhadoras de "primeira e segunda categorias", fatiando-os e diferenciando-os entre contratados diretamente e "terceirizados", ampliam-se ainda mais as heterogeneizações e fragmentações no corpo produtivo. A título de exemplo: nas jornadas

---

[5] Idem; José Dari Krein, *As relações de trabalho na era do neoliberalismo no Brasil*, cit.

[6] Claudia Mazzei Nogueira, *O trabalho duplicado*, cit.; Ricardo Antunes, *Os sentidos do trabalho*, cit.; *Adeus ao trabalho?*, cit.

[7] Graça Druck, *Terceirização*, cit.; "Trabalho, precarização e resistências", cit.; Graça Druck e Tânia Franco (orgs.), *A perda da razão social do trabalho*, cit.

mais extensas; na intensificação do trabalho; na maior rotatividade; nos salários menores; nos cursos e treinamentos (que em geral são menos frequentes para os terceirizados); no acesso limitado às instalações da empresa (a exemplo de refeitórios e vestiários diferenciados); nas revistas na entrada e na saída da empresa; nas mais arriscadas condições de (in)segurança do trabalho; tudo isso acarretando graves problemas na saúde dos/as trabalhadores/as, tanto no aumento dos acidentes quanto nas estatísticas decorrentes de mortes e suicídios no trabalho[8].

No que concerne em particular às condições de saúde, os estudos revelam um quadro alarmante, em particular na energia elétrica, na extração e no refino de petróleo e na siderurgia, mas esse quadro se estende também para os professores, trabalhadores de call-center e telemarketing. Proliferam as LERs, o assédio moral (essa nova forma de controle e dominação dissimulada), o adoecimento e os padecimentos de todo tipo no corpo produtivo, físico, psíquico, mental[9]. As mortes e os suicídios no trabalho se intensificam sob o silêncio midiático e a surdez institucional. Se tudo isso já não bastasse, a terceirização fragmenta ainda mais as possibilidades de ação e de consciência coletivas, incentiva a nefasta individualização das relações de trabalho, faz crescer a concorrência derivada do sistema de metas e competências, criando o cenário ideal para as empresas dificultarem ao máximo a atividade sindical em defesa dos direitos sociais do trabalho. Vale lembrar que a terceirização impõe também uma pulverização dos sindicatos, ocorrendo muitas vezes de, em uma mesma empresa, os diferentes setores terceirizados se vincularem a sindicatos diferenciados, quando não são proibidos de fato de se filiar e exercer atividades sindicais. Ou seja, além do fosso entre terceirizados e não terceirizados, há também clivagens entre os terceirizados[10].

Assim, a expansão da terceirização nos mais diversos ramos econômicos se efetiva de modo múltiplo: nos tipos de contrato, na remuneração, nas condições de trabalho e de saúde e na representação

---

[8] Ricardo Antunes e Graça Druck, "A epidemia da terceirização", cit.

[9] Idem. Ver também Edith Seligmann-Silva, *Desgaste mental no trabalho dominado* (São Paulo, Cortez, 1994); Graça Druck e Tânia Franco (orgs.), *A perda da razão social do trabalho*, cit.; e a excelente pesquisa de Luci Praun, *Não sois máquina!*, cit. Em relação à precarização dos professores ver Aparecida N. Souza, "Professores, modernização e precarização", em Ricardo Antunes (org.), *Riqueza e miséria do trabalho no Brasil*, v. 3, cit. Em relação à precarização do trabalho na arte, ver Liliana Segnini, "Acordes dissonantes: assalariamento e relações de gênero em orquestras", em Ricardo Antunes (org.), *Riqueza e miséria do trabalho no Brasil*, v. 3, cit.

[10] Ricardo Antunes e Graça Druck, "A epidemia da terceirização", cit.

sindical. As denominadas modalidades *atípicas* de trabalho, como "empreendedorismo", "cooperativismo", "trabalho voluntário" etc., se configuram gradualmente como formas de ocultamento do trabalho assalariado, permitindo aumentar ainda mais as distintas formas de flexibilização salarial, de horário, funcional ou organizativa.

O argumento empresarial, presente no PL 4.330, é pautado pela mais evidente falácia, quando propugna que "a empresa moderna tem de se concentrar em seu negócio principal e na melhoria da qualidade do produto ou da prestação de serviço". Curioso é que, quando defendia a terceirização das atividades-meio, o empresariado argumentava que ela daria condições de focalizar as atividades da empresa em suas finalidades maiores. Obtida a terceirização das atividades-meio, o ideário do capital agora defende a concentração em seu "negócio principal". Como se pode depreender, a dilapidação dos direitos trabalhistas, o rebaixamento salarial e tudo que indicamos anteriormente são os reais objetivos do capital nessa fase de crise econômica e intensificação da recessão, de modo a, uma vez mais, fazer com que a classe trabalhadora pague o ônus maior da crise.

Há ainda um ponto decisivo, que indicamos nos capítulos anteriores e que, em geral, é desconsiderado quando se analisam os múltiplos significados das terceirizações. Sua ampliação beneficia expressivamente a produção do mais-valor, em todos os ramos produtivos e, em particular, no setor de serviços[11].

A terceirização vem se consolidando enquanto elemento de centralidade na estratégia empresarial, uma vez que as *relações sociais estabelecidas entre capital e trabalho são disfarçadas em relações interempresas*, baseadas em contratos por tempo determinado, flexíveis, de acordo com os ritmos produtivos das empresas contratantes que desestruturam ainda mais a classe trabalhadora, seu tempo de trabalho e de vida, seus direitos etc.[12]

Desse modo, a expansão das terceirizações, bem como das empresas especializadas em fornecimento da força de trabalho terceirizada, tem se convertido em importante *elemento propulsor e gerador de mais-valor*. E, mais, o que no passado recente era realizado por empresas estatais prestadoras de serviços públicos, sem fins lucrativos, com o neoliberalismo, a financeirização e a privatização – essa tríade profundamente poderosa e destrutiva –, ampliou-se num mosaico de trabalhos terceirizados, com maior participação nas cadeias produtivas do valor, que *direta ou indiretamente incidem no*

---

[11] Ricardo Antunes (org.), *Riqueza e miséria do trabalho no Brasil*, v. 2, cit.

[12] Ricardo Antunes e Graça Druck, "A epidemia da terceirização", cit.; Graça Druck, "Trabalho, precarização e resistências", cit.

processo de valorização do capital e de geração do *mais-valor*, quer pela agilização do tempo de circulação do capital, quer pela conversão da informação em mercadoria cada vez mais produtiva.

Pelo que se expôs, de modo sintético, podemos concluir que, ao mesmo tempo que a terceirização se converte em um elemento decisivo para o capital, ela também vem tendo papel de relevo no processo de corrosão do trabalho. Obstar essa nova regressão nas condições de trabalho é um imperativo crucial de nosso tempo.

Aqui ganham importância a força e a capacidade de resistência (ou debilidade) do sindicalismo recente no Brasil. Como ele se preparou para enfrentar esses monumentais desafios? É do que trataremos nos dois capítulos seguintes.

Capítulo 11

PARA ONDE FOI O NOVO SINDICALISMO?
Caminhos e descaminhos de uma prática sindical[1]

Entre as décadas de 1970 e 1980, um espectro rondou o movimento sindical brasileiro. O espectro do "novo sindicalismo". O movimento operário e sindical brasileiro viveu na transição daqueles anos um momento de extrema importância para sua história. Após o duro impacto do golpe militar de 1964, que lhe havia deixado pouco espaço de ação, o sindicalismo de corte classista voltava à cena cobrando a ampliação dos espaços para a representação dos interesses da classe trabalhadora. No cenário político mais amplo, a reemergência do movimento dos trabalhadores estremeceu os arranjos políticos da transição para o regime democrático que iam sendo articulados sem levá-lo em consideração.

Esse momento de ressurgimento do sindicalismo nacional foi caracterizado, em uma de suas dimensões, pela concorrência de projetos políticos e sindicais entre setores da esquerda. Fruto dessa conjuntura, o novo sindicalismo despontava da articulação de variadas posições, fazendo frente a outras. Ele propugnava uma ruptura com o passado, que teria sido de "colaboração de classe", "reformista", "conciliador", "cupulista" etc. Direcionando muitas de suas críticas à estrutura sindical, o novo sindicalismo propunha "romper" com ela, articulando-se por vias alternativas. Caminhando nessa direção, organizou-se a Central Única dos Trabalhadores (CUT), que foi, a um só tempo, fruto e motor do novo sindicalismo.

---

[1] Escrito em coautoria com Marco Aurélio Santana.

Este, em algumas de suas vertentes, apesar de seu suposto "antipoliticismo" de origem, esteve também na base de fundação do Partido dos Trabalhadores (PT), chegando com ele ao poder nas eleições presidenciais de 2002 por meio de um de seus filhos diletos, Luiz Inácio Lula da Silva.

Passados já pelos menos trinta anos de trajetória, esse novo sindicalismo enfrenta no presente um conjunto de dilemas quando confrontado com suas práticas e discursos fundacionais. Passou por um importante processo de redefinição, incorporando proposições bastante distintas daquelas defendidas em seus primórdios. As alterações discursiva e prática indicam o processo de construção de uma outra identidade. A longevidade desse projeto sindical, demonstrativa do seu vigor, tem ensejado sempre um amplo balanço de sua trajetória. Nessa trilha, buscaremos analisar aqui o caminho percorrido por ele desde seus momentos iniciais até os governos Lula.

A ditadura militar e as origens do novo sindicalismo

A estrutura sindical brasileira foi urdida, em seus lineamentos fundamentais, durante os governos Vargas, com a criação da legislação sindical que garantia o controle estatal dos sindicatos, em termos financeiros, organizativos, políticos e ideológicos. Foi uma engenharia poderosa, pois, ao mesmo tempo que a legislação trabalhista foi criada, sua aplicação e sua efetividade estavam vinculadas à vida do sindicato oficial, o que representou um duro golpe no pequeno mas ativo sindicalismo autônomo existente no pré-1930, o qual procurou resistir no período seguinte.

Reorientados pelo arcabouço jurídico e político, os sindicatos foram limitados em suas orientações classistas, encontrando nova vitalidade na ação predominantemente assistencialista, ainda que contassem com o direito de estabelecer a negociação salarial de suas respectivas categorias. Articulando incorporação de classe, reconhecimento de direitos e repressão, garantia-se o controle pela via da legislação sindical e fomentava-se o mito varguista do "pai dos pobres" por meio do que seriam concessões na legislação social do trabalho[2].

Claro está que isso não impediu que, em diversas situações, capitaneado por grupos de esquerda, o sindicato oficial não tenha sido posto a funcionar para além das orientações que lhe eram atribuídas, como demonstram vários movimentos de greve, organizações sindicais de base etc.[3]

---

[2] Luiz Werneck Vianna, *Liberalismo e sindicato no Brasil* (Rio de Janeiro, Paz e Terra, 1976).

[3] Marco Aurélio Santana e Ricardo Antunes, "O PCB, os trabalhadores e o sindicalismo na história recente do Brasil", em Marcelo Ridenti e Daniel Aarão Reis

Se serviu como redutor das ações de classe, seria um grave erro considerar que a estrutura sindical era o único elemento dificultador. Seu objetivo não era outro senão desestruturar qualquer experimento de sindicalismo autônomo no Brasil. Travado em suas possibilidades de exercer com liberdade a representação dos interesses do trabalho, o "sindicalismo de Estado" criou, desde 1931, a unicidade sindical; consolidou sua estrutura confederacional; ampliou crescentemente sua prática assistencialista, sendo que, ao fim da década de 1930, especialmente com a criação do imposto sindical e da Lei de Enquadramento Sindical, aumentou ainda mais o controle do Ministério do Trabalho sobre os sindicatos, o que se consubstanciou, em 1943, na CLT[4].

Apesar de todo o esforço no sentido de seu controle nos limites da estrutura sindical, o movimento dos trabalhadores logrou, através dos poros existentes, abrir caminhos alternativos. A década de 1950, por exemplo, marca um período de extrema importância nesse sentido. O movimento sindical, capitaneado pela aliança das militâncias do PCB e do PTB reformista, logrou grande avanço em termos de organização e mobilização, "por dentro" e "por fora" da estrutura, na "base" e na "cúpula", o que resultou em uma forte participação dos trabalhadores no seio da sociedade e na vida política nacional. Pode-se mesmo dizer que se viveu um período rico de lutas[5].

O sindicalismo, oscilando entre o controle estatal e a prática da resistência, encontrava suas principais bases de organização, ainda que não exclusivamente, nas empresas estatais, setores em que o PCB detinha forte presença e força, movimento que levou à criação do Comando Geral dos Trabalhadores (CGT), que atuou diretamente, com outras organizações populares, visando a realização das "reformas de base" durante o governo Goulart.

Malgrado isso, após mais de uma década de intenso crescimento e atividade, toda a estrutura organizacional dos trabalhadores brasileiros, na base e na cúpula, foi duramente atingida pelo golpe de Estado de 1964[6]. Os golpistas apresentavam como uma de suas justificativas exatamente impedir a implantação de uma "república sindicalista" no país.

(orgs.), *História do marxismo no Brasil*, v. 6: *Partidos e movimentos após os anos 1960* (Campinas, Editora da Unicamp, 2007).

[4] Luiz Werneck Vianna, *Liberalismo e sindicato no Brasil*, cit.; Angela Araújo, *A construção do consentimento: corporativismo e trabalhadores nos anos trinta* (São Paulo, Scritta, 1998).

[5] Marco Aurélio Santana, *Homens partidos: comunistas e sindicatos no Brasil* (São Paulo/Rio de Janeiro, Unirio/Boitempo, 2001).

[6] Daniel Aarão Reis, Marcelo Ridenti e Rodrigo Patto Sá Motta (orgs.), *O golpe e a ditadura militar: 40 anos depois (1964-2004)* (Bauru, Edusc, 2004).

O golpe de 1964 atuou, então, de modo dual: fortaleceu sobremaneira essa tendência de controle estatal dos sindicatos e, por outro lado, desencadeou uma intensa repressão aos setores sindicais mais combativos, liderados pelos comunistas e também pelos trabalhistas reformistas[7]. Essa repressão foi vital para a desorganização da classe operária e, em paralelo, para a reorganização capitalista no pós-1964, que sepultava as reformas de base, exigia a reorientação conservadora dos sindicatos e o consequente rebaixamento dos salários para avançar no processo de acumulação monopolista e oligopolista que os capitais exigiam.

Desencadeando enorme repressão contra o sindicalismo, a ditadura decretou a ilegalidade dos organismos intersindicais e determinou a intervenção em mais de uma centena de entidades sindicais, sendo, obviamente, o golpe mais duro desfechado naquelas lideradas pela aliança comunista-trabalhista[8].

Ao longo desse período se ampliaram algumas tendências na economia que produziriam uma intensa transformação na face do país como um todo e, principalmente, em sua classe operária. A intensificação da introdução de plantas industriais modernas e sua concentração geográfica possibilitam o surgimento do que se convencionou chamar de "nova classe operária". Ainda que não exclusivamente, serão esses os atores que, mais tarde, assumirão papel central na crise da ditadura militar. Despontavam, então, a expansão do padrão de acumulação e a expansão industrial em gestação desde os anos 1950, ampliando de modo significativo, a partir do golpe de 1964, o novo proletariado industrial no Brasil, concentrado particularmente no cinturão industrial automotivo e metalúrgico do ABC Paulista, onde estavam instaladas as grandes montadoras[9].

Essa forte expansão da classe trabalhadora, ao final dos anos 1970, constituiu-se na principal base social do novo sindicalismo que começava a florescer e que encontrava capilaridade nos trabalhadores industriais, nos assalariados rurais, nos funcionários públicos e nos setores assalariados médios urbanos que se "prole-

---

[7] Marco Aurélio Santana e Ricardo Antunes, "O PCB, os trabalhadores e o sindicalismo na história recente do Brasil", cit.

[8] Marco Aurélio Santana, "Homens partidos", cit., e "Entre a ruptura e a continuidade: visões da história do movimento sindical brasileiro", *Revista Brasileira de Ciências Sociais*, São Paulo, v. 14, n. 41, 1999; disponível em: <http://www.scielo.br/scielo.php?script=sci_arttext&pid=S0102-69091999000300007>; acesso em: 26 dez. 2017.

[9] Ricardo Antunes, *Classe operária, sindicatos e partido no Brasil: da Revolução de 30 até a Aliança Nacional Libertadora* (São Paulo, Cortez, 1988); Celso Frederico, *A vanguarda operária* (São Paulo, Símbolos, 1979).

tarizavam", entre tantos outros espaços do mundo do trabalho que se alterava profundamente. O setor de serviços e a agricultura também gestavam novos contingentes de assalariados que ampliavam a classe trabalhadora.

O novo sindicalismo e a década sindical

A retomada das lutas sociais era, então, questão de tempo. Foi na segunda metade dos anos 1970 que aflorou um vasto movimento grevista, a partir da greve da Scania, em 1978, em São Bernardo do Campo, movimento que se generalizou nos anos seguintes e em particular na década de 1980, quando o Brasil chegou a ocupar o topo dos países com as mais altas taxas de greve entre as nações capitalistas. Eram greves gerais por categoria, greves com ocupação de fábricas, por empresas que se esparramavam por todo país e praticamente todos os ramos produtivos, sendo que pudemos presenciar também a eclosão de quatro greves gerais nacionais, das quais a de março de 1989, após o completo fracasso do Plano Cruzado, foi a mais expressiva[10].

Foi nesse quadro de significativo ascenso do sindicalismo que ocorreu o nascimento das centrais sindicais. A CUT, a mais importante de todas, foi criada em 1983, depois de um longo período de inexistência de centrais sindicais, desde a decretação da ilegalidade do CGT, em 1964, anteriormente mencionada. Inspirada no sindicalismo emergente desde meados de 1970, herdeira maior e direta das lutas sindicais que renasciam com vitalidade, a CUT foi resultante de um movimento multiforme que aglutinou o novo sindicalismo, nascido no interior da estrutura sindical daquele período e que tinha no Sindicato dos Metalúrgicos de São Bernardo o exemplo maior; o movimento das "oposições sindicais", de que o melhor exemplo foi o Movimento de Oposição Metalúrgica de São Paulo (Momsp), que pautava sua ação predominantemente por fora da estrutura sindical oficial, entre outras tendências, como o sindicalismo de origem rural, que também ampliava seu campo de ação[11].

Essa articulação entre várias forças conferiu à CUT um nítido e predominante sentido contrário ao "sindicalismo de Estado", que se encontrava ainda mais subordinado, atrelado e verticalizado pelas medidas ditatoriais e repressivas do imediato pós-1964, que, como vimos, desestruturaram a organização sindical dos comu-

---

[10] Ricardo Antunes, *Classe operária, sindicatos e partido no Brasil*, cit.; *O novo sindicalismo no Brasil* (Campinas, Pontes, 1995).

[11] Leôncio Martins Rodrigues, *CUT: os militantes e a ideologia* (Rio de Janeiro, Paz e Terra, 1990); Iram Jácome Rodrigues, *Sindicalismo e política: a trajetória da CUT* (São Paulo, Scritta, 1997).

nistas e trabalhistas que disputavam a hegemonia no movimento sindical. Em seu manifesto de fundação, a CUT defendia uma organização sindical construída pela base, classista, autônoma, independente do Estado, além de assumir a defesa de uma sociedade sem exploração entre capital e trabalho, ou seja, mirava a possibilidade efetiva de ajudar na construção de uma sociedade socialista.

Vale acrescentar que essa proposta não era puramente verbal, mas se alicerçava na prática da maioria das correntes sindicais que se unificaram visando a criação da principal aspiração da classe trabalhadora brasileira: sua própria central, autônoma e desatrelada do Estado. Os avanços obtidos até então, por meio da organização nos locais de trabalho e da criação de várias comissões de fábricas e de grupos de base vinculados ao novo sindicalismo ou às chamadas "oposições sindicais", foram também decisivos para a defesa concreta da autonomia e da liberdade sindicais em relação ao Estado. Assim, o combate aberto ao imposto sindical, à estrutura confederacional e de cúpula, ao controle do Ministério do Trabalho para a criação de sindicatos, enfim, o combate aos fortes traços corporativistas que existiam na estrutura sindical, estava no centro da proposta e da prática da nova central emergente.

Em 1983, quando a CUT foi criada, vivenciávamos uma contextualidade mais favorável ao novo sindicalismo, uma vez que a luta contra a ditadura e pela redemocratização ampliou-se muito com as ações do movimento estudantil, a campanha pelas eleições diretas, além da crescente onda grevista já mencionada.

No universo sindical, dada a conjuntura brasileira, caminhava-se em sentido inverso às tendências regressivas de crise sindical vigentes nos principais países capitalistas avançados. O novo sindicalismo caminhava no contrafluxo das tendências antissindicais, presentes naqueles países, os quais ingressavam na tragédia neoliberal e na reestruturação produtiva do capital.

Ao longo dos anos 1980, que podem ser considerados uma década vitoriosa para os movimentos sociais no Brasil, o novo sindicalismo esteve à frente das lutas sociais, junto com o PT e o Movimento dos Trabalhadores Rurais Sem Terra (MST), entre outros; esteve presente na campanha por eleições presidenciais diretas; participou ativamente da organização das quatro greves gerais deflagradas; sua atuação foi decisiva na defesa dos interesses da classe trabalhadora durante a Assembleia Nacional Constituinte até a promulgação da Constituição; ao participar das eleições para a Presidência da República; ao avançar na conquista da autonomia e da liberdade sindicais em suas ações concretas; ao combater a estrutura confederacional; ao denunciar o imposto sindical, entre tantos outros importantes exemplos[12].

Talvez a referência mais emblemática seja o resultado estampado na Constituição de 1988, que, apesar de limitada em vários aspectos, contemplou mudanças na organização sindical, como o fim do "estatuto padrão", o direito de greve, a livre organização sindical dos funcionários públicos, ainda que tenha preservado a "unicidade sindical", o imposto sindical, entre outros elementos restritivos. Sem sombra de dúvida, os trabalhadores e suas organizações se mobilizaram no sentido de ver seus interesses dispostos na Constituição. Em certos momentos operaram juntos, em outros, contudo, se dividiram, tendo em vista suas variadas posições.

Ao longo dos anos 1980, portanto, vimos o desenvolvimento e a institucionalização do novo sindicalismo, agora organizado na CUT e no PT. Sem dúvida, foram esses dois instrumentos que hegemonizaram a luta dos trabalhadores naquela década. Porém, se o PT capitaneou a causa dos trabalhadores, não o fez sem problemas. Ao eleger deputados, prefeitos e governadores, e tendo de lidar com uma ampla gama de questões que o pressionaram fora de sua seara, o PT e o novo sindicalismo (ao menos alguns de seus setores) enfrentaram-se várias vezes.

Apesar de tudo, impulsionado por uma "década sindical" vitoriosa, em 1989, um digno representante do novo sindicalismo chega às primeiras eleições diretas para presidente, pós-1964, como uma forte opção, propondo um projeto alternativo de condução do país. Contudo, a sua derrota no pleito já indicava que a década futura seria marcada por reveses para os trabalhadores.

Tanto o PT quanto a CUT começaram a alterar o que, até então, pareciam ser suas características definidoras. O partido se institucionalizava e, entre outras coisas, não só mudava sua estrutura interna como ia assumindo alianças mais amplas, o que ele sempre negara. O novo sindicalismo também se institucionalizava, alterava sua estrutura e passava a questionar, por exemplo, a validade da greve como instrumento de luta imediata. Chegava a época do chamado "sindicalismo propositivo" e da "cooperação conflitiva"[13].

Dadas as mudanças na conjuntura política nacional e internacional, os anos 1990 serão marcados pela consolidação das "novas" práticas tanto do PT quanto da CUT. O refluxo do padrão conflitivo, a inserção e a atenção cada vez maiores do partido no cenário político-eleitoral serão a tônica.

---

[12] Ricardo Antunes, *O novo sindicalismo no Brasil*, cit.; Marco Aurélio Santana, "Entre a ruptura e a continuidade", cit.; Iram Jácome Rodrigues, *Sindicalismo e política*, cit.

[13] Iram Jácome Rodrigues, *Sindicalismo e política*, cit.; Arnaldo Nogueira, *A modernização conservadora do sindicalismo brasileiro* (São Paulo, Educ/Fapesp, 1998).

A década neoliberal

Foi, como vimos, nos últimos anos da década de 1980, e especialmente na seguinte, que as primeiras manifestações regressivas começaram a se revelar no país, sobretudo com a vitória de Fernando Collor de Mello, em 1989. Pouco a pouco, o novo sindicalismo seria confrontado por um contexto bastante adverso e começaria a esbarrar em dificuldades e desafios que contrariavam suas bandeiras originais. A forte pressão interna e externa exigida pelos capitais, visando o deslanche da reestruturação produtiva, a financeirização ainda maior da economia, a livre circulação dos capitais, a privatização do setor produtivo estatal, a flexibilização da legislação trabalhista, em suma, a pressão para uma nova inserção do Brasil na divisão internacional do trabalho que se desenvolvia sob a hegemonia neoliberal começava a afetar mais intensamente o país[14].

Se no longo período da ditadura e mesmo no da "Nova República" o Brasil ainda não havia se inserido efetivamente no processo de reestruturação produtiva do capital comandado pelo neoliberalismo, durante os dois anos do governo Collor essa realidade mudou por completo. Dada a intensa corrupção que caracterizou seu governo, um amplo movimento social e político, deflagrado no ano de 1992, levou ao seu *impeachment*. Não deve passar sem registro uma mudança de rota na concepção política da CUT durante esse período: sua direção aceitou, pela primeira vez, uma proposta de negociação com o governo Collor, o que não ocorreu sem grandes tensões e polêmicas no interior da instituição.

Depois do *impeachment* de Collor e do curto período governado pelo vice-presidente Itamar Franco, Fernando Henrique Cardoso foi eleito em 1994 e, com sua reeleição em 1998, nosso parque produtivo foi profundamente impactado pelas privatizações amplas do setor produtivo estatal, alterando o tripé que estruturava a economia brasileira, pelo aumento da presença dos capitais estrangeiro e nacional[15]. Embora o capital estatal ainda tivesse presença importante em alguns ramos, parcela significativa do setor produtivo estatal foi privatizada e passou a ser propriedade do capital transnacional.

Essa processualidade foi intensa e acabou gerando fortes consequências, em particular na CUT e no novo sindicalismo. Desregulamentação, flexibilização, privatização e desindustrialização se tornaram dominantes, sendo que a informalidade, a terceirização, o subemprego

---

[14] Giovanni Alves, *O novo (e precário) mundo do trabalho*, cit.; Graça Druck, "Terceirização", cit.; Adalberto Moreira Cardoso, *A década neoliberal e a crise dos sindicatos no Brasil* (São Paulo, Boitempo, 2003).

[15] Graça Druck, "Terceirização", cit.; Adalberto Moreira Cardoso, *A década neoliberal e a crise dos sindicatos no Brasil*, cit.

e o desemprego aberto atingiram altos níveis, gerando uma pletora de distintas modalidades de trabalho precarizado e informal[16].

É preciso lembrar também que logo no início do governo Fernando Henrique, em 1995, houve uma importante greve dos trabalhadores petroleiros que foi duramente reprimida pelo Estado, que se utilizou de todos os recursos existentes para derrotá-la. Esse foi, de fato, o primeiro teste contra a política neoliberal de FHC e, por isso, exemplarmente reprimido. Essa greve também marcou uma divisão no interior da CUT, que, já mais propensa e aberta às políticas de concertação e negociação, recebeu duras críticas pela falta de coesão e de maior apoio aos petroleiros.

Com a derrota dessa importante greve, deslanchou ainda mais o processo de reestruturação produtiva, sob a condução neoliberal. A nova realidade arrefeceu e tornou mais moderado e defensivo o novo sindicalismo, que assumia um perfil mais propenso à negociação, num cenário sindical marcado pela existência de várias centrais sindicais e pela emergência de um sindicalismo mais sintonizado com a onda neoliberal, como a Força Sindical, criada em 1991 e que viria a polarizar com a CUT os espaços de representação dos trabalhadores[17].

Em paralelo ao advento dessa nova variante no sindicalismo brasileiro, a CUT, impulsionada sobretudo por sua tendência hegemônica, a Articulação Sindical, aproximava-se fortemente dos experimentos sindicais baseados no sindicalismo social-democrata europeu. Tratava-se, então, ao contrário de sua proposta original, de implementar um sindicalismo mais contratualista, propositivo, institucionalmente forte e cada vez mais verticalizado, capaz de ser uma alternativa possível ao neoliberalismo.

A defesa da redução dos tributos à indústria automobilística, como forma de dinamizar o setor e com isso preservar empregos, a política de incentivo às "camadas setoriais", espaço policlassista de negociação, e a constante participação em outros fóruns e espaços de negociação tripartites distanciavam cada vez mais a CUT de seus valores fundacionais.

Os anos de ouro do novo sindicalismo começavam a ser substituídos por práticas de concertação. As políticas de "convênios", "apoios financeiros", "parcerias" com a social-democracia sindical, sobretudo europeia, levada a cabo amplamente por duas décadas, também acabaram reorientando o novo sindicalismo, ajudando a arrefecer sua postura mais classista ao valorizar com maior ênfase

---

[16] José Ricardo Ramalho e Heloisa Martins (orgs.), *Terceirização: diversidade e negociação no mundo do trabalho* (São Paulo, Hucitec, 1994); Graça Druck, *Terceirização*, cit.; Giovanni Alves, *O novo (e precário) mundo do trabalho*, cit.

[17] Leôncio Martins Rodrigues e Adalberto Moreira Cardoso, *Força Sindical: uma análise sociopolítica* (Rio de Janeiro, Paz e Terra, 1993).

os espaços institucionalizados, as máquinas sindicais hierarquizadas e burocratizadas.

Lula e o PT chegam ao poder: e a CUT, o que fazer?

Foi em sua quarta disputa eleitoral, em 2002, que Lula se sagrou vitorioso nas eleições presidenciais. O Brasil não era mais o mesmo: em 1989, quando Lula fora candidato pela primeira vez, experimentávamos, como vimos antes, um exuberante ciclo de lutas sociais, sindicais e operárias. Em 2002, o contexto era outro: a desertificação neoliberal tinha sido poderosa; a reestruturação produtiva, avassaladora, de modo que o PT precisou publicar seu documento emblemático, conhecido como "Carta aos brasileiros", tranquilizador para os mercados, especialmente o financeiro, em que evidenciava a aceitação dos elementos mais substantivos orientados pelo FMI. Para ter a chance efetiva de ganhar as eleições, o candidato Lula deveria se mostrar adaptado e em conformidade com o mundo financeiro globalizado.

O impacto real e simbólico da candidatura operária deveria receber o aval do *status quo* financista. Em vez de ruptura, o país dominante exigia continuidade. A política econômica do novo governo não comportava nem dúvidas, nem riscos. Além de preservar os benefícios aos capitais financeiros, garantir o superávit primário, manter a estrutura fundiária concentrada, determinar a cobrança de impostos aos trabalhadores aposentados e manter as privatizações, sob a forma das parcerias público-privadas, o governo Lula dava passos mais largos. Passou a incentivar fortemente a participação dos fundos privados de pensão, tanto na previdência privada quanto nas privatizações em curso.

Assim, se pretendia integrar representantes de parcela dos trabalhadores na montagem do modelo capitalista em curso. O traço distintivo mais visível em relação ao governo FHC foi a extensão do programa Fome Zero, depois metamorfoseado em Bolsa Família, que no governo anterior tinha a denominação de Bolsa Escola e atingia um escopo bastante reduzido.

Se este não é o espaço para aprofundar os movimentos e contramovimentos da era Lula, há pelo menos dois pontos centrais, diretamente vinculados à relação que se estabeleceu entre a cúpula sindical e o Estado, que devem ser mencionados: a proposta de "reforma trabalhista e sindical" e a ampliação do direito de recebimento do imposto sindical pelas centrais.

O campo sindical havia se ampliado e se complexificado sobremaneira ao longo dos governos FHC e do primeiro governo Lula. Foi entre os anos de 2004 e 2005 que ganhou força a proposta de reforma sindical, elaborada pelo órgão tripartite denominado Fórum Nacional do Trabalho (FNT). Se essa proposta foi obstada tanto pelas denúncias do "mensalão", que atingiram duramente o governo Lula, quanto pela forte oposição que encontrou em diversos setores sindicais, ela indicava alguns pontos que contradiziam diretamente os princípios que nortearam a criação da CUT e a prática do novo sindicalismo. Seria difícil imaginar que, entre outros aspectos, o reforço da verticalização impregnado nessa proposta pudesse contar em sua origem com a adesão da CUT, para quem organização de base, liberdade e autonomia sindicais eram princípios vitais e inegociáveis.

A nova política de controle de setores importantes do novo sindicalismo era primordial para o governo Lula e recuperava, em certo sentido, a política de mão dupla: a cúpula sindical ascenderia a cargos na alta burocracia estatal; as verbas seriam ampliadas via Fundo de Amparo ao Trabalhador (FAT) e outros fundos estatais, garantindo, desse modo, o apoio das principais centrais sindicais ao governo, num cenário claramente marcado pelo pluralismo das centrais sindicais.

Foi assim que, posteriormente, em 2008, pouco antes de terminar seu governo, Lula, ao mesmo tempo que reconhecia as centrais sindicais, permitia que o imposto sindical também as beneficiasse. Além dos recursos do FAT e dos inúmeros apoios financeiros de ministérios, também o imposto sindical passava a ser usufruído pelas centrais. A velha bandeira da CUT e de tantos sindicatos, qual seja, a luta pela cotização autônoma de seus associados, passava a fazer mais parte da história que do presente.

Teria, então, envelhecido o novo sindicalismo, aquele vigoroso movimento de meados dos anos 1970-1980? Estaria sendo envolvido pelo que diagnosticava negativamente com tanta ênfase em sua origem? O "sindicalismo de Estado", ampliado e consentâneo aos novos tempos, com sua prática negocial, estaria reabsorvendo e envelhecendo (precocemente) o que havia originado o novo sindicalismo? Ele estaria, então, sofrendo um processo de fagocitose?

* * *

As perspectivas e forças sociais e políticas que se associaram no novo sindicalismo, em sua gestação, tinham forte acento na ideia de ruptura. Assim, esse sindicalismo conferiu grande ênfase em seu caráter de novidade, o que acabou impedindo que desse a devida atenção às dificuldades historicamente experimentadas pelo movimento dos trabalhadores no Brasil. Por isso, talvez, ele não tenha podido sequer desviar dos obstáculos, reproduzindo, ao longo do tempo, práticas que tanto dizia combater.

Ao estabelecer um corte total com a trajetória do movimento dos trabalhadores, o novo sindicalismo tomou-se como o ponto zero dessa história. Desse modo, negadas as experiências passadas, alguns problemas já tradicionais acabaram por ser enfrentados como se fossem novidades, sendo percebidos como passíveis de resolução supostamente nova, a partir da mera vontade política dos atores sociais. A realidade, contudo, mostrou-se muito mais complexa e relutante do que aquele enquadramento poderia supor.

Desse modo, pode-se perceber que o novo sindicalismo tem traços de novidade para o contexto, mas, ao mesmo tempo, fortes marcas de continuidade. No processo de construção de sua identidade, o novo sindicalismo reforçou suas distinções com práticas pretéritas, atribuindo a elas qualificações bastante negativas. Em termos discursivos, houve uma radicalização que, em muito, ofuscou também diversos dilemas já existentes na própria origem desse sindicalismo.

Não se pode deixar de indicar que, nos anos 1980, apesar das muitas e importantes conquistas em diversos planos, o sindicalismo não conseguiu superar alguns de seus tradicionais limites, mantendo, por exemplo, a dificuldade de se enraizar no interior das empresas. Dessa forma, embora muito valorizadas no discurso, as organizações por local de trabalho acabaram se tornando uma experiência muito esparsa e pontual. Além disso, se as mobilizações foram importantes para atenuar os impactos degenerativos da inflação na vida dos trabalhadores, elas não conseguiram a necessária generalização das conquistas, o que, dadas a heterogeneidade e a disparidade organizacional e de poder de barganha existentes entre as categorias, de certa forma as restringiu às mais fortes e organizadas.

O novo sindicalismo trouxe em seus marcos, tanto nas limitações quanto nas possibilidades, uma retomada de práticas pretéritas já experimentadas na história do sindicalismo por setores que, ao seu tempo, se identificaram com posições progressistas no avanço da luta dos trabalhadores. Ao se identificar com o polo mais dinâmico da classe em seu movimento, ele deu uma grande contribuição no sentido de combater as políticas conservadoras e restritivas para o movimento sindical, ampliando a participação dos trabalhadores em suas entidades na luta por suas reivindicações, bem como sua intervenção no quadro político mais geral. A mudança de posição sentida ao longo do tempo se deveu a fatores tanto externos (conjuntura econômica e política) quanto internos (orientação política e luta pela hegemonia).

A classe em movimento teve no novo sindicalismo um importante canal, servindo-lhe como elemento vocalizador e fomentador de suas demandas, como outros haviam sido antes. Da mesma maneira, o novo sindicalismo teve de enfrentar as dificuldades que já historicamente estabelecem desafios para a experiência política e organizativa da classe trabalhadora brasileira. Ele ainda ganhou componentes novos, especialmente a partir do nascimento e da consolidação da Força Sindical, que passou a se confrontar abertamente com a CUT visando a ampliação e a afirmação de sua base social, conforme veremos no capítulo seguinte.

Capítulo 12

DO SINDICALISMO DE CONFRONTO AO SINDICALISMO NEGOCIAL[1]

O objetivo deste capítulo, dando continuidade ao anterior, é compreender as mutações que vêm ocorrendo nos organismos de representação da classe trabalhadora, particularmente as transformações experimentadas pelas principais centrais sindicais, visando oferecer uma resposta inicial à indagação que o motiva: *para onde foram os sindicatos?*

A fim de indicar algumas respostas que particularizam o caso brasileiro, vamos procurar compreender, em linhas mais gerais, quais foram os ideários e as principais ações desencadeadas pelas duas principais centrais sindicais que atuaram – e atuam – no Brasil recente: a CUT e a Força Sindical. Essa análise tem como pano de fundo o contexto econômico, político e sindical que remete aos ciclos das lutas e ações sindicais travadas nas últimas décadas do século XX no país.

Para esboçar uma resposta preliminar à questão, parece-nos adequado partir da seguinte hipótese: o sindicalismo brasileiro recente (ou "novo sindicalismo", como se consagrou na bibliografia especializada) vem se transformando de modo acentuado; inaugurado pelas greves de 1978, bem como pelas primeiras articulações sindicais que se desenvolveram desde meados daquela década, o novo sindicalismo promoveu mudanças significativas na cultura sindical e política brasileira ao instituir novas práticas, mecanismos e

---

[1] Escrito em coautoria com Jair Batista da Silva.

instituições. Gradativamente, entretanto, ao longo de mais de três décadas, suas práticas cotidianas de acentuada (ainda que não exclusivamente) tendência confrontacionista foram sendo substituídas por uma nova pragmática sindical predominantemente negocial, em que o confronto cedeu espaço para parcerias, negociações e incentivo aos pactos sindicais etc.[2]

O desdobramento dessa mutação vem consolidando uma prática sindical que, além de fetichizar a negociação, transforma os dirigentes em *novos gestores* que encontram na estrutura sindical mecanismos e espaços de realização, tais como operar com fundos de pensão, planos de pensão e de saúde, além das inúmeras vantagens intrínsecas ao aparato burocrático típico do *sindicalismo de Estado* vigente no Brasil desde a década de 1930. Isso mudou o perfil das lideranças e das práticas sindicais adotadas até então. Tais mudanças alteraram também o destinatário do discurso sindical, cujo ideário vai paulatinamente se deslocando de um sindicalismo de classe para um sindicalismo cidadão[3].

Sabemos que essas mutações e metamorfoses nas práticas sindicais ocorreram ao longo da um período expressivo da ação da classe trabalhadora e suas formas de organização no Brasil. Ao longo dos anos 1980, por exemplo, o país esteve à frente das lutas sociais e sindicais, mesmo quando comparado com outros países avançados dotados de ampla experiência sindical. A criação do PT, em 1980, da CUT, em 1983, do MST, em 1984, a luta pelas eleições diretas, em 1985, a eclosão de quatro greves gerais ao longo da década, a campanha pela Constituinte, a promulgação da nova Constituição, em 1988, e, finalmente, a efetivação das eleições diretas, em 1989, são exemplos vivos da força das lutas daquela década[4]. Houve avanços

---

[2] Ricardo Antunes, *Os sentidos do trabalho*, cit.; Ricardo Antunes e Marco Aurélio Santana, "Para onde foi o novo sindicalismo? Caminhos e descaminhos de uma prática sindical", em Daniel Aarão Reis, Marcelo Ridenti e Rodrigo Patto Sá Motta (orgs.), *A ditadura que mudou o Brasil* (Rio de Janeiro, Zahar, 2014), e "The Dilemmas of the New Unionism in Brazil: Breaks and Continuities", *Latin American Perspectives*, Califórnia, v. 41, n. 5, 2014; disponível em: <http://journals.sagepub.com/doi/full/10.1177/0094582X14541228>; acesso em 25 dez. 2017; Jair Batista da Silva, *Racismo e sindicalismo: reconhecimento, redistribuição e ação política das centrais sindicais acerca do racismo no Brasil (1983-2002)* (tese de doutorado em Ciências Sociais, Instituto de Filosofia e Ciências Humanas, Universidade Estadual de Campinas, 2008), e "Ação sindical, racismo e cidadania no Brasil", em Ricardo Antunes (org.), *Riqueza e miséria do trabalho no Brasil*, v. 2, cit.

[3] Jair Batista da Silva, *Racismo e sindicalismo*, cit.; Ricardo Antunes, *O novo sindicalismo no Brasil*, cit.; Iram Jácome Rodrigues, *Sindicalismo e política*, cit.; Leôncio Martins Rodrigues e Adalberto Moreira Cardoso, *Força Sindical*, cit.

[4] Retomamos aqui várias ideias apresentadas especialmente em Ricardo Antunes e Marco Aurélio Santana, "Para onde foi o novo sindicalismo?", cit.

significativos na reivindicação por *autonomia* e *liberdade* dos sindicatos em relação ao Estado, por meio do combate ao imposto sindical, à estrutura confederacional, cupulista, hierarquizada e atrelada[5], instrumentos que se constituíam em alavancas utilizadas pelo Estado e pelas classes dominantes para controlar os sindicatos e a classe trabalhadora. Aquela década conformou também um quadro nitidamente favorável para o chamado "novo sindicalismo", que caminhava em direção contrária à crise sindical presente em vários países capitalistas avançados.

Entretanto, no final da década de 1980 já começavam a despontar as tendências econômicas, políticas e ideológicas que foram responsáveis pela inserção do sindicalismo brasileiro na onda regressiva, resultado tanto da reestruturação produtiva em curso em escala planetária quanto da emergência da pragmática neoliberal e da financeirização do capital, que passaram a exigir mudanças significativas no mundo do trabalho. Essa processualidade complexa trouxe fortes consequências também para os organismos representativos da classe trabalhadora[6]. Vamos indicar, então, como tal movimento ocorreu no interior das duas principais centrais sindicais do país, a CUT e a Força Sindical. Comecemos pela CUT.

A CUT: a emergência do confronto, o avanço do sindicalismo propositivo e o culto da negociação

Depois de mais de trinta anos da emergência do novo sindicalismo e da CUT, criada em 1983, já é possível fazer um balanço do que se passou nesses anos. Quais foram seus principais avanços e recuos? Sua prática sindical, várias décadas depois de sua criação, consolidou mais rupturas ou acabou por acomodar-se ao sindicalismo de tipo mais tradicional? Conforme já indicamos no capítulo anterior, vamos ao menos apresentar alguns pontos que nos permitam oferecer uma resposta.

É possível afirmar alusivamente que, entre as décadas de 1970 e 1980, um novo elemento começou a caracterizar o movimento sindical brasileiro existente durante a ditadura militar. O nosso movimento operário e sindical viveu, em fins dos anos 1970, um momento de extrema importância para sua história. Após o duro impacto do golpe de 1964, que lhe deixou poucos espaços de ação – a não ser aqueles

---

[5] Ricardo Antunes, *Classe operária, sindicatos, e partido no Brasil*, cit.; Angela Araújo, *A construção do consentimento*, cit.; Luiz Werneck Vianna, *Liberalismo e sindicato no Brasil*, cit.

[6] Ricardo Antunes, *Os sentidos do trabalho*, cit.; Jair Batista da Silva, *Racismo e sindicalismo*, cit., e *A perversão da experiência no trabalho* (Salvador, Edufba, 2009); Ricardo Antunes e Marco Aurélio Santana, "Para onde foi o novo sindicalismo?", cit., e "The Dilemmas of the New Unionism in Brazil", cit.

presentes no trabalho silencioso e cotidiano no interior das fábricas e algumas tentativas de contestação pontuais[7] –, um sindicalismo de corte mais autêntico aflorava, exigindo a ampliação dos espaços para a representação dos interesses da classe trabalhadora que se expandiu enormemente durante essas décadas.

No cenário político mais amplo, a reemergência do movimento dos trabalhadores estremeceu os arranjos políticos da transição do fim da ditadura militar para o rearranjo civil que estava sendo articulado, excluindo o movimento sindical e dos trabalhadores, e atacava frontalmente a política econômica desenvolvida pela ditadura[8].

Houve avanços significativos na luta por autonomia e liberdade dos sindicatos em relação ao Estado, com combates à estrutura atrelada ao Estado e ao imposto sindical, instrumentos utilizados para controlar os sindicatos. Conformou-se também um quadro nitidamente favorável para o chamado novo sindicalismo, que resistia fortemente, face às tendências regressivas dominantes nos cenários europeu e norte-americano, cujo sindicalismo se encontrava em um quadro crítico.

A intensificação da introdução de plantas industriais modernas e sua concentração geográfica (processo que se iniciou em fins dos anos 1950) possibilitou o surgimento do que se convencionou chamar de "nova classe operária", conforme vimos no capítulo anterior[9].

Fruto dessa conjuntura, o novo sindicalismo surgiu da articulação de variadas concepções em torno da bandeira de um sindicalismo de classe, mais autônomo e independente em relação ao Estado. Nesse sentido, ele propunha uma ruptura com o passado que teria sido predominantemente pautado por "colaboração de classe", "conciliação", "cupulismo" etc., práticas às quais o novo sindicalismo se opunha fortemente[10].

Sua corrente mais expressiva era oriunda da própria estrutura sindical. Agrupava vários líderes sindicais denominados "autênticos"

---

[7] Ricardo Antunes, *A rebeldia do trabalho – O confronto operário no ABC Paulista: as greves de 1978/80* (Campinas, Editora da Unicamp, 1992); John Humphrey, *Fazendo o milagre* (Petrópolis, Vozes/Cebrap, 1982); Celso Frederico, *A vanguarda operária*, cit.

[8] Jair Batista da Silva, *Racismo e sindicalismo*, cit.; Marco Aurélio Santana, "Entre a ruptura e a continuidade", cit.; Iram Jácome Rodrigues, *Sindicalismo e política*, cit.; Ricardo Antunes, *A rebeldia do trabalho*, cit., e *O novo sindicalismo no Brasil*, cit.; Celso Frederico, *A vanguarda operária*, cit.

[9] Ricardo Antunes, *A rebeldia do trabalho*, cit.; John Humphrey, *Fazendo o milagre*, cit.; Maria Hermínia Tavares de Almeida, "O sindicato no Brasil: novos problemas, velhas estruturas", *Revista Debate e Crítica*, São Paulo, n. 6, 1975.

[10] Marco Aurélio Santana, *Homens partidos*, cit., e "Entre a ruptura e a continuidade", cit.

(como Lula, Olívio Dutra, Jacó Bittar, entre tantos outros), praticantes de um sindicalismo que de fato se diferenciava do velho modelo oficial. Essa tendência se somou ao também importante movimento das *oposições sindicais*, buscando avançar em sua maior aspiração, que era criar uma nova central sindical *autônoma, livre e independente do Estado e do patronato*.

Já em 1977, diversos setores e representantes da primeira vertente – os sindicalistas independentes – manifestaram interesse em realizar um Congresso Nacional das Classes Trabalhadoras (Conclat). A oportunidade para realizar tal articulação ocorreu em 1978, no V Congresso da Confederação Nacional dos Trabalhadores na Indústria (CNTI). A união desses ativistas sindicais contra o então presidente da entidade, Ary Campista, foi um ensaio de unidade e mobilização dos dirigentes sindicais mais ativos contra as lideranças acomodadas no interior das entidades e da estrutura sindical, o chamado peleguismo. Tal ensaio de união permitiu a esse grupo constituir uma identidade sindical própria, passando a intitular-se "sindicalistas autênticos". Do grupo faziam parte várias lideranças que se organizaram posteriormente para criar a CUT[11].

Outra força política importante que contribuiu para a constituição da CUT foi o agrupamento organizado em torno das oposições sindicais. A expressão mais fortemente articulada desse grupo girava em torno do Movimento da Oposição Sindical Metalúrgica de São Paulo (Momsp). Uma das primeiras iniciativas para reunir a oposição sindical ocorreu no congresso do Momsp, realizado em São Paulo, em 1979. A finalidade era juntar, organizar e mobilizar as diferentes forças de esquerda que atuavam no movimento sindical e combatiam duramente tanto o peleguismo quanto o reformismo sindical da esquerda tradicional que se articulava em torno do PCB[12].

Ainda antes da criação da CUT, a Associação Nacional dos Movimentos Populares e Sindicais (Anampos) realizou congressos nacionais, como o Encontro de Monlevade, ocorrido em fevereiro de 1980, e o Encontro de Goiânia, em 1982. No primeiro, foi aprovado o Documento de Monlevade, no qual se estabeleceram as principais orientações em direção à luta pela democratização da estrutura sindical, em conformidade com a Convenção 87 da Organização Internacional do Trabalho. O fim dos impedimentos jurídicos que restringiam o pleno direito de greve e da implantação da negociação

---

[11] Jair Batista da Silva, *Racismo e sindicalismo*, cit.

[12] Idem; Ricardo Antunes, *O novo sindicalismo no Brasil*, cit.; Vito Giannotti e Sebastião Lopes Neto, *CUT ontem e hoje: o que mudou das origens ao IV Concut* (São Paulo, Vozes, 1991).

direta entre trabalhadores e patrões, sem mediação ou intervenção do Estado, foi ponto de destaque nessa corrente sindical[13].

Deve-se sublinhar a importância dessa confluência, que foi decisiva para a criação da nova central. De um lado, as denominadas "lideranças autênticas" que já se apresentavam como expressão do novo sindicalismo. De outro, as *oposições sindicais* que se destacavam pelas lutas que travavam contra a estrutura sindical. Se o "Congresso de Poços de Caldas (MG) e o Congresso em Lins (SP) foram momentos embrionários do novo sindicalismo, que questionaram a prevalência da burocracia sindical sobre as entidades sindicais", de outra parte,

> com eixos de ação diferenciados, realizou-se o Encontro Nacional das oposições sindicais e, posteriormente, o I Encontro Nacional de Trabalhadores em Oposição à Estrutura Sindical (Entoes), que reafirmava o papel das oposições sindicais na luta contra o sindicato oficial. Da ação convergente do novo sindicalismo e do movimento de oposição sindical caminhou-se, rapidamente, para a criação, no início dos anos 1980, de uma central sindical de âmbito nacional.[14]

É desse rico movimento de fusão, comportando confluências e tensões entre importantes correntes que praticavam um sindicalismo diferenciado do peleguismo, que nasceu a CUT. Criada nesses embates, no início da década de 1980, ela foi, por um lado, um vivo resultado desse esforço de unificação das lutas da classe trabalhadora, mas, por outro, representou simultaneamente a cristalização das diferenciações no interior do movimento sindical brasileiro, que se aprofundariam mais tarde.

A nova central nasceu, portanto, da associação de diversas forças com tradições sindicais distintas – sindicalistas independentes, oposições sindicais, militantes da pastoral operária, setores da esquerda tradicional que romperam com o sindicalismo político vigente no pré-64 –, todas com o objetivo de construir um sindicalismo autônomo, em oposição ao atrelamento das entidades sindicais às estruturas do Estado e, desse modo, exercer uma nova prática que propugnava a liberdade e a autonomia sindicais, além de amplo direito de greve.

Dessa forma, o sindicalismo cutista nasceu rejeitando as formas de conciliação de classe, defendendo – especialmente durante o período de sua formação, ao longo da década de 1980 – uma ação

---

[13] Jair Batista da Silva, *Racismo e sindicalismo*, cit.; Ricardo Antunes, *O novo sindicalismo*, cit.; Sílvio Costa, *Tendências e centrais sindicais: o movimento sindical de 1978 a 1994* (São Paulo, Anita Garibaldi, 1995); Vito Giannotti e Sebastião Lopes Neto, *CUT ontem e hoje*, cit.

[14] Ricardo Antunes, *O novo sindicalismo no Brasil*, cit., p. 45-6; Jair Batista da Silva, *Racismo e sindicalismo*, cit.

sindical mais combativa nos enfrentamentos dos trabalhadores com governos e patrões. Suas lideranças sindicais desejavam também o reconhecimento de seus direitos de organização sindical. Na esfera política, as reivindicações giravam em torno da luta pelo fim da ditadura, da democratização do país por meio de eleições diretas para presidente, governador etc., bem como da instauração de uma Assembleia Constituinte que contemplasse os interesses e direitos da classe trabalhadora, com a completa eliminação das leis de exceção.

O perfil dessa liderança sindical foi forjado em nova prática, quer dentro dos sindicatos, piquetes, assembleias e passeatas, quer nas ações pelas diretas e nas ocupações dos locais de trabalho, nas greves parciais e gerais e em diversas iniciativas que a luta sindical e política do movimento operário lograva construir para resistir e combater em seu cotidiano.

Essa associação entre distintas variantes do sindicalismo de classe partia de uma concepção de unidade concreta que, inclusive, esteve presente no próprio nome da central, cujo conteúdo político-ideológico é o seguinte: "a ideia de única, [que] ficou no nome da Central, vem da concepção reinante no movimento sindical de que as formas de organização e representação dos trabalhadores tinham de expressar, sempre, a unidade inquebrantável da classe"[15].

A década de 1980 foi, então, um período especial das lutas sindicais e sociais: um amplo ciclo de greves, locais e gerais, desencadeado pelos operários da indústria, assalariados do campo, assalariados médios, num denso movimento que se caracterizou pela existência de greves gerais por categoria (como a dos bancários, em 1995), greves com ocupação de fábricas (como a da General Motors em São José dos Campos, em 1985, e a da Companhia Siderúrgica Nacional em Volta Redonda, em 1989), bem como com o desencadeamento de greves gerais de âmbito nacional, como a de março de 1989, talvez a mais expressiva de todas dessa década[16]. Vale recordar que o número de greves foi extremamente significativo durante todo o período, sendo que, no mundo rural, houve importante avanço do sindicalismo, possibilitando a retomada da organização sindical dos trabalhadores, o que por certo influenciou as ações que levaram ao nascimento do MST, em 1984.

A partir de 1990, entretanto, a conjuntura econômica e política se transformou, com a vitória de Collor e o início de seu governo, seguido depois pelo de FHC, criando as condições para que as polí-

---

[15] Vito Giannotti e Sebastião Lopes Neto, *CUT ontem e hoje*, cit., p. 23.
[16] Ricardo Antunes, *O novo sindicalismo no Brasil*, cit.; Ricardo Antunes e Marco Aurélio Santana, "Para onde foi o novo sindicalismo?", cit., e "The Dilemmas of the New Unionism in Brazil", cit.

ticas de corte neoliberal se desenvolvessem com intensidade. O setor produtivo estatal foi em grande medida privatizado (siderurgia, telecomunicações, energia elétrica, bancos etc.), o que alterou o tripé entre *capitais nacional, estrangeiro* e *estatal* que havia comandado o padrão de desenvolvimento capitalista existente no Brasil desde a emergência do varguismo, ampliando a internacionalização da nossa economia.

A fusão entre neoliberalismo e reestruturação produtiva, dentro de um universo conduzido pelo capitalismo financeiro, gerou profundas transformações no mundo do trabalho, afetando em especial o sindicalismo. Informalidade, flexibilização e terceirização passam a ser imperativos empresariais[17]. No apogeu da era da financeirização, do avanço técnico-científico-informacional, o mundo do trabalho vivenciou fortes mutações no Brasil, alterando sua morfologia, com intensa ampliação da informalidade, da precarização e do desemprego[18].

É nessa quadra histórica, na virada dos anos 1980 para 1990, isto é, na passagem do III Concut (1988) para o IV Concut (1991), que mudanças substanciais ocorreram no sindicalismo cutista, demarcando a consolidação de uma prática sindical que sempre esteve presente em seu interior, ainda que em menor escala, mas que até aquele momento não tinha se tornado o centro da atividade sindical da CUT. Assim, pouco a pouco a conduta *propositiva* e seu corolário, a *negociação*, passaram ao foco da orientação política da central. Vale ressaltar, contudo, que a denominada fase *movimentista*[19] já trazia embutida a característica de buscar a negociação. Combinavam-se movimentação, confronto e prática negocial na ação sindical, mas a ênfase gradativamente passava da confrontação para aquela que se tornaria dominante na década de 1990[20].

---

[17] Jair Batista da Silva, *A perversão da experiência no trabalho*, cit.; Adalberto Moreira Cardoso, *A década neoliberal e a crise dos sindicatos no Brasil*, cit.; Giovanni Alves, *O novo (e precário) mundo do trabalho*, cit.; Ricardo Antunes, *O novo sindicalismo no Brasil*, cit.; Graça Druck, *Terceirização*, cit.

[18] José dos Santos Souza, *Trabalho, educação e sindicalismo no Brasil: anos 90* (Campinas, Autores Associados, 2002); Andréia Galvão, "A CUT na encruzilhada: impactos do neoliberalismo sobre o movimento sindical combativo", *Ideias – Revista do Instituto de Filosofia e Ciências Humanas – Unicamp*, n. 9, Campinas, 2002; Iram Jácome Rodrigues, *Sindicalismo e política*, cit.; Ricardo Antunes, *O novo sindicalismo no Brasil*, cit.; Ricardo Antunes e Marco Aurélio Santana, "Para onde foi o novo sindicalismo?, cit., e "The Dilemmas of the New Unionism in Brazil", cit.

[19] Prática sindical que prioriza os piquetes, assembleias, caminhadas, manifestações de rua e nas empresas etc.

[20] Jair Batista da Silva, *Racismo e sindicalismo*, cit.; Iram Jácome Rodrigues, *Sindicalismo e política*, cit.

Essa "nova" práxis sindical tinha – e ainda tem – na negociação seu instrumento de ação predominante e acentuava a propositura de que não bastava ao sindicalismo assumir tão somente uma conduta de rejeição às iniciativas dos patrões e governos, mas procurar, face aos dilemas enfrentados pelos trabalhadores, construir alternativas "propositivas" consideradas mais viáveis e realistas. Rejeitando fortemente em sua prática a estratégia conduzida durante a década de 1980, a CUT passava a defender e executar um sindicalismo moderado, resultado a um só tempo das diretrizes político-ideológicas da tendência hegemônica no seu interior, a Articulação Sindical – e em sintonia com o cenário de refluxo da atividade sindical durante esse período, tanto no âmbito internacional quanto no Brasil.

Segundo Iram Jácome Rodrigues[21], as mudanças no sindicalismo cutista tiveram seu momento de maior expressão no III Concut (1988)[22], pois, "simbolicamente, esse encontro significou o fim da fase heroica da construção da CUT e tudo o que ela representava para uma parte da militância cutista"[23]. A tese do fim da "fase heroica" fundamentava-se na concepção de que, nos primeiros momentos de criação, dada a necessidade de adquirir maior legitimidade junto às suas bases, haveria maior disposição em desencadear lutas e estratégias sindicais mais radicalizadas, ofensivas ou confrontacionistas, informadas de modo acentuado pelo *éthos* socialista. Dessa forma, os caminhos trilhados pelo sindicalismo propugnado pela CUT, desde sua fundação até o III Congresso, que ocorreu em 1988, "representou o período de sua construção e afirmação, cuja fase mais movimentista, libertária, socialista e de confrontação, enfim, heroica, encerra-se com o III Concut"[24].

Com essa mudança no perfil da ação e dos ativistas sindicais no interior da CUT, que ocorreu a partir do III Concut, as práticas de maior confrontação e mais combativas começaram a dar lugar a um padrão de ação sindical mais pragmático e negocial[25], em suma, mais

---

[21] Idem.

[22] Alguns analistas têm sublinhado que a mudança ocorrida na forma de atuação política da central foi decorrência da conquista da maioria interna, alcançada artificialmente pela Articulação Sindical, por meio de alterações nos estatutos da central, em José dos Santos Souza, *Trabalho, educação e sindicalismo no Brasil*, cit; Ricardo Antunes, *O novo sindicalismo no Brasil*, cit.; Sílvio Costa, *Tendências e centrais sindicais*, cit. Houve uma drástica redução do número de delegados credenciados e escolhidos pelas bases e um aumento considerável no número de entidades.

[23] Iram Jácome Rodrigues, *Sindicalismo e política*, p. 117.

[24] Ibidem, p. 118.

[25] "a) Vigência das atuais convenções e acordos coletivos de trabalho por tempo indeterminado, somente podendo ser alterado mediante futura negociação da qual participe a entidade sindical que o assinou ou seu sucessor", "Resoluções da 7ª Plenária Nacional da CUT 'Zumbi dos Palmares'" (São Paulo, CUT, 1995), p. 24.

"propositivo" e negociador, da entidade e da liderança sindical, como pode ser observado nestas passagens:

> O principal objetivo de nossa estrutura vertical deve ser a superação do fracionamento e pulverização resultante do atual sistema de organização e negociação por categoria, que divide os trabalhadores e dificulta o enfrentamento das questões já apontadas, além de preservar a interferência do Estado. Essa estrutura é o elemento central do novo modelo sindical que estamos construindo e fundamental para o sucesso de nosso projeto sindical e político.[26]

Ou ainda,

> Na situação em que vivemos hoje no Brasil e por tudo o que pudemos concluir de várias experiências de negociação, é necessário que o processo de negociação dos contratos (e convenção etc.) de trabalho permaneça como processo de negociação e contratação no nível de categorias, ou seja, interempresas, e controlado pelo sindicato.[27]

É preciso salientar, entretanto, que as ações de caráter mais combativo e de confrontação parecem não estar associadas somente à fase de formação, isto é, vinculadas à sua origem, mas decorrem, em boa medida, da conjuntura política e da situação socioeconômica de cada momento. Por isso parece possível supor também que não existiria nenhuma garantia social e política de que, com o agravamento da situação socioeconômica dos trabalhadores, a CUT não voltaria a basear sua ação numa conduta política que recuperaria mais acentuadamente a linha da confrontação, em resposta à própria pressão da classe trabalhadora, como se pode presenciar *embrionariamente* na luta contra o PL 4.330, em 2015, que amplia a terceirização também para as atividades-fim. Exemplos nesse sentido apareceram igualmente entre as categorias mais organizadas do sindicalismo brasileiro, que, dadas as condições objetivas experimentadas por trabalhadores e trabalhadoras, lhes permitiram questionar e levar adiante ações político-sindicais mais ofensivas do que aquelas desejadas pelas direções sindicais dominantes[28].

---

[26] CUT, "Resoluções da 5ª Plenária Nacional da CUT" (São Paulo, CUT, 1992), p. 32.

[27] Ibidem, p. 73.

[28] Jair Batista da Silva, *Racismo e sindicalismo*, cit. Vários exemplos nesse sentido podem ser encontrados entre as diversas categorias presentes no sindicalismo cutista. Os bancários da cidade de São Paulo, cujo sindicato é controlado pela mesma corrente que detém a hegemonia na CUT, por meio da ação da oposição sindical e da pressão dos trabalhadores de base, levaram adiante movimentos grevistas nacionais, em claro confronto com a orientação que privilegia a moderação. Outras categorias também têm seguido esse mesmo posicionamento, como as de professores, metalúrgicos, petroleiros, trabalhadores rurais etc.

Na década de 1990, justamente quando se acentuavam essas novas tendências, o novo sindicalismo foi confrontado por um contexto ainda adverso, iniciado com a vitória (e a posse) de Collor. Conforme indicam a forte pressão interna e externa imposta pelos capitais, objetivando avançar a reestruturação produtiva, a financeirização da economia e a livre circulação dos capitais, as privatizações do setor produtivo estatal, a flexibilização da legislação trabalhista, em suma, a pressão para uma nova inserção do Brasil na nova divisão internacional do trabalho sob a hegemonia neoliberal e financeira, tudo isso ocorrendo simultaneamente e com forte intensidade afetou sobremaneira o Brasil[29]. As práticas de desregulamentação, flexibilização, privatização, desindustrialização se ampliaram, assim como a informalidade, a terceirização, o subemprego e o desemprego[30].

O sindicalismo da CUT, mais propenso à negociação, em um momento sindical novo, pautado pela existência de centrais sindicais diferenciadas e dificultado pelo advento da Força Sindical, criada em 1991 e que passou a disputar fortemente os espaços políticos e sindicais próprios de um sindicalismo mais negocial, fez com que ela, sob hegemonia da Articulação Sindical, respondesse avançando na alternativa mais *contratualista* e *propositiva*, oferecendo-se como alternativa sindical *factível* face ao neoliberalismo.

Foi emblemática a greve dos trabalhadores petroleiros, em 1995, que se constituiu no primeiro combate aberto à política neoliberal de FHC. Essa greve configurou, entretanto, uma nítida divisão no interior da CUT, que, mais próxima das políticas de concertação e negociação, não foi capaz de oferecer uma solidariedade efetiva e profunda aos petroleiros.

A CUT já não se apresentava mais como a herdeira das lutas sindicais por autonomia e independência em relação ao Estado e ao patronato, mas cada vez mais ao longo dessa década sua prática se assemelhava à de um sindicalismo institucionalizado, verticalizado, hierarquizado, que se distanciava daquela de sua década original. Ao proceder de tal modo, com essa nova pragmática, ajudava a abrir caminho para a ascensão do Partido dos Trabalhadores ao poder, sem o peso de ser uma central sindical avessa à negociação e à moderação.

Após a vitória do PT – liderando uma frente considerada de centro-esquerda – nas eleições presidenciais de 2002 e a experiência do primeiro governo de Luiz Inácio Lula da Silva, com a manutenção das políticas neoliberais do governo de FHC, o medo representado por um governo de esquerda capitaneado por aquele partido se desfez.

---

[29] Ricardo Antunes e Marco Aurélio Santana, "Para onde foi o novo sindicalismo?", cit., e "The Dilemmas of the New Unionism in Brazil", cit.

[30] Idem.

O receio e a desconfiança não foram afastados por completo, é verdade, mas permitiram compreender a adequação e a aceitação do governo petista em relação aos interesses do grande capital e das distintas frações burguesas, particularmente aquelas representadas pelo capital financeiro. Com a condução e o aprofundamento das principais políticas neoliberais anteriormente adotadas por FHC, o governo Lula e o Partido dos Trabalhadores já não provocavam insegurança nas classes dominantes[31].

A influência e o controle político do governo sobre vários movimentos sociais, bem como a orientação político-ideológica conduzida pela corrente hegemônica no interior da CUT, constituíram-se em elementos importantes para compreender as ações e dificuldades que diversos setores dos movimentos sociais, populares e sindicais mais à esquerda tiveram para enfrentar os governos e as políticas implementadas. Nesse quesito, a transformação da CUT, de central sindical crítica e independente dos governos – como propugnam seus estatutos, resoluções e plenárias – em uma entidade fortemente afinada com as ações e políticas do governo Lula[32], só serviu, mais uma vez, para desorientar e desorganizar o movimento sindical no combate e na oposição ao ideário neoliberal, ainda que em sua nova variante social-liberal. A oscilação entre a adesão "crítica" ao ideário social-liberal, recorrendo, entretanto, a ações e práticas sindicais um pouco mais combativas quando era imprescindível, deixou marcas profundas no sindicalismo cutista[33].

A CUT foi paulatinamente deslocando o destinatário do seu discurso da "classe" para a "cidadania", sendo que suas ações priorizavam o caminho da luta por direitos aos cidadãos. O foco migrou para o combate aos diversos problemas enfrentados pela classe trabalhadora, tais como discriminação racial, de gênero, geracional, desemprego, qualificação, terceirização etc., *associados sempre à ideia de conquista da cidadania, sem uma clara visão de classe*. Operando um

---

[31] A eleição presidencial de 2006 talvez seja exemplar nesse sentido, pois a campanha petista se baseou na manutenção da confiança e do apoio político da burguesia. Por isso, a campanha não poderia deixar de trabalhar com ditados populares amplamente reiterados: "não troque o certo pelo duvidoso", numa clara demonstração de manutenção das políticas adotadas até aquele momento. O mesmo se repetiu com a eleição de Dilma em 2010 e, posteriormente, em 2014.

[32] Não deixa de ser sintomático dessa nova postura política adotada pela CUT o fato de seu ex-presidente, Luiz Marinho, componente da Articulação Sindical, ser alçado à condição de ministro do Trabalho do governo Lula.

[33] Segundo Andréia Galvão: "A trajetória da CUT evidencia uma oscilação entre, de um lado, a assimilação de *elementos* do discurso neoliberal, que se revelam na elaboração de uma perspectiva *propositiva* e, de outro, a contraposição à política neoliberal, que tem permitido a reativação de uma prática sindical mais combativa", em "A CUT na encruzilhada", cit., p. 109.

forte deslocamento dos interesses históricos da classe trabalhadora para a defesa abstrata da cidadania, a CUT distanciou-se também da construção (e até mesmo da defesa) de um projeto político alternativo à ordem social capitalista, que cada vez mais desaparecia das propostas e das ações da central[34].

Parece não ser outro o sentido desta concepção: "A melhor perspectiva para o movimento sindical é comprometer-se com as lutas mais amplas. As políticas sociais devem estabelecer a relação entre sindicato e cidadania"[35]. Segundo a formulação da CUT:

> Quando os trabalhadores brasileiros retomaram suas lutas e mobilizações no final da década de 1970, sob a ditadura militar, buscavam principalmente melhorar seu nível de vida e suas condições de trabalho. O passo seguinte foi avançar na luta pela conquista de direitos individuais e coletivos, ou seja, o direito ao pleno exercício da cidadania.[36]

Na 7ª Plenária Nacional[37], a CUT reafirmou sua estratégia anterior no campo da educação, do emprego e da renda, da reestruturação produtiva etc. Essas bandeiras tinham como pressuposto a conquista e a manutenção de direitos sociais, como prerrogativa essencial para o exercício da "cidadania":

> A complexa realidade das relações de trabalho no país – agravada pelas medidas reativas do capital à crise econômica, pelo processo mundial de reordenação política e econômica, pela globalização da economia, pela organização dos blocos econômicos, acompanhados das recentes mudanças tecnológicas e organizacionais do trabalho na produção e nos serviços – introduz sérios desafios aos trabalhadores brasileiros que se somam às antigas lutas contra a exclusão social e pela conquista e manutenção dos direitos de cidadania.[38]

As iniciativas deliberadas, como a Conferência Nacional Em Defesa da Terra, do Emprego e da Cidadania, assim como o Dia Nacional de Luta por Habitação e Creches e o Dia Nacional da Consciência Negra, fundamentavam-se na garantia da cidadania como instrumento de luta para combater o avanço das políticas neoliberais[39].

---

[34] Jair Batista da Silva, *Racismo e sindicalismo*, cit.

[35] João Carlos Nogueira, "A discriminação racial no trabalho sob a perspectiva sindical", em Kabengele Munanga (org.), *Estratégias e políticas de combate à discriminação* (São Paulo, Edusp/Estação Liberdade, 1996), p. 212.

[36] CUT, "Resoluções da 5ª Plenária Nacional da CUT", cit., p. 28.

[37] CUT, "Resoluções da 7ª Plenária Nacional da CUT 'Zumbi dos Palmares'", cit.

[38] Ibidem, p. 32-3.

[39] CUT, "Resoluções da 8ª Plenária Nacional da CUT 'Canudos'" (São Paulo, CUT, 1996).

O embate político contra o racismo, por exemplo, também trilhou esse caminho, já que a luta se direcionava para o questionamento nos marcos do Estado de direito e da inserção dessa reivindicação no âmbito da política de direitos humanos. Foi essa a trajetória construída politicamente para legitimar a luta pela ampliação da cidadania, sem que, é preciso enfatizar, a articulação desses temas fosse remetida à dimensão de classe[40].

Assim, a central que, nos anos 1980, nascera profundamente ancorada no universo do trabalho e nas lutas sindicais, consolidava sua transição para uma prática sindical moderada, aderindo gradativamente a uma concepção de defesa da cidadania desprovida de um componente acentuado de classe, além de atuar centralmente no espaço da negociação. Ali, vale recordar, ela não estava mais só, pois esse era também o espaço preferencial da Força Sindical. É dela que trataremos a seguir: como essas questões aparecem no interior da central sindical que se apresenta como a principal força política de oposição à CUT? Como respondem as lideranças da Força Sindical às transformações ocorridas na sociedade brasileira durante os anos 1990?

A Força Sindical: a pragmática neoliberal no interior do sindicalismo[41]

A Força Sindical foi fundada entre os dias 8, 9 e 10 de março de 1991, em São Paulo. Criada como uma nova proposta para o cenário sindical brasileiro, dizia abarcar os mais variados setores do "movimento de luta dos trabalhadores brasileiros"[42]. De acordo com Rodrigues e Cardoso: "oficialmente, pelos documentos da secretaria da Força Sindical, teriam participado do congresso de fundação 1.793 delegados, representando 783 sindicatos e federações, ao lado de 74 representantes internacionais"[43].

A principal finalidade da nova central dizia respeito à direção do sindicalismo no quadro de redemocratização da sociedade brasileira: "As preocupações eram quanto ao rumo que o sindicalismo estava tomando, ficando para trás no processo de redemocratização do país, seja por causa do radicalismo estéril ou, por outro lado, por conformismo paralisante"[44].

---

[40] Jair Batista da Silva, *Racismo e sindicalismo*, cit.

[41] Este item retoma pontos apresentados mais detalhadamente em Jair Batista da Silva, *Racismo e sindicalismo*, cit., e "Ação sindical, racismo e cidadania", cit.

[42] Citado em Jair Batista da Silva, *Racismo e sindicalismo*, cit. Para uma referência sumária à origem da Força Sindical, ver www.fsindical.org.br.

[43] Leôncio Martins Rodrigues e Adalberto Moreira Cardoso, *Força Sindical*, cit., p. 13.

[44] Força Sindical, "A história da Força"; disponível em: <http://fsindical.org.br/a-historia-da-forca/introducao/>; acesso em 13 abr. 2018 ; citado em Jair Batista da Silva, *Racismo e sindicalismo*, cit.

Não resta dúvida que a nova central surgiu disposta a estabelecer uma dupla distinção no sindicalismo brasileiro. De um lado, pretendia ser uma alternativa à CUT – definida como praticante de um "radicalismo inconsequente" –, que não trazia resultados tangíveis aos trabalhadores. De outro, buscava se diferenciar dos setores sindicais agrupados em torno da CGT de Joaquim de Andrade, Joaquinzão, caracterizados aqui como portadores de um conformismo paralisante. A pretensão da Força Sindical era

> ser a central deste final de século pós-socialista, capaz de defender os interesses dos trabalhadores aqui e agora, sem relacionar as reivindicações imediatas à luta pelo socialismo, quer dizer, sem propostas utópicas que acabariam, na concepção da central, por induzir ao "socialismo burocrático". Desse ângulo, a Força Sindical marca, em seu discurso, um rompimento com as tradições corporativas, nacionalistas e socialistas das correntes mais militantes do sindicalismo brasileiro e parece mais adaptada às mudanças econômicas, sociais, políticas e culturais que estão marcando este final de século.[45]

Mas a pretensão da Força Sindical era de fato desarmar a resistência dos trabalhadores às investidas dos governos neoliberais. Segundo Trópia[46], "o projeto da central era, originalmente, ambicioso: pretendia se tornar a principal central sindical do país, derrotar as iniciativas progressistas e populares e bloquear a luta de resistência do movimento sindical ao modelo neoliberal".

Por esse motivo, a bandeira propugnada pela nova central era a de sintonizar o movimento sindical com a modernidade – "modernos somos, pois fomos quem primeiro teve a coragem de modificar a visão do sindicalismo e do trabalho em geral"[47] –, atualização essa que deveria, para construir uma central forte, "endurecer quando preciso, mas também saber negociar, [ser] autônoma, livre, pluralista, aberta ao debate interno e com a sociedade"[48].

A novidade trazida pela Força Sindical estava presente tanto em seu projeto político como na sua prática. A nova central objetivava mudar a sociedade brasileira *transformando sua cultura sindical*. Contudo, ao contrário da transformação acalentada por outros projetos sindicais – especialmente aqueles referentes às tradições de

---

[45] Leôncio Martins Rodrigues e Adalberto Moreira Cardoso, *Força Sindical*, cit., p. 21.

[46] Patrícia Vieira Trópia, "A adesão da Força Sindical ao neoliberalismo", *Ideias – Revista do Instituto de Filosofia e Ciências Humanas – Unicamp*", Campinas, n. 9, 2002, p. 160.

[47] Força Sindical, "A história da Força", citado em Jair Batista da Silva, *Racismo e sindicalismo*, cit.

[48] Idem.

esquerda que almejavam mudar a sociedade em direção ao socialismo –, o caráter das alterações propostas pela Força Sindical visava "lutar pelo capitalismo. A mudança se referiria ao conteúdo do capitalismo que existiria entre nós"[49].

Nesse sentido, o caráter da transição brasileira não era do capitalismo para o socialismo (como apontam várias resoluções da CUT, ao menos nos anos 1980), e sim uma mudança entre um capitalismo selvagem para uma sociedade capitalista avançada, competitiva e moderna[50]. Sociedade essa que garantiria espaços de participação efetiva para os trabalhadores, reconhecendo-os como protagonistas das decisões, pois "era preciso dar aos trabalhadores o *reconhecimento* de que eles poderiam participar do processo, sentando às mesas de negociação e endurecendo quando necessário. Antes de tudo, que os trabalhadores fossem voz ativa dos novos tempos que viriam"[51].

Para além do discurso apresentado, pode-se afirmar que a Força Sindical foi desde logo um desdobramento do *sindicalismo de resultados*. Este surgiu da articulação de duas trajetórias sindicais distintas, que a partir da segunda metade da década de 1980 passaram a defender o mesmo projeto político. De um lado, o grupo de ativistas que tem na liderança de Luiz Antônio de Medeiros sua maior expressão; oriundo do PCB, esse dirigente sindical foi para o Sindicato dos Metalúrgicos de São Paulo para concretizar uma nova forma de ação sindical[52]. De outro, a liderança de Antônio Magri, dirigente que fez sua carreira política no Sindicato dos Eletricitários do Estado de São Paulo e que era uma espécie de representante de uma corrente sindical de influência norte-americana, que convivia e se mesclava com o velho peleguismo brasileiro, da qual a Força Sindical foi também herdeira[53].

Com o ideário de que o *sindicalismo de resultados* combinava essa sua origem dúplice – ou tríplice – à nova pragmática neoliberal que expressava a concordância com a sociedade de mercado e o reconhecimento da vitória do capitalismo, sua ação sindical deveria buscar melhores condições de trabalho sem extrapolar esse âmbito "econômico" da melhoria da força de trabalho. Acrescentava ainda que não caberia aos sindicatos nenhuma interferência partidária, mas sim uma ação e influência na esfera política[54].

---

[49] Leôncio Martins Rodrigues e Adalberto Moreira Cardoso, *Força Sindical*, cit., p. 17.

[50] Leôncio Martins Rodrigues e Adalberto Moreira Cardoso, *Força Sindical*, cit.

[51] Força Sindical, "A história da Força", citado em Jair Batista da Silva, *Racismo e sindicalismo*, cit.; grifo meu.

[52] Arnaldo Nogueira, *A modernização conservadora do sindicalismo brasileiro*, cit.

[53] Ricardo Antunes, *O novo sindicalismo no Brasil*, cit.

[54] Jair Batista da Silva, *Racismo e sindicalismo*, cit., e "Ação sindical, racismo e cidadania no Brasil", cit.; Ricardo Antunes, *O novo sindicalismo no Brasil*, cit.;

O processo de formação da Força Sindical combinava a rejeição ferrenha do confronto ao cálculo estratégico de suas ações sindicais, a fim de que não ultrapassassem a esfera da negociação. De fato, a greve era concebida como a última alternativa depois de esgotadas todas as possibilidades de entendimento: "Fracassada a negociação, as entidades de representação sindicais de trabalhadores podem utilizar o instrumento da greve, sendo que, nos casos de serviços essenciais, alguns procedimentos específicos deverão ser preservados"[55].

A fundação da nova central representou, entretanto, consequências políticas profundas para o conjunto do sindicalismo brasileiro: "Sob os auspícios do governo Collor, a Força Sindical aderiu a aspectos da plataforma neoliberal ao apoiar, de forma militante, as privatizações e a desregulamentação do mercado de trabalho"[56]. Ela "foi propositivamente neoliberal. A central engajou-se, ofensivamente, no processo de implementação da política estatal neoliberal, contribuindo, ao mesmo tempo, com a disseminação ideológica do neoliberalismo"[57]. É preciso sublinhar ainda que a nova central, em sintonia com os governos federais ao longo da década de 1990, fez campanha sistemática contra a atuação do MST, chegando a criar a Força da Terra para combatê-lo e tentar se constituir – sem nenhuma efetividade – como alternativa entre os trabalhadores rurais[58].

Sua pretensa despartidarização e/ou desideologização do movimento sindical, tese defendida e enunciada frequentemente pelos seus dirigentes, escondia – e acentuava – de fato uma maior ideologização do movimento, acirrando a polarização entre as duas principais centrais sindicais[59]. Na verdade, apesar da afirmação reiterada de apartidarismo, a Força Sindical não era uma entidade que adotava uma conduta apolítica; a atuação e as afirmações de sua maior liderança, Luiz Antônio de Medeiros, desfazem qualquer dúvida quanto a esse ponto: "Eu jamais disse, em lugar algum, que sou apolítico. Eu faço política, que eu considero política sindical. Sou contra a partidarização do sindicato"[60]. Mesmo essa pretensa ausência de

---

Força Sindical, *Um projeto para o Brasil: a proposta da Força Sindical* (São Paulo, Geração Editorial, 1993); Leôncio Martins Rodrigues e Adalberto Moreira Cardoso, *Força Sindical*, cit.

[55] Força Sindical, *Um projeto para o Brasil*, cit., p. 524.

[56] Patrícia Vieira Trópia, "A adesão da Força Sindical ao neoliberalismo", cit., p. 159.

[57] Ibidem, p. 165.

[58] Idem.

[59] Ricardo Antunes, *O novo sindicalismo no Brasil*, cit.; Jair Batista da Silva, *Racismo e sindicalismo*, cit.; "Ação sindical, racismo e cidadania no Brasil", cit.

[60] Citado em Leôncio Martins Rodrigues e Adalberto Moreira Cardoso, *Força Sindical*, cit., p. 22.

partidarização não significa que a central não assuma valores, visões de mundo etc. associados a agrupamentos ou partidos políticos. Ao contrário, em um de seus principais documentos publicados[61], a Força Sindical deixa claro, por exemplo, que é a favor da redução da presença do Estado na economia – mesma concepção que foi defendida e implementada por Collor e FHC durante a década de 1990. A propalada – mas nunca praticada – desideologização da ação sindical implicava, de fato, a subordinação da classe trabalhadora que a central pretendia representar ao universo ideológico da sociabilidade capitalista.

> A pretensa "desideologização" da práxis sindical, na verdade, significa uma clara aceitação da sociabilidade do mundo capitalista: os agentes sociais ficam reduzidos à condição de obstinados comerciantes que só almejam vender sua mercadoria pelo melhor preço. A obtenção de "resultados" numa conjuntura recessiva, além de inviável, tem a função ideológica de manter o movimento operário entregue à dinâmica do mundo burguês sem formular um projeto político alternativo visando redimir o mundo do trabalho do fetichismo mercantil.[62]

Assim, a nova central adotava, segundo Rodrigues e Cardoso[63], os princípios do liberalismo[64] com a finalidade de consolidar a sociedade dentro da qual seriam reservados à classe trabalhadora, do ponto de vista político, fundamentalmente, a participação cidadã e, do ponto de vista econômico, o aumento da participação dos salários na renda nacional[65]. Por exemplo, em seu documento-programa *Um projeto para o Brasil: a proposta da Força Sindical*, a nova central afirmava que a Constituição deveria redefinir as relações de força:

---

[61] Força Sindical, *Um projeto para o Brasil*, cit.

[62] Celso Frederico, *Crise do socialismo e movimento operário* (São Paulo, Cortez, 1994), p. 73.

[63] Leôncio Martins Rodrigues e Adalberto Moreira Cardoso, *Força Sindical*, cit.

[64] Não se encontra o termo "liberalismo social" nos documentos da central, como sublinham Leôncio Martins Rodrigues e Adalberto Moreira Cardoso, em *Força Sindical*, cit.; todavia, tal orientação política e ideológica pode ser concluída da concepção geral dos textos. Encontra-se a valorização do pensamento liberal em passagens como esta: "As conquistas cristalizadas no pensamento democrático liberal – como o voto direto e universal, liberdade de imprensa, liberdade de produção e comércio, livre concorrência etc. – podem e devem ser preservadas no âmbito de um direito que cada vez mais é sensível ao desequilíbrio de poder na sociedade", em Força Sindical, *Um projeto para o Brasil*, cit., p. 113.

[65] Jair Batista da Silva, *Racismo e sindicalismo*, cit.; "Ação sindical, racismo e cidadania no Brasil", cit.; Leôncio Martins Rodrigues e Adalberto Moreira Cardoso, *Força Sindical*, cit.

No plano dos direitos sociais e trabalhistas, com duplo objetivo de integrar os setores mais carentes e marginalizados da população, minimamente, aos serviços de proteção social do Estado, e de conferir maiores garantias ao empregado na sua relação com o empregador (tanto do ponto de vista individual como coletivo).[66]

Em outros termos, a Constituição deveria assegurar uma forma de regulação contratual entre agentes que compram e vendem mercadorias, sempre no sentido de valorizar o preço da mercadoria força de trabalho. No plano das liberdades individuais e políticas, o documento defende que a Constituição deveria garantir "a consolidação dos direitos civis e políticos do cidadão", impondo "restrições mínimas à formação e ao funcionamento dos partidos políticos"[67]. Foi também dentro desse universo que a central elaborou sua concepção de cidadania. Cidadão, para a Força Sindical, era um indivíduo portador de direitos, antes de tudo *produtor, consumidor e eleitor*. A concepção de *cidadania* que aparecia em seus documentos se referia ao padrão normativo e institucional, que garantia aos indivíduos as liberdades políticas e sociais, além do gozo de direitos.

Portanto, cidadão aqui diz respeito ao indivíduo que é capaz de produzir e consumir, sendo útil na esfera econômica. Enfeixando o círculo da matriz de fundo neoliberal, ser cidadão é ter o direito de votar, o que significaria exercer participação política nos órgãos e decisões do Estado por meio do processo eleitoral. Como se pode depreender do texto abaixo:

> Não basta, nesse sentido, estimular práticas de participação, mas estabelecer as condições institucionais para que a vontade organizada dos cidadãos – entendidos como produtores, consumidores e eleitores – interfira de modo importante nas grandes decisões econômicas e políticas.[68]

A Força Sindical concebia a reforma do Estado brasileiro, a reforma administrativa, a melhoria das condições de vida etc. como mecanismos políticos para realizar o desenvolvimento humano e social que permitisse o exercício da cidadania plena. O caráter "moderno do Estado" deveria resguardar as normas de relação entre os agentes sociais, impedindo que o mercado exercesse o papel de

---

[66] Força Sindical, *Um projeto para o Brasil*, cit., p. 32.
[67] Idem; Jair Batista da Silva, *Racismo e sindicalismo*, cit.
[68] Força Sindical, *Um projeto para o Brasil*, cit., p. 44. Na mesma direção aponta a passagem a seguir: "O Estado haverá de ser menor e descentralizado. Na administração de interesses locais imediatos, por exemplo, o Estado deve ser auxiliado pela *ação participativa dos próprios cidadãos*, na gestão e na defesa de seus interesses", ibidem, p. 41.

explorador e de arena na qual age de modo pleno o poder econômico, pois o mercado deveria ser o espaço de criação de riquezas, do bem-estar e da qualidade de vida dos cidadãos:

> Um Estado "moderno" não é omisso, é um defensor intransigente das regras de interação dos agentes em sociedade. Particularmente em seu papel diante das atividades econômicas, cabe a ele garantir que o mercado não seja o universo da usurpação e do exercício puro e simples do poder econômico, mas o universo de criação de riquezas e do bem-estar dos cidadãos, entendidos como produtores e consumidores.[69]

Nesse preciso sentido, a Força Sindical defendia que o trabalhador-cidadão fosse reconhecido como produtor e consumidor, efetivando uma espécie de *cidadania mercantil* que apenas poderia ser plena na medida em que cumprisse os imperativos da lógica do mercado, no qual o trabalhador-cidadão fosse simultaneamente produtor e consumidor[70]. É por isso que o objetivo de sua proposta de relação entre capital e trabalho era o de criar uma estrutura normativa, política e econômica que permitisse a administração do impasse existente. Com efeito, "o conflito entre capital e trabalho é dado natural entre esses dois atores sociais em uma economia de mercado. Dessa forma, o importante é criar mecanismos que administrem esse conflito e não tentar reprimi-lo ou suprimi-lo"[71].

Coerente com sua concepção de *integração das classes na sociedade capitalista*, a Força Sindical incentivava a cooperação, em busca do objetivo comum para "criar um ambiente de cooperação entre capital e trabalho que induza ao aumento da produtividade e das rendas reais dos trabalhadores"[72]. O resultado, mais do que cooperação, foi aprofundar, por meio de sua ação sindical, os mecanismos de subordinação da classe trabalhadora aos imperativos da sociedade do mercado[73]. Uma curiosa e imprevista aproximação com a CUT estava ocorrendo e, com ela, começava a se gestar outra mutação no universo sindical.

---

[69] Ibidem, p. 270.

[70] Jair Batista da Silva, *Racismo e sindicalismo*, cit., e "Ação sindical, racismo e cidadania no Brasil", cit. Não deixa de ser curioso como, apesar das origens bastante distintas e mesmo opostas, as proposições da Força Sindical passassem a contemplar, cada vez mais, certas similitudes com o movimento que vinha ocorrendo no interior da CUT em direção à conquista da cidadania.

[71] Força Sindical, *Um projeto para o Brasil*, cit., p. 517.

[72] Idem.

[73] Jair Batista da Silva, *Racismo e sindicalismo*, cit., e "Ação sindical, racismo e cidadania no Brasil", cit.; Ricardo Antunes, *O novo sindicalismo no Brasil*, cit.

Rumo ao sindicalismo negocial de Estado?

Cada uma ao seu modo, CUT e Força Sindical, *para além das disputas e mesmo dos antagonismos que caracterizaram seus projetos iniciais*, conforme procuramos evidenciar neste capítulo, se aproximavam ao defender uma política sindical voltada centralmente para a negociação e para a defesa da cidadania em detrimento dos valores da classe trabalhadora (e não em sintonia com eles). Suas diferenças, profundas no início, começaram aos poucos a se desvanecer.

Vimos que a CUT foi muito mais ousada em suas propostas, sobretudo durante a década de 1980, período da *confrontação*, quando vinculou explicitamente a conquista de direitos sociais, a melhoria das condições de vida, como direito à saúde, por exemplo, à luta pela ampliação dos direitos políticos, além de reiterar em vários de seus encontros e documentos – inclusive no de fundação – a necessidade de lutar pela construção de uma sociedade socialista. No caso da Força Sindical, ao contrário, a reivindicação se pautou sempre pela extensão de direitos políticos em uma concepção liberal (de fato neoliberal), em que o aumento da participação política dos trabalhadores deveria ocorrer sempre dentro dos estritos limites das decisões do Estado, pelas vias da colaboração e da negociação, procurando se colocar como alternativa *dentro da ordem* e claramente contra as posições da CUT:

> As preocupações eram quanto ao rumo que o sindicalismo estava tomando, *ficando para trás no processo de redemocratização* do país, seja por causa de radicalismo estéril ou, por outro lado, por conformismo paralisante. Essas ações e inúmeras outras demonstraram sempre a capacidade de atuação da Força Sindical. *Capacidade que logo predispôs à aglutinação de setores preocupados em defender e conquistar direitos efetivos para os trabalhadores.*[74]

Apesar das diferenças indicadas, entretanto, ao longo da década de 1990, a ação sindical de ambas as centrais orientou-se crescentemente, como vimos, para a *defesa da cidadania*, aceitando a existência conflituosa, mas *em última instância* recusando o caminho da confrontação. Se esse foi o eixo da ação da CUT ao longo de toda a década anterior, nos anos 1990 o centro de sua nova concepção, presente tanto em seus documentos quanto em sua prática dominante, foi voltar-se para o avanço da cidadania.

Já a Força Sindical, nascida em um contexto pautado pela recusa explícita à atuação no universo da luta de classes, encontrava na defesa da cidadania o elemento ideal para a sua proposição, uma vez

---

[74] Força Sindical, "A história da Força", citado em Jair Batista da Silva, *Racismo e sindicalismo*, cit.; grifos meus.

que, desde suas origens, jamais se colocou na direção da conquista de uma sociedade socialista. A CUT, ao contrário, fazendo o caminho inverso foi, pouco a pouco, abandonando qualquer discurso que privilegiasse a prática de confrontação em benefício da via predominante da negociação e da defesa do cidadão[75].

Se a concepção de sindicato da Força Sindical teve desde o início um sentido pragmático e de atuação dentro do capitalismo "para melhorá-lo" – o que significava manter a classe trabalhadora, política e ideologicamente, subordinada aos valores do capital –, para a CUT a passagem de práticas com claro sentido de classe e de confrontação para ações sindicais mais moderadas e voltadas para a predominância propositiva (pela via da negociação) aprofundou-se ainda mais com a vitória eleitoral do Partido dos Trabalhadores. Tendo sua principal liderança forjada no interior do novo sindicalismo, a CUT ajudava finalmente o PT a conquistar a Presidência da República pelo voto direto. O que não se deu sem outras consequências. A nova pragmática sindical, inserida na lógica dominante da negociação, defrontava-se agora com um governo cujos membros eram, em boa medida, recolhidos também dentro da própria CUT, dada a forte simbiose que sempre existiu entre esta e o PT[76].

De sua parte, a Força Sindical se somou à CUT e ambas se tornaram partícipes do governo Lula. Atuaram conjuntamente durante vários anos como parceiras do governo, por certo competindo pelos

---

[75] Jair Batista da Silva, *Racismo e sindicalismo*, cit., e "Ação sindical, racismo e cidadania no Brasil", cit. Como sublinha Décio Azevedo Marques de Saes, o exercício da cidadania plena articulada com a concepção de classe significaria acentuar as contradições da sociedade capitalista e das suas instituições políticas, visto que a conquista de efetivos direitos políticos e sociais situa-se além dos limites constituídos pela sociedade capitalista. É por isso que o autor afirma que "o processo de criação de direitos na sociedade capitalista é necessariamente conflituoso, embora não contraditório"; "Cidadania e capitalismo: uma crítica à concepção liberal de cidadania", *Crítica Marxista*, São Paulo, n. 16, 2003, p. 20.

[76] O quadro sindical já era também bastante distinto. Segundo Andréia Galvão: "Dez novas centrais sindicais surgiram a partir de 2004, somando-se às três centrais sindicais criadas nos anos 1980 e 1990 (CUT, Central Geral dos Trabalhadores do Brasil [CGTB] e Força Sindical), entre as quais destacamos: Coordenação Nacional de Lutas (Conlutas), criada em 2004 e cuja denominação mudou para CSP-Conlutas em 2010; Nova Central Sindical de Trabalhadores (NCST), criada em 2005; Intersindical, criada em 2006; União Geral dos Trabalhadores (UGT) e Central dos Trabalhadores e Trabalhadoras do Brasil (CTB), criadas em 2007; e Central dos Sindicatos Brasileiros (CSB), em 2012. Em 2008, a Intersindical se dividiu em: Intersindical – Instrumento de Luta e Organização da Classe Trabalhadora e Intersindical – Instrumento de Luta, Unidade de Classe e Construção de uma Nova Central. Esta última corrente fundou a Intersindical – Central da Classe Trabalhadora, em 2014"; *A atuação política do sindicalismo brasileiro: dificuldades e contradições frente aos governos petistas*, trabalho apresentado no XIV Encontro Nacional da Abet, Campinas, 2015, p. 4.

espaços existentes, mas exercitando uma convivência bastante diferente daquela da década de 1990, quando, como vimos, se pautavam por uma forte disputa, claras diferenças e nítida conflagração. A defesa da negociação como caminho predominante e a conversão de suas programáticas centradas na busca da "cidadania" abriram caminho para que as diferenças fossem crescentemente reduzidas e ambas entrassem com força dentro do aparelho governamental. O novo sindicalismo chegava finalmente ao Estado, depois de tantos anos de luta pela autonomia e independência sindicais. A estrutura sindical atrelada ao Estado – duramente combatida pela CUT em seus anos dourados e que sempre fora preservada pela Força Sindical – enfim permitia que as duas principais centrais do país galgassem o topo do governo, sendo que a CUT, por sua vinculação estreita com o PT, o fazia de forma ainda mais intensa[77].

Participando de ministérios e secretarias nos âmbitos federal, estadual e municipal, elegendo-se para cargos de representação parlamentar, atuando ativamente na gestão de fundos de pensão[78] e nos conselhos de empresas estatais etc., o sindicalismo que propugnava a autonomia e a independência sindical em relação ao Estado, no caso da CUT, e o pretenso antiestatismo neoliberal, no da Força Sindical, acomodaram-se muito bem nos aparatos burocrático-ministeriais dos governos do PT.

Mesclando traços da velha e persistente herança sindical peleguista, que a Força Sindical sempre conservou, com um burocratismo institucionalizado e verticalizado, que a CUT abraçou ao longo da década de 1990, ambas, entretanto, pautadas pelo ideário e pela pragmática da negociação e de defesa da cidadania, forjou-se o que provocativamente denominamos *sindicalismo negocial de Estado*.

A fértil engenharia de cooptação do governo Lula deslanchava com vigor: as centrais sindicais passaram a receber verbas estatais oriundas do FAT e, ao final da década de 2000, o governo, ampliando significativamente essa engenharia da cooptação, acentuava o controle estatal sobre os sindicatos, ao possibilitar que as centrais também passassem a receber o imposto sindical, criado na ditadura Vargas, ao final dos anos 1930, e que sempre fora combatido pela CUT. O sindicalismo de Estado começava a ressuscitar, agora com um forte componente de proposição e negociação. O mundo negocial

---

[77] José de Lima Soares, *O PT e a CUT nos anos 90: encontros e desencontros de duas trajetórias* (Brasília, Fortium, 2005).

[78] Ver Sidartha Soria e Silva, *Intersecção de classes: fundos de pensão e sindicalismo no Brasil* (tese de doutorado em Sociologia, Campinas, Instituto de Filosofia e Ciências Humanas, Unicamp, 2011); João Bernardo e Luciano Pereira, *Capitalismo sindical* (São Paulo, Xamã, 2008).

e a dependência estatal (política, ideológica e financeira) passaram a fazer parte também, de forma ainda mais intensa, do cotidiano daquele que, no passado recente, havia sido positivamente designado como "novo sindicalismo".

Nossa resposta à hipótese apresentada no início deste capítulo é que as últimas duas décadas do século XX empurraram o novo sindicalismo em direção a uma esdrúxula combinação, síntese de ao menos três movimentos: a velha prática peleguista, a forte herança estatista e a grande influência do ideário neoliberal (ou social-liberal), impulsionada ainda pelo culto da negociação e da defesa do cidadão. Vale dizer que cada um desses elementos pode ter prevalência em diferentes conjunturas. Essa concepção parece estar gestando uma espécie de *sindicalismo negocial de Estado*[79].

Mas, quando esse movimento de perfil mais negocial estava em curso, o cenário econômico, social e político alterou-se profundamente. É desse novo contexto que vamos discorrer nos capítulos seguintes.

---

[79] Ricardo Antunes, *Os sentidos do trabalho*, cit.

III

A ERA DAS CONCILIAÇÕES, DAS REBELIÕES E DAS CONTRARREVOLUÇÕES

Capítulo 13

DUAS ROTAS DO SOCIAL-LIBERALISMO EM DUAS NOTAS

A rota original
No início de 1997, quando Tony Blair saiu-se vitorioso das eleições no Reino Unido, vários segmentos de esquerda, em diversas partes do mundo, viram nesse evento o fim da nefasta era do neoliberalismo inglês. Parecia que a era Thatcher havia sido finalmente derrotada, quase vinte anos depois. Dotado, no passado, de uma força relativa, o Labour Party [Partido Trabalhista] então denominado New Labour (NL), voltava ao poder.

Diferentemente de muitas experiências internacionais, na Inglaterra havia sido o Trades Union Congress (TUC), central sindical britânica, que dera origem ao Partido Trabalhista e que, desde então, se constituía no pilar básico de sustentação do trabalhismo. Mediada pela vinculação sindical, parte significativa da classe trabalhadora inglesa garantia seus votos ao trabalhismo, conferindo base sindical à ação política do partido. Foi desse modo que o Partido Trabalhista esteve muitas vezes no comando do país, especialmente no pós-II Guerra, até a ascensão de Thatcher em 1979.

Com a ascensão do conservadorismo de Thatcher, uma *nova agenda* transformou substancialmente o Reino Unido, destruindo a trajetória anterior. A conversão do sindicalismo em *inimigo central* do neoliberalismo trouxe consequências diretas ao relacionamento entre Estado e classe trabalhadora.

Dirigentes de sindicatos foram excluídos das discussões da agenda estatal e retirados dos diversos órgãos econômicos que contavam com participação sindical. Foi com base nesse projeto que o neoliberalismo britânico vigorou até a vitória eleitoral do Partido Trabalhista. O destroçamento social e sua política testemunharam, particularmente em fins de 1980, uma onda de explosões sociais que atingiu em cheio o conservadorismo thatcherista, de que foram exemplo as greves operárias e a revolta contra o *poll tax* (imposto que taxava sobretudo os trabalhadores e os mais pobres).

Talvez se possa dizer, inclusive, que a importante vitória eleitoral do New Labour, no início de 1997, se deveu menos às propostas políticas de Tony Blair do que ao brutal desgaste do thatcherismo. Na época das eleições, as classes dominantes britânicas já haviam concluído as mutações no interior do Partido Trabalhista. Um enorme processo de "modernização" operava-se no seu interior, levando--o a abandonar por completo seu passado trabalhista-reformista para se converter em uma espécie de Partido Democrático inglês, apoiado em especial pelos novos estratos da burguesia.

Era preciso buscar, no interior da "esquerda", as *condições de continuidade da política vigente na fase do neoliberalismo*. Era preciso acenar com mudanças superficiais para que o *essencial* da pragmática do neoliberalismo fosse preservado.

Tanto no desenho da sua economia política quanto nas mais distintas esferas da sua ação político-institucional, na sua política externa, nos valores e no ideário que propugna, o governo Blair e a sua terceira via podem ser compreendidos em alguns de seus significados básicos. Mesmo antes de sua vitória eleitoral, já desde 1994, desenvolvera-se dentro do Partido Trabalhista uma "nova" postura que buscava um *caminho alternativo*, tanto em relação à social--democracia clássica quanto ao neoliberalismo thatcherista. Quando Tony Blair iniciou o processo de conversão do Labour Party em New Labour, o resultado esperado era não só um maior distanciamento diante do conteúdo *trabalhista* anterior, mas também limitar ao máximo os vínculos com os sindicatos, além de eliminar qualquer vestígio que pudesse lembrar sua designação "socialista", que, ao menos como referência formal, permaneceu até 1994 nos estatutos do Partido Trabalhista.

O debate levado adiante por Tony Blair, em torno da *eliminação* da cláusula 4 da Constituição partidária (que defendia a *propriedade comum dos meios de produção*), resultou na criação de um substitutivo que expressa limpidamente as mutações em curso no Labour Party. Em substituição à cláusula que se referia à *propriedade coletiva*, foi introduzida a defesa do *empreendimento do mercado e rigor da competição*, selando, dentro do programa do New Labour, a vitória da economia de livre mercado diante da fórmula anterior.

A retórica *socialista* e as práticas *trabalhista* e *reformista* anteriores encontraram seu substituto na defesa da economia de mercado, mesclando liberalismo com traços da "moderna" social-democracia. Começava então a se desenhar o que foi denominado por Tony Blair, respaldado em seu suporte intelectual mais sólido, dado por Anthony Giddens e David Miliband, de "terceira via".

Em seu sentido mais profundo, a "terceira via" do NL teve como objetivo dar *continuidade* ao projeto de "modernização" do Reino Unido, redesenhando a alternativa *inglesa* dentro da nova configuração do capitalismo contemporâneo. Nessa sua nova fase, o NL aprofundou sistematicamente a legislação que flexibilizou e desregulamentou o mercado de trabalho iniciado por Thatcher.

A flexibilização e a precarização do trabalho, as privatizações, a abertura comercial etc. deveriam, entretanto, ser contrabalançadas com ações como o reconhecimento dos sindicatos no interior das empresas, o estabelecimento de níveis mínimos de salário, a assinatura da Carta Social da União Europeia, entre outras medidas defendidas pelo primeiro-ministro britânico no início de seu mandato, para que seu governo não fosse pura e simplesmente entendido como uma continuidade integral em relação ao período dos conservadores. Era preciso lhe dar um verniz social-liberal.

Mas, na *essência*, a "terceira via" configurou-se como *continuidade* da fase thatcherista, uma vez que, dado o enorme desgaste que o neoliberalismo acumulou ao longo de quase vinte anos, acabou sendo derrotado eleitoralmente, de forma fragorosa, por Tony Blair[1].

O partido que emergiu vitorioso no processo eleitoral de 1997, despojado de vínculos com o seu passado reformista-trabalhista, converteu-se, então, no New Labour pós-Thatcher, "moderno", defensor vigoroso da "economia de mercado", da flexibilização do trabalho, das desregulamentações, da "economia globalizada e moderna", enfim, de tudo aquilo que foi fundamentalmente estruturado durante a fase clássica do neoliberalismo.

Sua "defesa" do *welfare State*, por exemplo, acarretou o desmonte de muitos aspectos da social-democracia e do trabalhismo inglês. Tony Blair, quando propugnava "modernizar" o *welfare State*, de fato o desconstruía, erodindo os direitos do trabalho, da previdência e da saúde públicas, definidos por ele como "herança arcaica".

---

[1] A tentativa de expressar *descontinuidade* em relação à política de Thatcher sem ser um entrave para a continuidade do projeto britânico, reorganizado durante a fase neoliberal, aflorou na tomada de algumas decisões políticas, como o reconhecimento do Parlamento na Escócia (e também na Irlanda e no País de Gales).

Seu principal ideólogo, Giddens[2], apresentou a seguinte análise:

> A "terceira via" oferece um cenário bastante diverso dessas duas alternativas [social-democracia e neoliberalismo]. Algumas das críticas formuladas pela nova direita ao *welfare State* são válidas. As instituições de bem-estar social são muitas vezes alienantes e burocráticas; benefícios previdenciários criam direitos adquiridos e podem acarretar consequências perversas, subvertendo o que originalmente tinham como alvo. O *welfare State* precisa de uma reforma radical, não para reduzi-lo, mas para fazer com que responda às circunstâncias nas quais vivemos hoje.

E acrescentava: politicamente, "a terceira via representa um movimento de modernização do centro. Embora aceite o valor socialista básico da justiça social, ela rejeita a política de classe, buscando uma base de apoio que perpasse as classes da sociedade"[3].

Economicamente, a terceira via propugna a defesa de uma "nova economia mista", que deve se pautar pelo "equilíbrio entre a regulamentação e a desregulamentação e entre o aspecto econômico e o não econômico na vida da sociedade". Ela deve "preservar a *competição* econômica quando ameaçada pelo monopólio". Deve também "controlar os monopólios naturais" e "criar e sustentar as bases institucionais dos mercados"[4].

Ou, conforme a formulação de Tony Blair:

> A terceira via é a rota para a renovação e o êxito para a moderna social-democracia. *Não se trata simplesmente de um compromisso entre a esquerda e a direita*. Trata-se de recuperar os valores essenciais do centro e da centro-esquerda e aplicá-los a um mundo de mudanças sociais e econômicas fundamentais, e de fazê-las *livres de ideologias antiquadas*. [...] Na economia, nossa abordagem não elege nem o "*laissez-faire*" nem a interferência estatal. O papel do governo é promover a estabilidade macroeconômica, desenvolver políticas impositivas e de bem-estar, [...] equipar as pessoas para o trabalho melhorando a educação e a infraestrutura e promover a atividade empresarial, particularmente as indústrias do futuro, baseadas no conhecimento. Nos orgulhamos de contar com o apoio tanto dos empresários como dos sindicatos.[5]

---

[2] Anthony Giddens, "A terceira via em cinco dimensões", *Folha de S.Paulo*, 21 fev. 1995.

[3] Idem.

[4] Idem.

[5] Citado em Ricardo Antunes, *Os sentidos do trabalho*, cit., p. 99.

Na política externa, sua ação oscilou entre a *subserviência* e a adesão *ativa* ao imperialismo dos Estados Unidos, tendo como exemplo a ação na Guerra do Kosovo e na guerra contra o Iraque.

A sua postura antissindical e contrária aos trabalhadores foi emblemática e está estampada na derrota da Greve dos Doqueiros de Liverpool (que ocorreu entre 1995 e 1998); na aceitação do essencial do desmonte da era Thatcher; na destruição continuada dos direitos do trabalho (e, em alguns casos, em sua intensificação, como na restrição dos direitos sociais das mães solteiras e dos deficientes físicos, que provocou uma onda enorme de protestos contra Tony Blair); na política de ampliação das privatizações; na adesão servil e indigente – acima referida – ao imperialismo político-militar dos Estados Unidos. Tudo isso evidencia que a "terceira via" foi, fundamentalmente, uma forma de preservação do essencial do neoliberalismo em sua política econômica, em seu desenho ideopolítico e em sua pragmática, com um verniz social-democrático cada vez mais descorado. Foi o que restou da social-democracia na fase mais destrutiva do capitalismo, que tenta mascarar alguns elementos do neoliberalismo, preservando sua engenharia econômica básica e sua ideologia regressiva. Por isso é que a "terceira via" tem sido uma *via alternativa* que o capitalismo vem gestando para manter o fundamental do que o neoliberalismo *clássico* construiu e quer de todo modo preservar.

A rota surpreendente

Lula sagrou-se vitorioso nas eleições presidenciais em 2002, depois de três tentativas anteriores. Essa vitória ocorreu, entretanto, em um contexto internacional e nacional bastante diferente daquele dos anos 1980, quando o Brasil presenciava um importante ciclo de lutas sociais. Tratava-se, então, de uma processualidade contraditória: a vitória da "esquerda" no Brasil ocorreu quando ela estava mais fragilizada, menos respaldada e menos ancorada em seus polos centrais, que lhe davam capilaridade (classe operária industrial, assalariados médios e trabalhadores rurais), e quando o *transformismo* já havia metamorfoseado e convertido o Partido dos Trabalhadores em um *Partido da Ordem*[6].

Ao contrário da potência das lutas sociais do trabalho nos anos 1980, agora o cenário era de completa mutação. A eleição de Lula

---

[6] Ver Ricardo Antunes, *A desertificação neoliberal no Brasil (Collor, FHC e Lula)* (Campinas, Autores Associados, 2004), *Uma esquerda fora do lugar: o governo Lula e os descaminhos do PT* (Campinas, Autores Associados, 2006), e "A engenharia da cooptação e os sindicatos", *Jornal dos Economistas*, Rio de Janeiro, n. 268, 2011; disponível em: <http://www.correiocidadania.com.br/politica/6822-17-02-2012-a-engenharia-da-cooptacao-e-os-sindicatos-no-brasil-recente>; acesso em: 13 abr. 2018.

em 2002 acabou sendo uma vitória política tardia. Nem o PT nem o Brasil eram os mesmos. O país havia se *desertificado* pelas medidas neoliberais da era FHC, e o PT já não era mais um partido de classe, oscilando entre a resistência ao neoliberalismo e a aceitação da política da moderação e da adequação à ordem. Aproximando-se de uma política de alianças muito ampla, com vários setores de centro e mesmo de direita, o PT foi se configurando cada vez mais como um partido defensor de um programa policlassista.

Um exemplo é bastante esclarecedor: no final do governo FHC, em 2002, houve um acordo de "intenções" com o FMI que exigia dos candidatos à Presidência concordância com seus termos. O PT de Lula publicou então um documento denominado "Carta aos brasileiros", no qual evidenciava sua política de subordinação ao FMI e aos setores financeiros internacionais.

Quando o governo Lula se iniciou, em 2003, suas primeiras medidas sinalizavam um projeto pautado mais pela *continuidade* do que pela ruptura com o neoliberalismo, ainda que sob a variante do *social-liberalismo*. Sua política econômica preservava a hegemonia dos capitais financeiros, reiterando as determinações do FMI. E mais: ao preservar a estrutura fundiária concentrada, dar incentivo aos fundos privados de pensão e determinar a cobrança de impostos dos trabalhadores aposentados, o governo Lula não alterava nenhum traço essencial da formação social brasileira. Isso significou uma ruptura com parcelas importantes do sindicalismo dos trabalhadores públicos, que passaram a lhe fazer forte oposição, especialmente nesse primeiro mandato.

A política de liberação dos transgênicos – atendendo às pressões de grandes transnacionais –, a política monetarista de superávit primário para garantir a remuneração dos capitais financeiros e a não realização da reforma agrária, além do esquema de corrupção que ficou conhecido como "mensalão", demonstravam que o primeiro governo Lula dava clara *continuidade* aos fundamentos da política neoliberal.

Como esse governo se sustentava num leque de forças políticas, tendo em sua base de apoio desde setores de esquerda até núcleos da direita tradicional brasileira, as alterações que ocorreram no início do segundo mandato permitiram que reconquistasse o apoio majoritário da população brasileira, entre *todas as classes sociais*, conformando-se em um governo policlassista dos mais bem-sucedidos, que *recusava qualquer política de relativo benefício à classe trabalhadora*.

Essa primeira alteração significativa foi a resposta à crise do "mensalão", que quase levou o primeiro governo ao *impeachment*. Era fundamental que o segundo governo Lula ampliasse sua base de sustentação, desgastada perante a classe trabalhadora organizada que havia se decepcionado politicamente com as medidas do primeiro.

Foi então que se deu, já no início do segundo mandato, uma alteração importante: Lula, depois da falência do programa social Fome Zero, ampliou o Bolsa Família, uma política social focalizada e assistencialista, de grande amplitude, que atingiu milhões de famílias pobres, com renda salarial baixa e que, por isso, recebiam um complemento.

Tal medida ampliou significativamente a base social de apoio a Lula em seu segundo mandato. Atingia não a classe trabalhadora organizada (sua base de origem), mas os setores mais pauperizados da população brasileira, que tanto dependem das políticas do Estado para sobreviver. Comparado aos governos anteriores, sobretudo ao de FHC, essa política assistencialista de Lula assumiu uma proporção quantitativa muitas vezes maior, o que compensou o apoio que Lula e o PT perderam em vários setores organizados da classe trabalhadora – ainda que o tenham recuperado posteriormente, ao menos em parte.

Por outro lado, permanecia aviltante o salário mínimo brasileiro: Dilma, em seu primeiro ano de mandato, 2011, foi taxativa em manter a proposta de 545 reais, demonstrando que sua política de combate à fome se mantinha no campo do puro assistencialismo, sendo incapaz de tocar no lucro do grande capital, do qual o governo Lula fora servo exemplar. Apesar disso, é preciso reconhecer que, em comparação ao governo anterior de FHC, tal política assistencialista trouxe poucos mas efetivos ganhos reais para os setores mais pauperizados da classe trabalhadora. O máximo que se poderá dizer do governo Lula é que ele foi "melhor" do que o de FHC.

Desse modo, seu governo fechou as duas pontas da tragédia social no Brasil: remunerou de forma exemplar as diversas frações do capital (em especial o financeiro, mas também o industrial e aquele vinculado ao agronegócio) e, no extremo oposto da pirâmide social, em que encontramos os setores mais "desorganizados" e "empobrecidos" da população brasileira – que dependem do Estado para sobreviver –, implementou uma política social assistencialista, associada a uma pequena valorização do salário mínimo. É decisivo acrescentar, contudo, que tais medidas não confrontaram nenhum dos pilares estruturantes da desigual sociedade brasileira, na qual a riqueza também continuou se ampliando significativamente.

Assim, é necessário enfatizar que o governo Lula tanto minimizou os níveis de indigência social como favoreceu o grande capital, abrindo o país ao capital forâneo. E fez ainda mais: transnacionalizou setores importantes da burguesia brasileira.

A grande popularidade do governo Lula no fim de seu mandato – tendo mais de 80% de aceitação nas pesquisas de opinião pública –, suficiente para garantir a vitória de sua candidata, a ex-ministra Dilma Roussef, à Presidência do Brasil, decorreu, então, do fato de que, por um lado, seu programa social desenvolveu uma variante de assistencialismo com uma amplitude muito superior àquelas que haviam sido implementadas anteriormente pelos governos conservadores oriundos *estritamente* das classes dominantes; por outro, o fez garantindo altos lucros, comparáveis aos maiores da história recente do Brasil, para os grandes capitais financeiros (bancos e fundos de pensão), bem como para os capitais produtivos (siderurgia, metais pesados, agroindústria, *commodities* etc.).

É importante acrescentar ainda outro ponto vital, que marcou particularmente o segundo mandato: quando a crise mundial atingiu com força os países capitalistas centrais em 2008, o governo tomou medidas claras no sentido de incentivar a retomada do crescimento econômico por meio da redução de impostos em setores fundamentais da economia, como o automobilístico, o de eletrodomésticos e o da construção civil. Incorporadoras de força de trabalho, essas medidas contribuíram para a forte expansão do mercado interno. Esse movimento compensou em parte a retração do mercado externo, que, no contexto da crise, reduziu a compra das *commodities* produzidas no Brasil.

Se isso já não bastasse, seu governo contou ainda com o apoio de forte parcela da burocracia sindical, que se atrelou ao Estado por depender diretamente de verbas públicas. A CUT e a Força Sindical, inimigas no passado, passaram a conviver bem em diversos ministérios do governo Lula.

Essa proximidade entre centrais que se originaram de projetos contrários foi sendo tecida também a partir de medidas adotadas por Lula em seu segundo mandato. Entre elas, deve-se destacar a Lei 11.648, de março de 2008, que, ao mesmo tempo que legaliza as centrais sindicais, acentua o controle estatal sobre os sindicatos, incluindo essas entidades entre aquelas credoras (de 10%) do imposto sindical (criado na ditadura Vargas, no final da década de 1930).

Isso significa que, no limite, podem viver com recursos desse imposto e de outras verbas públicas, praticamente sem a necessidade de realizar a cotização autônoma entre seus associados. Sem mencionar o fato de que, durante o governo Lula, centenas de ex-sindicalistas passaram a receber altos salários e comissões para participar do conselho de empresas estatais e ex-estatais, além de inúmeros cargos em ministérios e comissões criadas pelo governo.

No que concerne à liderança política, Lula a exercitou de forma exemplar ao manter relação "direta" com as massas, de fortes traços arbitrais e, frequentemente, messiânicos. Em uma quadra histórica em que as frações dominantes não puderam garantir a sucessão presidencial nem em 2002 nem em 2006, Lula se tornou expressão de um governo excepcionalmente favorável a elas, uma vez que conseguiu articular *interlocução com os pobres, vivência das benesses do poder e garantia de boa vida dos grandes capitais*. Encarnou, dessa forma, uma espécie de *semi-Bonaparte*, recatado, cordial, célere diante da hegemonia financeira e hábil no manuseio de sua base social. Sua nova forma de ser provocou uma *consciência invertida de seu passado* e o deslumbramento em relação ao presente.

Como consequência desse *transformismo*, seu governo demonstrou enorme competência em dividir os *trabalhadores privados* dos *trabalhadores públicos*. O mais importante partido de classe das últimas décadas, que tantas esperanças criou no Brasil e no mundo, exauriu-se como partido de esquerda transformador da ordem para se qualificar como potente gestor dos grandes interesses dominantes no país. Converteu-se em um partido que sonha, enfim, "humanizar o capitalismo", combinando, quando no poder central, uma política de parcerias com o grande capital – evidenciando um traço privatizante que procurou esconder de todo modo – e de incentivo amplo à transnacionalização dúplice do Brasil (de fora para dentro e vice-versa), fazendo uso também da força do Estado para incentivar seu desenvolvimento e expansão e buscando minorar, por meio de políticas sociais, o pauperismo existente.

O governo Lula, que poderia ter iniciado o desmonte efetivo do neoliberalismo no Brasil, acabou se tornando, a princípio, seu prisioneiro e, depois, seu lépido agente, ainda que sob a forma do *social-liberalismo*, incapaz de principiar a desestruturação dos pilares da dominação burguesa. O desmoronamento do projeto de governo do PT era questão de tempo. Esse tempo chegou quando a crise atingiu o Brasil em profundidade, conforme veremos nos capítulos seguintes.

Capítulo 14

A FENOMENOLOGIA DA CRISE BRASILEIRA

> *Percebi que a troca de existências não produzia apenas uma deliciosa renovação, mas também certa obliteração no meu interior – no sentido de que todas as recordações de minha vida anterior haviam sido exiladas de minha alma.*
>
> Thomas Mann, *Confissões do impostor Felix Krull*

A construção do mito

O Brasil teve um papel de relevo nas lutas políticas e sociais na década de 1980, conseguindo retardar a implantação do neoliberalismo que já se expandia por vários países da América Latina, como no Chile, na Argentina, no México, entre outros. Depois das históricas greves do ABC Paulista – núcleo operário onde floresceu Luiz Inácio Lula da Silva –, ganhou enorme força um sindicalismo de oposição, denominado novo sindicalismo. As greves se generalizaram pelo país, atingindo grandes contingentes da classe trabalhadora. Nasceram incontáveis movimentos sociais, ampliou-se a oposição à ditadura militar, desenhou-se uma Assembleia Nacional Constituinte (1986-1988) e, em 1989, teve lugar um processo eleitoral – a primeira eleição para presidente depois da queda da ditadura civil-militar – que fraturou o país em dois projetos sociais e políticos distintos, um à esquerda e outro à direita.

Quando ocorreu a vitória política de Lula, em 2002, o Brasil era um país profundamente diferente, em um contexto internacional e nacional bastante diverso daquele dos anos 1980: a vitória do Partido dos Trabalhadores e da esquerda se deu quando o *transformismo*[1] já havia começado a metamorfosear o PT num *Partido da Ordem*[2]. O Brasil havia se *desertificado* pelas medidas neoliberais da era FHC e o PT já não era mais um partido da classe trabalhadora, oscilando entre a resistência ao neoliberalismo e a aceitação de uma "nova política", muito mais moderado, policlassista e adequado à ordem capitalista típica da era da financeirização[3].

O primeiro governo Lula foi caracterizado mais pela *continuidade* do neoliberalismo do que pela *ruptura* com ele. Desenvolveu-se no Brasil uma variante com certas similitudes em relação ao que se denominava, à época, *social-liberalismo*, conforme apresentamos no capítulo anterior. Em seu primeiro governo, a política econômica preservou a hegemonia dos capitais financeiros[4], determinada pelo FMI, mantendo inalterados os traços estruturais constitutivos da excludente e perversa formação social burguesa no Brasil[5].

No segundo governo Lula, dadas a crise política do chamado "mensalão" e a quase perda das eleições em 2006, efetivou-se um conjunto de alterações importantes visando reconquistar um apoio que estava sendo erodido: desenvolveu-se o programa Bolsa Família, que procurava minimizar os níveis de miserabilidade de milhões de trabalhadores e trabalhadoras, especialmente nas regiões mais atrasadas do país. Houve também um relativo aumento do salário mínimo brasileiro em comparação aos governos anteriores de Fernando Henrique Cardoso e Collor de Melo.

Com essa programática, o governo Lula exercitou uma política de concertação social expressiva, com rara competência, que o aproximou, conforme também sugerimos no capítulo anterior, de uma variante semi-Bonaparte, tanto pela conciliação de classes realizada como pelo papel central do "líder" (e não em sentido ditatorial, uma vez que esse jamais foi um traço constitutivo da biografia de Lula). Seu segundo governo continuou beneficiando enormemente as diver-

---

[1] Antônio Gramsci, *Maquiavel, a política e o Estado moderno* (Rio de Janeiro, Civilização Brasileira, 1989).

[2] Karl Marx, *O 18 de brumário de Luís Bonaparte* (São Paulo, Boitempo, 2011).

[3] Retomamos aqui várias ideias que estão apresentadas especialmente em Ricardo Antunes, A desertificação neoliberal no Brasil, cit., *Uma esquerda fora do lugar*, cit., e "O Brasil da era Lula", *Margem Esquerda: Ensaios Marxistas*, São Paulo, Boitempo, n. 16, 2011.

[4] Francisco de Oliveira, *Crítica à razão dualista/O ornitorrinco* (São Paulo, Boitempo, 2003).

[5] Ver o rico e abrangente balanço crítico do neoliberalismo e suas distintas variantes em Lucia Pradella e Thomas Marois (orgs.), *Polarizing Development: Alternatives to Neoliberalism and the Crisis* (Londres, Pluto, 2015).

sas frações do grande capital, sobretudo o industrial e o financeiro (que, como sabemos, têm uma forte simbiose entre eles, ainda que com frequência disputem espaços na condução da política econômica), além do agronegócio.

No extremo oposto da pirâmide social, o governo procurou implementar uma política social mais abrangente, ainda que sempre assistencialista, buscando minimizar em alguma medida a brutal miséria brasileira. Mas é imperioso enfatizar que *nenhum dos pilares estruturantes dessa miséria foi efetivamente enfrentado*. Essa era uma imposição das classes dominantes para garantir seu apoio ao governo Lula e foi aceita servilmente.

Os grandes capitais lucraram como poucas vezes na história recente do país, sendo que parcelas da base mais empobrecida e pauperizada da pirâmide social brasileira puderam ascender pequenos degraus, que são por certo hiperdimensionados pelos seus apologistas e contestados pela direita com seu intrínseco e ineliminável traço de insensibilidade social, herança de seu passado colonial quase "prussiano", muito escravista, fortemente senhorial e excludente. A política de preservação do salário mínimo, ainda que abusivamente baixo, muito aquém do que a Constituição brasileira determina, também permitiu que o segundo governo Lula superasse a profunda crise que quase avassalou seu primeiro mandato.

Com a eclosão da crise mundial a partir de 2008, atingindo de início os países capitalistas centrais, o governo tomou medidas para retomar o crescimento econômico, reduzindo vários impostos em setores estratégicos da economia brasileira, expandindo de modo significativo o nosso mercado interno.

Vale recordar nesta breve síntese que o governo Lula, além de ampliar o espaço do grande capital internacional no Brasil, incentivou fortemente a transnacionalização de importantes setores da burguesia nativa, como a construção civil, composta pelas empreiteiras, uma das mais corruptas frações do grande capital no país. Esse fenômeno será vital para compreender a profunda crise política que vem corroendo os governos do PT, não só durante o "mensalão" de meados de 2000, mas também após a vitória eleitoral de Dilma, em 2014, com o início de seu segundo mandato, sobre o qual trataremos adiante.

A grande popularidade obtida pelo governo Lula, que findou seu segundo mandato, em 2010, com mais de 80% de aceitação, conforme pesquisas de opinião divulgadas à época, foi fator fundamental para garantir a vitória de sua candidata, a ex-ministra Dilma Rousseff, à Presidência do Brasil. Essa eleição presidencial se baseou na manutenção do projeto político do que então já se denominava *lulismo*, caracterizado pela força eleitoral de Lula e sua liderança "messiânica" e carismática que contou, uma vez mais, com forte apoio político de diversas frações burguesas, satisfeitas e plenamente representadas pelo bloco de poder então vigente.

Lula, líder inconteste do PT, encontrou na candidatura de Dilma a *figura ideal*. Era uma gestora pública que havia substituído José Dirceu na chefia da Casa Civil, quando este entregou o cargo pelo escândalo de corrupção do chamado "mensalão". Sua candidatura seria capaz de herdar os votos de Lula *sem contestar a intocável hegemonia de Lula (e do lulismo) dentro do PT*. Essa era a expectativa do então presidente e do comando político do partido.

Outros candidatos com potencial de votos, boa densidade eleitoral e experiência política poderiam ter sido preparados, pois a transposição de votos de Lula para o "seu" novo candidato seria quase natural. Pode-se exemplificar com o ex-governador do Rio Grande do Sul, Tarso Genro: apesar de jamais se confrontar abertamente com o comando lulista, uma candidatura como a de Genro poderia gerar espaços de relativa autonomia, o que, por certo, não seria aceito por Lula. O risco que ele não quis correr em 2010, por sua decisão monocrática (ainda que tomada com muita simpatia e envolvimento, mas sem aceitar nenhuma contestação), lhe custou um alto preço, como se pôde constatar em fins de 2015. Esse grave erro do *líder inconteste* – escolher a dedo uma substituta sem a experiência política necessária para ser a *sua* candidata à Presidência da República – *acabou por se constituir num ingrediente central da crise profunda do governo do PT, dada a sua incapacidade de enfrentar crises políticas* como a que presenciamos em fins de 2015. Vale acrescentar ainda: pela recusa de Dilma em ser uma *mera executora das decisões políticas de Lula*.

Seguindo o receituário social-liberal (apologeticamente denominado "neodesenvolvimentista", sobretudo pelos *lulistas* e seus simpatizantes) ao longo de seu primeiro mandato, Dilma conseguiu a reeleição em 2014. Começava, então, seu novo mandato, incapaz de imaginar que, pouco tempo depois, iniciaria um martírio cujas previsões são impossíveis de se esboçar até o presente, fim de dezembro de 2015. Se o futuro (imediato) de Dilma é bastante imprevisível, vamos procurar enumerar alguns elementos que conformam a *fenomenologia da crise* (econômica, social, política e institucional) que parece caminhar ora para o colapso, ora para a ressurreição de seu governo.

A corrosão do mito

Se Dilma, criatura política de Lula, conseguiu vencer as eleições, lhe faltava a densidade social e política que seu criador exerce de modo abundante. Embora seu primeiro governo contasse com o apoio de um amplo leque de interesses econômicos poderosos, das finanças ao agronegócio, passando pela indústria – setores que também apoiaram Lula anteriormente –, Dilma é uma individualidade diversa: gestora, burocrata, conhecida pelo seu centralismo, sem jamais ter participado de uma campanha política anterior. Já era possível prever, então, o desastre que poderia se dar em uma situação de crise. Mas o *gênio político* de Lula, prioritariamente preocupado com seu controle no novo governo (e também com seu comando no PT), foi incapaz de perceber esse risco.

Em suas diretrizes econômicas mais gerais, Dilma manteve basicamente o receituário do segundo governo Lula: crescimento econômico com ênfase na expansão do mercado interno; incentivo à produção de *commodities* para a exportação (favorecendo especialmente o capital vinculado ao agronegócio); redução de tributos que beneficiou os grandes capitais (industrial, construção civil etc.), mantendo uma política financeira preservadora – em grande parte de seu governo – dos juros altos, procurando garantir o apoio do sistema financeiro. Somente em alguns poucos momentos, quando as repercussões da crise internacional começaram a se intensificar no Brasil, é que o governo Dilma ensaiou uma política de redução de juros; o enorme descontentamento que encontrou no mundo financeiro fez com que voltasse rapidamente para a política de juros altos.

Com o agravamento da crise econômica internacional, que não mais se restringia aos países do Norte, mas também afetava diretamente os chamados Brics (Brasil, Rússia, Índia, China e África do Sul), começou gradativamente a cindir a base social burguesa que até então dava apoio aos governos Lula e Dilma, do PT e de seus partidos aliados, e que *praticamente* comandava o pacto policlassista desenhado pelo PT no governo. O Partido dos Trabalhadores, que nascera sonhando com a autonomia de classe e a independência política, consolidava sua longa inflexão.

Porém, um novo elemento começava a ampliar os descontentamentos com relação ao governo Dilma: no cenário político, ressurgiam, dessa vez de modo muito amplificado, os escândalos de corrupção envolvendo diretamente o PT, sua cúpula política e os partidos aliados, especialmente o PMDB. Foi nessa contextualidade política que, em 2013, irromperam as rebeliões de junho. O país da "cordialidade" mostrava, uma vez mais, que sabia também se rebelar. A explosão popular chegou a quase todas as partes do Brasil. A totalidade do arcabouço institucional brasileiro foi, então, fustigada pelo levante social.

Depois das mobilizações de junho, em sua continuidade, desencadearam-se também as mais diferenciadas manifestações. Disseminadas por periferias, bairros, centros urbanos e estradas, seguidas de uma expressiva onda de greves, elas se converteram em uma miríade que agrupava descontentamentos de diversas dimensões. Originaram-se a partir das ações do Movimento Passe Livre (MPL), mas foram depois se ampliando até atingir mais de 2 milhões de manifestantes no país, com uma gama enorme de reivindicações. Encontravam suas causalidades em uma espetacular convergência entre elementos estruturais mais amplos e uma contextualidade política particularíssima, que talvez possamos indicar, em resumo, nas linhas seguintes. Esses diversos elementos se misturaram em junho de 2013.

Primeiro, foram motivadas pela percepção de que o projeto que vinha se desenvolvendo no Brasil desde a década de 1990 (inicialmente com FHC, depois com Lula e Dilma, que, como já sugerimos, tinham os mesmos pilares básicos em sua política econômica) havia enfim se esgotado, resultando em um profundo *mal-estar social*. A população trabalhadora e jovem, dominante nas manifestações, denunciava o transporte privatizado e precarizado, a saúde pública degradada e o ensino público abandonado. Rebelava-se, então, contra a *mercadorização* da *res publica*.

Segundo, as manifestações eclodiram em uma conjuntura marcada pela preparação da Copa das Confederações, quando se percebeu que os recursos públicos estavam sendo drenados para a construção de estádios de futebol, beneficiando assim os vultosos interesses das grandes corporações, além de excluir a população pobre dos estádios. Isso estampou uma simbiose complexa e profunda entre Fifa, interesses transnacionais e a totalidade das frações burguesas que aqui comandam, enlaçadas pelo governo do *desenvolvimento harmonioso* que começava a desmoronar. Foi emblemático que as rebeliões de junho de 2013 tenham florescido em pleno décimo aniversário dos governos do PT, comemorado pelo partido em várias partes do país. A festa, entretanto, foi obliterada pela convulsão social que deixou o PT em completa catatonia.

Terceiro, estávamos vivenciando um contexto internacional explosivo que se caracterizou pelas rebeliões nos mais diversos cantos e partes do mundo. Em um dado momento, o Brasil deixava de ser espectador para se tornar partícipe ativo de uma fase espetacular de rebeliões em escala global. Essas manifestações sempre tiveram a presença das massas populares se apropriando do espaço público, em ruas e praças, exercitando práticas *mais plebiscitárias, mais horizontalizadas*, além de estampar um descontentamento profundo em relação às *formas de representação e de institucionalidade* que caracterizam as "democracias" vigentes nos países capitalistas.

O Brasil também vivenciou esse momento com o afloramento da primeira crise profunda do governo Dilma (e da segunda grande crise do governo do PT, pois é bom lembrar que, em 2005, no primeiro mandato de Lula, a crise tivera alta intensidade). O mito do "país da classe média", tão apregoado no Brasil, começava a desmoronar. Mostrou-se muito mais um *constructo ideal* do que dotado de *facticidade*, ainda que as políticas sociais e de valorização do salário mínimo não fossem idênticas nos governos do PT e do PSDB (FHC).

Mas essas rebeliões eram polimorfas e diferenciadas, sendo que várias classes e setores de classes delas participaram. Assim, as esquerdas sociais e partidárias também estiveram presentes, desde a primeira hora, sem nunca ter se tornado dominantes ou hegemônicas. No curso dos levantes e rebeliões ocorreu também um elemento novo e imprevisível, dado pela aparição aberta de vários espectros das direitas conservadoras, algumas protofascistas e fascistas, defendendo inclusive a ditadura militar, expressão em boa medida de sentimentos e valores muito presentes nas classes médias mais tradicionais[6].

Algo de fato começava a mudar no país, e a disputa pela hegemonia estava, a partir de então, aberta e indefinida. Diferentemente das passeatas contra Fernando Collor, em 1992, e das manifestações de 1984 e 1985 contra a ditadura militar e pelas eleições diretas, as manifestações de junho de 2013 foram singulares. Tiveram desde cedo um perfil policlassista, mas com forte presença de setores populares, do precariado jovem, dos *estudantes-que-trabalham* ou dos *trabalhadores-que-estudam*. Delas participaram também os setores mais politizados da juventude, dos movimentos sociais urbanos, como o MPL, ou daqueles oriundos das periferias, a exemplo do Movimento Periferia Viva e do Movimento dos Trabalhadores Sem Teto (MTST), além dos partidos de esquerda, como o Partido Socialismo e Liberdade (PSOL), o Partido Socialista dos Trabalhadores Unificado (PSTU) e o Partido Comunista Brasileiro (PCB), entre outros grupamentos políticos.

Ainda em pleno curso das manifestações, porém, foi crescendo a presença dos setores oriundos das classes médias mais conservadoras, *aparentemente* apolíticos, mas com clara inclinação à direita. Contudo, se esses setores não conseguiram conduzir as manifestações de 2013, eles intensificaram, a partir daí, uma campanha sistemática de ataque às esquerdas e aos movimentos sociais, acabando por converter o "governo de esquerda do PT" em seu inimigo visceral.

Nessa conjuntura de alta turbulência, com um descontentamento tão heterogêneo e socialmente diferenciado, começava a desmoronar o mito *lulista* do país onde tudo parecia dar certo. Ao mesmo tempo

---

[6] Ver Ricardo Antunes, "As rebeliões de junho de 2013", cit. No próximo capítulo retomaremos o tema dessas rebeliões.

que adentrávamos em um ciclo de descontentamentos, levantes, rebeliões, greves, situados em um espectro mais à esquerda, começavam também a despontar manifestações de claro perfil conservador, explicitamente à direita. Enfim, desenvolvia-se no Brasil algo que não se via desde a ditadura civil-militar: dois polos claramente distintos e opostos, em aberta confrontação, com o governo Dilma no meio do furacão. Tudo isso foi empurrando o PT e seu governo para uma crise que ele jamais imaginou que um dia pudesse vivenciar.

Foi nessa contextualidade social e política que, em 2014, em plena campanha à Presidência, Dilma Rousseff entrou na disputa eleitoral escondendo a intensidade do quadro econômico crítico em que já estava atolado seu governo. Afirmou de modo altissonante que não cortaria direitos dos trabalhadores em nenhuma hipótese e que também não faria o "ajuste fiscal" que os setores dominantes exigiam de qualquer candidatura que fosse vitoriosa em 2014. Entretanto, logo após sua vitória, consubstanciou-se o outro estelionato eleitoral[7].

Dilma ganhou as eleições, escolheu a dedo um ministro da Fazenda no alto escalão do capital financeiro e iniciou um "ajuste fiscal" duríssimo para as classes populares e, em particular, para a classe trabalhadora, em seu sentido *compósito e heterogêneo*, para recordar Florestan Fernandes[8]. Assim, as primeiras medidas tomadas pela candidata reeleita foram o inverso do que ela propugnou em sua campanha eleitoral: reduziu conquistas trabalhistas, como seguro-desemprego; aumentou os juros bancários; indicou um ministério de perfil conservador e começou a urdir um programa de "ajuste fiscal" profundamente recessivo. Desse modo, o segundo governo Dilma, ao implementar o que sua campanha dizia que a oposição conservadora faria, começou a ampliar ainda mais o desmoronamento de sua base social e política, que acabou jogando o seu governo em uma crise que não se via no Brasil desde a era Collor.

Sua resposta foi, então, fazer mais concessões à direita e às frações dominantes: sua política econômica aumentou ainda mais o superávit primário, indicou nova leva de privatizações (aeroportos, portos, estradas etc.), aumentou de forma significativa a taxa de juros e, como Lula fizera anteriormente, incentivou ainda mais o agronegócio. Dilma e o PT perdiam, então, na razão inversa dessas ações, o já abalado apoio que ainda encontravam na classe trabalhadora, nos sindicatos e em parte dos movimentos sociais.

---

[7] Estelionato frequente em nossas eleições e praticado também, em alta intensidade, pela candidatura ultraconservadora de Aécio Neves, que parecia um estranho paladino da causa dos "desprotegidos".

[8] Florestan Fernandes, *A revolução burguesa no Brasil* (Rio de Janeiro, Zahar, 1975).

Por certo já se evidenciava, desde fins de 2014, que ocorreria uma "mudança de rota" ainda mais regressiva em sua política econômica, visando estancar a crise econômica e aplacar as pressões dos grandes capitais. Isso porque essas pressões se aprofundavam na medida em que a crise internacional se intensificava. Nesse novo quadro crítico, *as distintas frações dominantes*, que anteriormente se beneficiaram sob os governos do PT, começaram a disputar entre si quem arcaria menos com o ônus da crise, uma vez que, *para além de penalizar agudamente a classe trabalhadora*, os lucros se reduzem em um contexto de crise, acentuando a disputa intraburguesa em torno de quem vai perder menos. A crise do governo seria ainda acentuada com a deflagração da Operação Lava Jato[9] e o avanço na coleta de elementos comprobatórios da vasta corrupção política, já endêmica, na Petrobras.

Se é verdade cristalina que a corrupção sempre ocorreu no Brasil – pois sempre foi o *modus operandi* da direita no poder e no trato dos recursos públicos, a serviço dos interesses de grupos, facções e classes dominantes –, agora se tratava de uma corrupção implementada por um partido que nascera, em 1980, como uma nova esperança da esquerda para incontáveis militantes, em tantas partes do país, do continente e do mundo. De partido crítico dessa pragmática, o PT dominante se tornou parte constitutiva dela.

As práticas que fagocitaram o PT e seus governos

Sabemos que as práticas de corrupção dos partidos de centro e de direita, quando esses grupamentos estão no poder, são mais a regra do que a exceção. Mas, quando elas atingem um partido de esquerda (lembremos que o PT nasceu sob o signo da *ética na política*), isso tem um sabor especial para as direitas. Em meio à crise, os escândalos de corrupção trouxeram um componente explosivo que ajudou a desestabilizar a ampla aliança partidária que dava sustentação aos governos Lula e Dilma, aliança essa quase toda devassada pela prática generalizada da corrupção.

O principal partido de apoio ao governo Lula, o PMDB, foi também duramente maculado pelo saque dos recursos públicos. O fato de suas

---

[9] A Operação Lava Jato teve papel decisivo na descoberta dos polos de corrupção dentro da Petrobras e atingiu em cheio os governos do PT. Essa operação certamente merecerá um conjunto de estudos e reflexões críticas, que estão fora dos objetivos de nossa análise neste capítulo. Mas é imperioso assinalar que se evidenciou, desde o início, sua volúpia em atingir o PT e os partidos aliados a ele, enquanto o PSDB passava muito distante das investigações do núcleo de juízes de Curitiba. As evidências acumuladas pelas denúncias publicadas em 2019 pelo *The Intercept Brasil* corroboraram essa hipótese, mostrando que a Lava Jato aglutinou tendências de direita (e mesmo de extrema direita), dentro do judiciário, visando de fato atingir os governos do PT.

principais lideranças políticas se encontrarem acossadas por processos políticos desencadeados pela Operação Lava Jato fez crescer de modo significativo as dissensões justamente naquele agrupamento político movediço e pantanoso que até então garantia a maioria de votos necessários ao governo Dilma, tanto na Câmara quanto no Senado.

A reação do PMDB se efetivou por meio de seu principal membro no Parlamento, Eduardo Cunha, presidente da Câmara dos Deputados. Político arquiconservador, fortemente ligado a grupos religiosos neopentecostais, de longa data atuando nas sombras dos orçamentos públicos, acusado de envolvimentos escusos desde o governo Collor, entrou no olho do furacão da Operação Lava Jato.

Deu-se, então, uma metamorfose no PMDB de Eduardo Cunha, que, de coadjuvante, passou a exigir que o governo Dilma dele se tornasse dependente. Quanto mais ele se distanciava do governo Dilma, mais abertamente assumia papel central na oposição. E, quando sua atuação abrandava, o fazia pensando no tempo de seu processo, tentando evitar, de todos os modos, que a cassação de seu mandato o tirasse da presidência e também da Câmara dos Deputados[10].

Desse modo, a explosiva crise do governo Dilma, vivenciada no apagar das luzes de 2015, decorre de uma confluência de fatores fortes, mais ou menos simultâneos: 1) ampliação da crise econômica internacional e de seus efeitos no Brasil; 2) vitória dificílima nas eleições em que o candidato de centro-direita fortaleceu-se muito, aumentando seus votos até mesmo em bases tradicionais do PT[11]; 3) intensificação da crise política decorrente das denúncias de corrupção envolvendo parte da cúpula política do PT, o que levou José Dirceu e João Vaccari ao cárcere em 2015; 4) descontrole político e desestabilização do arco de alianças que davam sustentação ao governo Dilma; 5) descontentamento, revolta e rebelião popular contra as medidas de "ajuste fiscal" que penalizavam os trabalhadores; 6) repercussões da crise política no PT e em sua relação por vezes tensa com o governo Dilma, além de fissuras crescentes também nas relações entre Lula e Dilma, criador e criatura.

---

[10] Assim, a princípio como apêndice, o PMDB procurou, por meio de um de seus blocos, se consolidar como o centro do poder parlamentar no Brasil atual. Essa mutação esteve também diretamente ligada à eleição de Eduardo Cunha como presidente da Câmara, em fevereiro de 2015, em oposição ao candidato do PT. A esse quadro deve-se acrescentar ainda a relativa oscilação de Renan Calheiros, então presidente e líder do partido no Senado, a casa que, como um pêndulo, inicialmente ameaçou se distanciar do governo Dilma, o qual acusava de ser responsável pela tentativa de enquadrá-lo judicialmente na Operação Lava Jato, para posteriormente recuar, aproveitando-se do espaço aberto pela ruptura de Eduardo Cunha.

[11] De que é exemplo o ABC Paulista, onde Aécio saiu vitorioso, justamente o cinturão industrial de origem de Lula e do PT.

Não é difícil perceber a profundidade da decomposição política que atingiu o governo daquele partido que fora a principal esperança das esquerdas no Brasil pós-ditadura militar. O PT, que um dia fora sólido, começou a se desmanchar no ar.

Decerto, todo esse quadro fortaleceu enormemente a poderosa contraofensiva das direitas. Elas conseguiram politizar o cenário aberto após as jornadas de junho de 2013, carregando parte significativa das camadas médias para suas propostas conservadoras, que se resumem a praticamente uma única bandeira: lutar *contra a corrupção do governo Dilma e contra o PT*. Por tabela, atuaram *contra a totalidade das esquerdas*, mesmo aquelas contrárias aos governos do PT, como o PSOL, o PSTU e o PCB, entre outras, todas agrupamentos políticos que fizeram aberta oposição de esquerda aos governos Lula e Dilma.

Por outro lado, vale destacar que as esquerdas também encontraram muitas dificuldades para compreender os significados mais profundos presentes nas rebeliões iniciadas em 2013. Estas se revelaram claramente plebiscitárias, mais horizontais e de recusa aos comandos partidários, além de refratárias às práticas que se inserem predominantemente na institucionalidade. Isso porque parte dessas práticas ainda está prisioneira em demasia do calendário eleitoral e das ações limitadas à institucionalidade, distante, portanto, *do eixo central das rebeliões de junho de 2013*. Outra parte, por manter alguma expectativa em relação ao governo Dilma e suas possibilidades de mudança de rota, ou ainda por temer uma ofensiva de direita, tornou-se prisioneira da tese do "apoio crítico" ao governo do PT.

Tudo isso vem dificultando a constituição de *um novo polo social e político alternativo*, capaz de confluir e polarizar a luta social e política oriunda das periferias, das fábricas, das empresas, dos sindicatos de classe, dos incontáveis movimentos sociais, das comunidades indígenas e sua excepcional resistência e força secular. Movimentos que, em sua rica polifonia, têm ampla densidade social, mas encontram limitações para avançar na constituição e na consolidação de uma nova forma social e política dotada de maior organicidade, capaz de aproximar e soldar os laços desse emblemático mosaico social. Tudo isso amplia o quadro crítico e dificulta a aparição de uma alternativa oriunda das classes populares.

Como o *impeachment* assumiu a forma de um golpe parlamentar, é mister recordar que o Parlamento brasileiro tem passado histórico golpista: em 1964, quando o presidente João Goulart, temendo ser preso no Palácio do Planalto, decidiu sair de Brasília e assim tentar refazer sua base popular de apoio, o Parlamento declarou a vacância do cargo, *legitimando o golpe militar que estava em curso*. Portanto, o que se assistiu nessa conjuntura asperamente crítica foi a tentativa de retomada da pragmática golpista sob o comando parlamentar.

Mas é preciso enfatizar que a recusa e a denúncia do golpe – uma vez que não há, até o presente, evidência clara de crime cometido por Dilma em seu atual mandato – *não podem significar aquiescência com a tragédia do PT no poder, em todas as suas dimensões*.

Dado o enorme descontentamento social dos assalariados e das periferias, que foi crescendo a cada novo "ajuste" do governo Dilma, nem mesmo o PT, a CUT e seus aliados conseguiram impulsionar uma mobilização de massas de grande envergadura para defender o governo Dilma. O que vimos foram manifestações que, simultaneamente, ora refletiram apoio a Dilma, ora expressaram rejeição às nefastas medidas do seu governo, ora também se alinharam contra o golpe.

O governo Dilma, as frações burguesas e as classes sociais

Os governos do PT (Lula e Dilma), conforme vimos nos capítulos anteriores, foram excepcional exemplo de representação dos interesses das *classes e frações dominantes*, com as oscilações conjunturais próprias de um período que presenciou tanto uma significativa expansão econômica (especialmente no segundo governo Lula) quanto momentos de crise econômica aguda (sobretudo no segundo governo Dilma).

Mas é preciso destacar que o governo Dilma sempre contou com expressivo apoio das classes dominantes burguesas (das frações industrial, financeira, do agronegócio etc.), principalmente em boa parte de seu primeiro mandato. Com a intensificação da crise, em especial ao final de seu primeiro governo, esse quadro começou a se modificar. Já nas eleições de outubro de 2014, era possível perceber uma divisão maior entre as frações burguesas, uma vez que o novo quadro recessivo antecipava a necessidade, exigida pelos grandes capitais, de mudanças profundas em sua política econômica, de forma a ajustá-la ao novo cenário[12].

Não foi por outro motivo que, logo após a vitória eleitoral, em outubro de 2014, Dilma nomeou para ministro da Fazenda um nome escolhido entre representantes dos maiores bancos privados do país. Coube a Joaquim Levy implementar um ajuste fiscal profundamente recessivo, que começou com apoio de todas as grandes frações do capital, mas que, ao intensificar a recessão e aumentar os juros de forma explosiva ao longo de 2015, começou a despertar um crescente descontentamento dos setores industriais. A dissensão aumentou na medida em que os empresários viram seus lucros se reduzirem

---

[12] Como dissemos anteriormente, ao final de seu primeiro governo, Dilma ensaiou uma política de redução nos juros, por meio da atuação dos bancos estatais. Isso foi mais do que suficiente para começar a desagradar parcelas do capital financeiro.

significativamente frente a um PIB que encolhia. Ao mesmo tempo, viram suas dívidas alavancadas pelo crescimento expressivo dos juros[13]. Em dezembro de 2015, já era possível constatar que o descontentamento empresarial havia se convertido em clara oposição política ao governo[14].

Essa contextualidade adversa, por sua vez, acentuou ainda mais a crise em todas as suas dimensões. Fez com que o governo Dilma, na luta pela sua sobrevivência política, oscilasse sistematicamente, assemelhando-se com muita frequência a uma nau sem rumo, cujo objetivo central se resumiu em tentar a manutenção no poder. Entre uma semana e outra apresentou, ao longo de 2015, propostas que nem sequer foram implementadas, aumentando ainda mais os descontentamentos *em todas as classes sociais – embora frequentemente por motivos opostos –, vendo sua base social, política e parlamentar erodir a cada nova medida.*

O início de 2016, nesse sentido, preservou o mesmo cenário de indefinições, com a curvatura do governo Dilma face às imposições do capital se ampliando. Não por acaso, a primeira proposta apresentada pelo então recém-empossado ministro da Fazenda, o "neo-desenvolvimentista" Nelson Barbosa, foi a de implementar com "urgência" as "reformas" da previdência e da legislação trabalhista. Nem uma palavra sobre tributação das fortunas e dos grandes capitais, nem uma palavra contrária à proposta de terceirização total (presente no PL 4.330, posteriormente denominado PLC 30), nada sobre a ampliação da legislação social protetora do trabalho. Consequentemente, esgarça-se ainda mais o apoio militante dos movimentos sociais, sindicais e políticos que atuam sob a órbita do PT.

Os setores dominantes, por sua vez, sabem que a deposição de Dilma poderá desencadear uma intensificação da crise social, política e institucional, uma vez que, para além do direito constitucional que

---

[13] O seu "pacote econômico" de setembro de 2015, que pretendia reduzir o déficit público, ficou estancado no Parlamento. No início, ele só foi defendido de modo efusivo pelos banqueiros, que não param de aumentar seus lucros de forma exponencial. Os demais setores burgueses (em particular aqueles que atuam mais diretamente no mundo produtivo) questionaram o tamanho e a profundidade da recessão e recusaram as propostas de aumento dos impostos, solapando ainda mais o governo a quem costumavam apoiar.

[14] A Fiesp (Federação das Indústrias de São Paulo), em dezembro de 2015, por nota oficial, manifestou seu claro apoio ao processo de *impeachment* de Dilma, externando o crescente descontentamento em setores que anteriormente davam forte respaldo aos governos de Dilma e, especialmente, de Lula. A substituição do ministro da Fazenda, Joaquim Levy, pelo ex-ministro do Planejamento Nelson Barbosa, empossado em 21 de dezembro de 2015, foi recebida com visível desagrado e aberta oposição por inúmeros setores do empresariado que outrora apoiavam o governo.

possibilita a deflagração do *impeachment*, é preciso ter uma causa substantiva real que, por ora, está ausente nessa ação das oposições de direita. Se o *impeachment* for deflagrado, sem essa *causalidade essencial*, o grande capital sabe que tende a crescer ainda mais o *estado latente de revolta social*, o que dificultará a retomada dos lucros das grandes empresas e poderá gerar ainda desdobramentos políticos que podemos imaginar como começam, mas cujas consequências são imprevisíveis e inimagináveis. O que parece bastante plausível, então, é afirmar que o apoio que Lula e Dilma encontraram nos períodos anteriores está desmoronando em todas as classes sociais[15].

Nas *classes médias*, o quadro também é bastante adverso ao governo Dilma. Seus segmentos mais conservadores – *as classes médias tradicionais* – estão liderando as manifestações de rua que agrupam desde setores "liberais", conservadores, até defensores da ditadura militar de 1964, passando por protofascistas e fascistas. Quanto mais as classes médias se encontram no topo de sua escala social, mais fortemente elas se opõem – pelo ódio – ao governo Dilma e ao PT (e também às esquerdas em geral).

Nas *camadas médias baixas*, o desencanto é completo: os salários se reduzem, a inflação aumenta, o desemprego se torna crescente e praticamente mais nenhum segmento dessa *classe média baixa* se anima a apoiar o governo. O mito da "nova classe média" também desmoronou, pois se sustentava em empregos com salários baixos (em média até 1,5 salário mínimo), alta rotatividade etc. Com a explosão do desemprego (cerca de 1 milhão de novos desempregados ao longo de 2015), não é difícil perceber que as camadas médias baixas acabam no leito das oposições ao governo Dilma.

Na *classe trabalhadora*, o descontentamento é explosivo: nos contingentes que foram ou ainda são parte constitutiva do PT e, por consequência, base social de seus governos, a cada dia há um processo de maior corrosão e perda desse apoio. Por certo, muitos desses setores temem um golpe, com a possível ascensão da direita explicitamente elitista, privatista e financista. Mas cada vez mais míngua o número daqueles assalariados, homens e mulheres, que antes apoiavam abertamente o governo do PT.

---

[15] As pesquisas de opinião pública realizadas entre agosto e novembro de 2015 dão ao governo Dilma baixos índices de aprovação (próximos de 10%) e altos níveis de reprovação (próximos de 70%, sendo que em dezembro desse mesmo ano esse índice se reduziu a 65%, segundo o Datafolha). O enorme desgaste de Eduardo Cunha, espécie de unanimidade nacional às avessas, além do enfraquecimento político de Michel Temer, vice-presidente da República, que trama abertamente com os principais inimigos do governo Dilma, aliado à percepção de um amplo leque de forças contrárias ao golpe parlamentar, são fatores que, conjugados, em alguma medida contribuíram para uma recuperação do governo Dilma, ainda que muito pequena.

Nos setores operários e assalariados mais organizados e que se constituem como *oposição pela esquerda* ao governo Dilma, a ampliação do descontentamento também começa a se evidenciar. Ocorrem, por exemplo, inúmeras manifestações nas periferias, claramente contrárias às medidas recessivas e antipopulares do governo Dilma. Nesses núcleos mais à esquerda, não há nenhuma forma de apoio, nem mesmo crítico, ao governo Dilma, *ainda que muitos deles sejam, com convicção, fortemente contrários ao golpe parlamentar* da direita. Até mesmo nos estratos mais pauperizados e fora dos marcos de qualquer organização (seja sindical, social ou política), nos quais encontramos amplos segmentos sociais que dependem do assistencialismo estatal propiciado pela concessão do Bolsa Família, até nesses contingentes esmorece de modo expressivo o apoio anteriormente dado ao governo Dilma (ao mesmo tempo que também aumenta a percepção do risco golpista).

Não é difícil constatar que a crise é de alta densidade: *social*, porque o descontentamento permeia todas as classes e frações de classe, ainda que de modo diferenciado e frequentemente antagônico; *política*, porque abriu uma fissura (que parece irreversível) na base partidária de apoio ao governo, sendo que vários partidos e grupamentos políticos que havia pouco tempo apoiavam o governo agora estão em campanha aberta pelo *impeachment*; e *institucional*, porque inseriu setores do Parlamento brasileiro em franca oposição ao governo, com riscos de confrontação também entre Legislativo e Executivo, com consequências diretas junto ao Judiciário, visto que o STF está sendo frequentemente chamado a dar interpretação legal aos desmandos do Parlamento sob o comando de uma presidência da Câmara golpista. Por sorte, *vade retro*, até o presente, poucas vozes ativas das Forças Armadas se pronunciaram politicamente, sendo que essa tarefa fica a cargo, sobretudo, da turma cuja farda já é o pijama. Mas, com a evolução dos acontecimentos recentes, alguns membros dos altos escalões das Forças Armadas já se arvoram e começam a indicar a possibilidade de uma intervenção militar, se a crise não for estancada...

Se tudo isso não bastasse, a crise tem uma forte matriz *econômica*, que vem intensificando o desemprego, rebaixando fortemente os salários e criando um clima de incerteza que a retroalimenta.

Dilma será capaz de preservar seu mandato até 2018? Com a agudização desse quadro crítico, poderá efetivamente sofrer um processo de *impeachment* que encerre seu segundo governo de forma prematura? Suportará as explosivas pressões que vem recebendo de quase todas as classes sociais, em especial das múltiplas frações da burguesia que ampliam seu descontentamento e começam a flertar com o golpismo? Será minimamente capaz de responder às vivas reivindicações das periferias, das classes populares? Suportará o ódio exacerbado das classes médias tradicionais e conservadoras, forças sempre à disposição do golpismo? Poderá, em um quadro ainda de maior gravidade, optar pela renúncia? Ou encontrará forças para se soerguer e superar a crise atual, dado o completo descrédito que as oposições de direita encontram junto aos setores populares? Como não há quem responda a essas indagações, nos resta, então, uma pergunta final.

Por onde recomeçar?
As rebeliões de junho de 2013 contestaram frontalmente toda a institucionalidade brasileira e permitiram, ao menos de modo embrionário, vislumbrar duas alternativas antípodas:

1) uma *proposta da ordem*, que calibra sua atuação com o acirramento da disputa PT *versus* PSDB, defendendo uma *reforma política sob controle parlamentar*, comandada atualmente pelos mais retrógrados interesses econômicos e políticos (que nos faz recordar Marx, quando aludia à França de 1848, à "humilhação do poder parlamentar" que lhe retirou "o resto de respeito de que ainda gozava"[16]).
2) *uma proposta alternativa*, real e positiva, que seja resultado de uma transformação social e política sob impulsão das massas trabalhadoras e dos movimentos sociais. Aqui o desafio é buscar a construção de uma *alternativa política e social de novo tipo*, que *desconstrua a institucionalidade hoje dominante*, a qual se encontra completamente separada da vida cotidiana da classe trabalhadora e das periferias.

Nesse caso, quais serão os novos canais sociais e políticos capazes de fazer avançar uma nova esquerda social e política, autenticamente conectada com o que de melhor nos oferecem os nossos incontáveis movimentos sociais e populares, a nossa juventude, a nossa classe trabalhadora, os nossos sindicatos de classe e os nossos partidos de esquerda?

O Brasil real, em meio à enorme amplitude da crise, segue seu curso. Por um lado, continuam as greves em diversas empresas, assim como as manifestações das bases do MST, do MTST e do MPL. Por outro, espalha-se o espetacular movimento de ocupação das escolas públicas em São Paulo, desencadeado pela juventude secundarista (depois que o governo privatista do PSDB de Alckmin decidiu fechar inúmeras escolas públicas), empolgando estudantes, professores, pais, movimentos sociais, artistas e intelectuais críticos.

---

[16] Karl Marx, *O 18 de brumário de Luís Bonaparte*, cit., p. 52.

Segue ainda com as resistências dos sindicatos de classe (como a Conlutas, as Intersindicais e centenas de sindicatos de base); com a resistência *vital* das comunidades indígenas contra a degradação da natureza, a contaminação das terras e dos alimentos; com a luta da população de Mariana e de todas as regiões afetadas pela tragédia causada pela Vale, que destruiu cidades, vilas, rios, plantações, a pesca, a água, as praias, os mares...

Com a luta das fábricas ocupadas e recuperadas, de que é exemplo emblemático a Flaskô e tantas outras formas coletivas e associativas de trabalhadores e trabalhadoras sem emprego. Com a ação persistente e sistemática dos partidos de esquerda que se opõem aos valores do capital, como PSOL, PSTU, PCB etc.

Talvez possamos oferecer um *ponto de partida* decorrente do que indicamos neste capítulo: a contradição de nosso tempo não poderá mais se restringir à falsa polarização entre PT e PSDB. Será uma *polarização de outro tipo*, com *outra conformação*, que ainda não fomos capazes de construir, mas que só poderá florescer se o *epicentro de nossas lutas for buscado em outro lugar, em outro ponto diferente daquele que nos tem dominado e mesmo exaurido*, nessas quase quatro décadas que começaram auspiciosas, com a construção do PT em 1980, mas que agora estão sendo maculadas. O nosso *ponto de partida real, efetivo*, será a resultante dessa conjugação de movimentos, desde os mais moleculares àqueles mais bem estruturados, *sem hierarquias previamente definidas, seja dos movimentos sociais, dos sindicatos de classe ou dos partidos de esquerda*.

Como conclusão, ensaio aqui uma breve síntese: os *movimentos sociais*, por exemplo, encontram sua vitalidade nas fortes conexões que os enlaçam à vida cotidiana, mas por vezes podem ter dificuldades para se tornar longevos, duradouros. Nem sempre é fácil para eles vislumbrar um outro desenho societal que lhes permita uma fina calibragem entre vida cotidiana e um novo *modo de vida* em sentido amplo e radical.

Os *sindicatos*, mais próximos dos interesses imediatos da classe trabalhadora, embora imprescindíveis, por vezes se perdem em seu imediatismo, em suas batalhas cotidianas, quando não em seu burocratismo, sem compreender bem a *totalidade* e o sentido de *pertencimento de classe* ampliado (e não corporativo) que deve plasmar as suas ações. Isso quando não sofrem disputas políticas que encontram o desinteresse e o distanciamento real de suas bases.

Os *partidos de esquerda*, por sua vez, desenham seus projetos de futuro, praticam suas ações anticapitalistas, mas com frequência se desconectam efetivamente da vida cotidiana, do dia a dia dos homens e mulheres que vivem de seu trabalho e os quais pretendem representar. Não raro, se tornam prisioneiros dos espaços institucionais conquistados, *o que os distancia ainda mais do ser social que querem efetivamente representar*. Devem procurar compreender melhor as novas dimensões das lutas sociais, as questões vitais presentes na vida cotidiana que muitas vezes são desconsideradas pelas ações partidárias tradicionais.

Não é difícil perceber que, menos do que nas hierarquizações prévias, os desafios estão em *soldar laços de maior organicidade entre essas três ferramentas que o mundo do trabalho ainda dispõe hoje*, de modo que suas ações não sejam ainda mais pulverizadas ou exauridas nessa fase de profunda ação destrutiva do capital em relação ao trabalho e à humanidade, em escala global.

Se nossas indicações procuram apontar os riscos das hierarquizações prévias, e não daquelas efetivamente conquistadas nas ações concretas, elas pretendem também sugerir que nossas ações, lutas e batalhas passam igualmente por esses espaços, ainda que na direção de uma nova organicidade das forças sociais do trabalho, para a qual as nossas esquerdas, *sociais, sindicais e políticas*, poderão autenticamente contribuir, sempre que estiverem de fato enraizadas em experiências concretas e façam parte efetiva das lutas sociais de nosso tempo.

E uma oportunidade esplêndida ocorreu no curso das *jornadas de junho* de 2013, conforme vamos tratar no próximo capítulo.

Capítulo 15

AS REBELIÕES DE JUNHO DE 2013[1]

> *[...] as percepções humanas aguçam-se estranhamente quando [...] a multidão de repente torna-se ela mesma justiceira do caso.*
>
> Herman Melville, *O vigarista: seus truques*

Uma explosão inesperada?
As revoltas e rebeliões que sacudiram o Brasil em junho de 2013 entrarão para a história do país como um momento especial. Elas principiaram em 6 de junho, com uma pequena passeata em São Paulo, com aproximadamente 2 mil pessoas, contra o aumento das tarifas no transporte público, convocada pelos jovens do Movimento Passe Livre (MPL).

Não se tinha, então, a menor ideia de que o Brasil vivenciaria um levante social que só teve similar – ao menos no que concerne à amplitude, ainda que sob formas bastante diferentes – na campanha pelo *impeachment* de Collor, em 1992, e na campanha pelas eleições diretas, em 1985, ainda sob a ditadura militar.

Seguiram-se, então, manifestações diárias, que atingiram seu ponto culminante em 17 de junho, com mais de 70 mil participantes em São Paulo, dezenas de milhares no Rio de Janeiro, em Porto Alegre,

---

[1] Este capítulo foi escrito a partir dos textos que publiquei anteriormente nas revistas *Izquierda* (Colômbia) e *Herramienta* (Argentina); nesse último caso, convidei e contei com a coautoria de Ruy Braga, a quem sou devedor de formulações aqui apresentadas.

em Belo Horizonte etc., em quase todas as capitais do país, das grandes às pequenas cidades, do centro às periferias, numa explosão popular que balançou os pilares da ordem. Em 20 de junho, quase 400 cidades, incluindo 22 capitais, saíram em manifestações e passeatas. Depois desses levantes de junho, têm havido manifestações das mais diferenciadas, em estradas, periferias, bairros, centros urbanos, bem como greves, numa miríade em que os descontentamentos são diversos, mas sempre presentes.

O que causou os levantes de junho de 2013?

O fim da letargia e o transbordamento dos múltiplos descontentamentos

As manifestações que começaram em junho e continuaram em parte de julho, seguindo-se, ainda que de modo bastante diferenciado, nos meses posteriores, tiveram em sua origem causas diversas. Principiaram, como dissemos, com as ações do MPL, depois foram se ampliando até se converter em manifestações com dezenas e centenas de milhares de pessoas, chegando, no auge, a reunir mais de 2 milhões de manifestantes no conjunto do país. Depois, entramos em julho com manifestações mais localizadas e uma tentativa de greve geral, mas quase todos os dias persistiram expressões das mobilizações populares.

É preciso, para entender as causalidades desses movimentos, apresentar ao menos três ou quatro pontos que me parecem centrais. O *primeiro* é uma causalidade interna, motivada pela percepção de que o projeto que vem se desenvolvendo no Brasil desde a década de 1990 (a princípio com FHC, depois levemente alterado pelos governos Lula e Dilma), voltado ao desenvolvimento capitalista financeirizado e mundializado, sedimentado em privatizações, superávit primário e desregulamentação dos capitais, tendo, portanto, os interesses do grande capital como prioritários, vem causando profundo mal-estar social.

Podemos dizer que tal processo de desenvolvimento chegou próximo de sua exaustão. A população não suporta mais o transporte privatizado, a saúde precarizada e também privatizada em grande parte, o ensino público profundamente degradado e abandonado. A população, portanto, parece próxima de seu ponto de saturação e esgotamento, causados por essa mercadorização da *res publica*, tipicamente neoliberal.

Vale lembrar que também na Inglaterra, em 1990, tivemos uma saturação similar, levando à queda de Margareth Thatcher, com a explosão contra o aumento do imposto, o chamado *pool tax*. Ainda que os quadros brasileiro e inglês sejam bastante diferentes, chega uma hora em que a insatisfação aflora e se amplia significativamente. É só por isso que faço aqui a referência ao exemplo inglês. Em alguma medida, as explosões de junho estampam o descontentamento da população com tanto descaso.

Iniciamos uma fase de fim da letargia e, daí, desdobra-se o *segundo* elemento que marca essa conjuntura muito específica. A explosão das manifestações foi marcada pela realização da Copa das Confederações. O evento sinalizou para a população que estádios de Primeiro Mundo o Brasil sabia fazer. No entanto, no entorno deles, a população se mantinha excluída. Todos puderam observar também que, durante a "Copa das Rebeliões", os pobres e negros não estavam presentes nos estádios. Neles estavam as classes médias e camadas abastadas. Os que construíram o país nessas últimas duas décadas foram excluídos não somente da plateia dos jogos, mas também do entorno do estádio, já que o comércio oficial da Copa expulsou a população que poderia se beneficiar da oportunidade: os camelôs, o pequeno comércio ambulante, essencial para a sobrevivência de muitas pessoas, foram impedidos de circular, a fim de ceder espaço somente àqueles determinados pela Fifa. Esse quadro permitiu que a população percebesse a simbiose complexa entre os interesses da Fifa, das transnacionais e do governo.

Os setores sociais mais afetados, portanto, foram as camadas populares, excluídas dos jogos, mas cientes de que os recursos que faltam no transporte público, na saúde e na educação sobraram para os estádios de futebol "padrão Fifa". Isso fez com que houvesse, a cada jogo, uma ou diversas manifestações, com muita conflagração, em que o povo mostrava seu completo descontentamento.

Esse processo, interno, coincidiu com o *terceiro* e importante movimento, relacionado ao cenário internacional. Desde 2008 vemos que todas as manifestações de massa – começando na Tunísia e indo à praça Tahrir (Egito), à praça Taksim (Turquia), voltando à Tahrir, passando por Grécia, Itália, Portugal, França, Reino Unido, Estados Unidos, com o Occupy Wall Street, e Espanha, com os Indignados, para não falar dos jovens do Chile, dos camponeses da Colômbia etc. – têm como traço comum a ocupação do espaço público, das ruas e praças.

Tal ocupação significa que a população não suporta mais a atual forma degradada de institucionalidade, seja no caso dos países do Oriente Médio, com suas ditaduras, seja no caso dos países do Ocidente, com seu modelo de "democracia burguesa" só para os ricos. Há também um fosso muito fundo entre a vontade popular e os interesses do Parlamento. No caso brasileiro, por exemplo, o Congresso Nacional decerto é a instituição mais rejeitada pelo país no período recente.

No caso internacional, naturalmente, há um efeito demonstrativo para o conjunto de cada país: da Tunísia para o Egito, de lá para o

Iraque e a Síria; da Espanha para Portugal; da Grécia para a Itália; de lá para o Reino Unido; depois, do Reino Unido para os Estados Unidos com o Occupy. Isto é, esse cenário de manifestações populares contra a destruição da *res publica*, contra a lógica de uma acumulação financeira ilimitada, além da destruição social e pública também ilimitada, demonstra que o grau de insatisfação social da população atingiu o limite do suportável.

Paralelamente às manifestações no exterior, no Brasil elas ocorreram em um momento marcado, como vimos, por uma conjuntura muito particular: a Copa das Confederações, que se tornou a Copa das Rebeliões. Além desse cenário internacional, a Copa das Confederações fez transbordar o descontentamento popular. As imposições da FIFA e das grandes corporações transnacionais acabaram por expulsar dos estádios até mesmo os comércios populares, que sempre se formam no entorno de eventos desportivos. A Copa teve como consumidores, em sua maioria, a elite branca e rica, excluindo a presença efetiva dos pobres e dos negros.

Finalmente, e após momentos importantes (como a rebelião no canteiro de obras da hidrelétrica de Jirau, em Rondônia, e outros levantes em obras também vinculadas ao Programa de Aceleração do Crescimento [PAC], entre eles as greves dos operários da construção civil envolvidos no projeto dos estádios para a Copa etc.), as referidas curvas se encontraram, resultando em um momento de ebulição que se expressou, a princípio, por meio de uma reivindicação muito precisa, a luta contra o reajuste das tarifas, mas que a partir de então levou à eclosão dos demais levantes populares pelo país[2].

Portanto, estamos sugerindo que, para compreender *as rebeliões de junho de 2013*, devemos atentar para uma *processualidade interna* – de superação de um longo período de letargia –, articulada com um movimento *externo*, caracterizado por uma época de sublevações em escala global, que aumentaram enormemente a partir da crise estrutural de 2008.

Essas manifestações, com todas as suas particularidades e singularidades, têm algo em comum: *as massas populares se apropriam do espaço público, das ruas, das praças, exercitando práticas mais plebiscitárias, horizontalizadas, além de estampar um descontentamento em relação tanto às formas de representação e de institucionalidade que caracterizam as "democracias" vigentes nos países capitalistas quanto àquelas com clara feição ditatorial, como ocorre em vários países do Oriente Médio.*

---

[2] Ruy Braga, "Os contornos do pós-lulismo", *Cult*, n. 206, 2015; disponível em: <http://blogjunho.com.br/contornos-do-pos-lulismo/>; acesso em: 20 jul. 2016.

Essas lutas, que têm um conteúdo por certo heterogêneo, polissêmico, também expressam claras conexões entre os temas do trabalho, da precarização, do desemprego, aflorando as ricas transversalidades existentes entre classes, gênero, geração e etnias, temas que são centrais nessas lutas.

No Brasil, as manifestações também colocam em xeque o mito da nova classe média, que em 2013 começa a ruir. Mostrou-se muito mais mito que realidade. Com paciência, espírito crítico e muita persistência, os movimentos populares haveriam de superar esse difícil ciclo[3].

Um esboço de análise das revoltas populares

A primeira indicação que cabe aqui é a seguinte: trata-se de movimentos polimorfos, multidiferenciados – os de junho, a greve de 11 de julho, as manifestações dos dias seguintes nas demais cidades do país. São movimentos heterogêneos, polissêmicos e até mesmo policlassistas.

Quando o MPL teve início, em São Paulo, aglutinava uma juventude principalmente estudantil, que trabalhava e dependia do transporte coletivo para se deslocar entre o estudo e o emprego; uma juventude que vivencia de forma cotidiana a destruição do espaço público em que vive. Da classe média aos assalariados de serviços.

Outro elemento que vale a pena recordar é o escancarado incentivo à produção e venda de automóveis particulares – impulsionado pelos governos Lula e Dilma –, diminuindo a tributação sobre essa indústria, o que serviu ilimitadamente ao grande capital do setor automobilístico. Isso fez com que as cidades se inchassem de automóveis, não se levando adiante uma política séria de transporte coletivo, por seu turno, cada vez mais entregue à iniciativa privada, a qual lucra com esse sistema de transporte precário e superlotado. Essa foi, como vimos, a motivação inicial.

O MPL, na sua origem, era formado por jovens que compartilhavam uma concepção política, ainda que não necessariamente partidária, voltada para as demandas sociais da juventude que estuda e também trabalha. Parte desses jovens mantinha afinidades com anarquistas, autonomistas ou também com os partidos de esquerda, como PSOL, PSTU, PCB, entre outros. Depois, somaram-se às manifestações milhares de jovens que se rebelaram e reivindicavam, como parte de suas demandas, um movimento mais horizontalizado, mais plebiscitário. Em comum, esses grupos mantinham a percepção sobre o profundo desgaste das formas tradicionais de exercício da política.

---

[3] Ver Ricardo Antunes, "As rebeliões de junho de 2013", cit. Ver também o significativo conjunto de artigos sobre o tema em Plinio de Arruda Sampaio Jr. (org.), *Jornadas de junho*, cit.

Portanto, esse movimento explodiu, em um *primeiro* momento, por meio de uma juventude mais politizada, com uma bandeira muito vital, que é a do transporte coletivo. Posteriormente ele se ampliou, ainda puxado pelo movimento da juventude, com a inclusão dos trabalhadores que também utilizam esse serviço público.

Aos poucos essas movimentações foram se adensando, de 1 mil para 10 mil e depois para mais de 100 mil pessoas. Na medida em que o movimento crescia, ele aumentava também o seu escopo com o ingresso de outros setores da juventude estudantil, *especialmente aquela que não possuía experiência política, mas que também estava descontente com a sua faculdade privada, cara e de péssima qualidade, e que trabalhava para pagar o transporte coletivo, para manter um convênio médico privado ruim etc.*

Após o alargamento do movimento, houve uma etapa importante de mutação, com as grandes passeatas em São Paulo e no Rio de Janeiro brutalmente reprimidas pela polícia e com agressões sofridas até mesmo por jornalistas na capital paulista. A partir desses episódios, intensificou-se um sentimento de repúdio generalizado da população em relação a essa violência, e daí em diante não apenas os jovens foram para as passeatas, mas também pais, vizinhos e amigos; de repente, as manifestações se tornaram de massa.

Deu-se também *a inclusão nefasta de setores claramente de direita*. Esses, com o apoio da mídia, passaram a encampar a bandeira antipartidária, iniciando uma onda de agressões contra partidos e demais movimentos sociais de esquerda. Quem portasse uma bandeira vermelha corria o risco de ser agredido por pequenos, minoritários, mas virulentos grupos protofascistas. Presentes na sociedade, esses grupos tentaram influenciar ou conduzir esses movimentos, impondo uma bandeira claramente de direita junto com as bandeiras de esquerda. Além disso, deu-se a evidente entrada da polícia secreta (os chamados "P2") e de outros setores cuja participação não tinha conexão alguma com as reivindicações iniciais, alguns ligados a pequenos bolsões vinculados à economia do crime.

Então, como não eram, em sua origem, um movimento ideologicamente concebido[4], as manifestações se ampliaram e se tornaram policlassistas. A elas se incorporaram desde setores da classe média conservadora e outros aparentemente apolíticos até seus segmentos mais politizados. Também foram compostas por um contingente de jovens trabalhadores das periferias, abrigados no Movimento Periferia Viva. Participaram ainda os integrantes do Movimento dos Trabalha-

---

[4] Diferentemente das passeatas contra Fernando Collor, em 1992, das manifestações de 1984 e 1985 pelas eleições diretas e daquelas que foram levadas a cabo pelo movimento estudantil contra a ditadura na segunda metade da década de 1970.

dores Sem Teto, que levaram as mobilizações também para as rodovias, com a incorporação da bandeira de luta contra os pedágios. As rodovias abrigaram ainda, no mesmo período, uma forte greve de caminhoneiros. Enfim, as manifestações de 2013 incorporaram setores sociais diferenciados, conforme indicamos anteriormente.

A partir daí, o movimento se tornou pluri-ideológico, ensejando uma disputa entre setores da esquerda e da direita, com esta última fazendo uma clara tentativa de influenciar a massa de estudantes, muitos dos quais estavam participando pela primeira vez de manifestações de rua.

As centrais sindicais entraram, posteriormente, para afirmar a preservação de seu espaço. Mas isso não foi fácil para a CUT, por exemplo, que comprou a ideia de que o novo Brasil de Lula e Dilma tinha nos levado à condição de Primeiro Mundo. Ficou complicado para a CUT ir à rua dizer: "Não era bem assim...". Situação difícil também para outras centrais sindicais com postura sempre marcada pelo oficialismo.

Foram, portanto, manifestações políticas com ideologias até mesmo contrárias, todas elas de algum modo exercitando ou tentando ter algum tipo de influência maior. Um dado visível é que nas primeiras manifestações do passe livre, em São Paulo, os partidos e as bandeiras de esquerda estavam presentes[5].

A direita não compareceu às primeiras ações do movimento. Houve até uma ocasião em que o MPL disse: "Sairemos agora das manifestações porque a direita está tentando roubar as nossas bandeiras". O MPL em São Paulo acrescentou: "Somos apartidários, mas não antipartidários", e saiu das manifestações. Mas, a partir daí, o pontapé inicial já estava dado, e a onda de mobilizações se espalhou por todo o país[6].

Por fim, vale acrescentar, essas manifestações se voltaram contra o sistema de governos existentes. Não foram especificamente contra Dilma, ou contra Alckmin, ou contra Haddad, Eduardo Paes, Cabral. Mas foram, simultaneamente, contra todos. Contra o Governo Federal, contra os governos estaduais, contra os governos municipais – no caso do Rio, até de forma mais evidente.

O projeto de mudança que a população trabalhadora quer é outro. Claro que nessas rebeliões há um pouco de tudo, pois, como dissemos, elas são multifacetadas, o que mantém o cenário em aberto. É como se tivéssemos janelas abertas e, do lado esquerdo, as janelas fossem mais generosas e belas, abrindo para o futuro; já se

---

[5] Plinio de Arruda Sampaio Jr. (org.), *Jornadas de junho*, cit.; Ruy Braga, "Os contornos do pós-lulismo", cit.

[6] Idem.

olharmos para o lado direito (e da extrema direita), teremos um cenário tenebroso. Essa é a disputa essencial que caracteriza o país (e, em certo sentido, o mundo) neste próximo período.

Uma última nota (ou uma pequena digressão final)

Creio que estamos vivendo um período excepcional da nossa história. O início do século XX também foi um período de grande relevância, tendo começado com uma grande guerra mundial, quase simultaneamente à Revolução Russa, seguidas pela iminência de revoluções socialistas na Hungria e na Alemanha, que não se consubstanciaram em vitórias. Em seguida, tivemos o advento do fascismo na Itália e, depois, do nazismo na Alemanha, assim como dos governos de extrema direita na Espanha e em Portugal. Em suma, os anos 1910, 1920 e 1930 consistiram em um período historicamente muito relevante.

O século XXI começou também bastante tenso. Fazendo um paralelo com os movimentos da natureza, as placas tectônicas da história e da sociedade estão se movendo, friccionando-se. Diante desse quadro, o que podemos e devemos fazer como intelectuais que não abandonaram a luta pela superação do capitalismo e que, por isso, estão comprometidos com "um outro mundo"?

Em primeiro lugar, é necessário desvelar a realidade concreta de que o capitalismo não é e nunca foi, em ponto algum, uma alternativa para a humanidade.

A questão ambiental não pode mais ser encarada como um tema para os próximos anos ou décadas, *mas deve ser analisada e assumida como uma questão vital hoje*.

A questão da propriedade intelectual também precisa ser discutida e reavaliada, pois é inadmissível que esse ativo esteja tão concentrado, como está, nas mãos de grandes grupos transnacionais – a exemplo dos medicamentos, que são controlados pelos interesses privados e especulativos.

Se olharmos a destruição do trabalho em escala global, veremos como a Europa vivenciou altos níveis de desemprego nas últimas quatro décadas. Até os trabalhos mais precários – outrora destinados apenas aos imigrantes – são disputados agora pelos próprios trabalhadores europeus de forma ferrenha.

Os Estados Unidos também vêm, ainda mais intensamente desde 2008, no mesmo caminho. A cidade de Detroit, apenas para dar um exemplo, que havia cinquenta anos era o símbolo norte-americano, pediu recentemente falência, segundo informaram os jornais. Trata-se de toda uma cidade (e não só uma ou algumas empresas) que não tem mais condições de pagar sequer o salário de bombeiros e policiais.

Os intelectuais críticos, comprometidos com outro *modo de vida*, devem fazer uma análise profunda do mundo atual, compreender esses movimentos, as suas tendências, diferenças, dificuldades, mutações. É necessário, especialmente para os intelectuais socialistas, entender como é possível reinventar um socialismo para o século XXI que não seja a tragédia daquele do século XX, que feneceu, com honrosas exceções.

Contudo, a transformação do mundo não é obra de intelectuais, apesar do seu papel crítico: a ação decisiva e central está na classe trabalhadora (ou mesmo nas classes trabalhadoras), nas lutas e nos movimentos sociais, que mantêm uma dimensão inter-relacional muito profunda entre trabalho, geração, gênero, etnia, a questão também vital da natureza etc.

Esse é o desafio que temos pela frente.

O século XXI tem sido um laboratório social especial, uma vez que estamos vivendo um momento em que é preciso utilizar todas as energias de análise, de reflexão, de pensamento crítico e de ação, para que possamos visualizar, em oposição ao que vivemos nos dias atuais, um novo século dotado de humanidade.

Capítulo 16

A ERA DAS REBELIÕES, DAS CONTRARREVOLUÇÕES E DO NOVO ESTADO DE EXCEÇÃO

Uma nota de advertência necessária
Iniciada em 1964, há mais de cinco décadas, uma ditadura militar torturou, prendeu e matou jovens e adultos, meninos e meninas, homens e mulheres no Brasil. Com intensidade ainda mais indigente, fez o mesmo no Chile e na Argentina, sem deixar de fora o Uruguai, entre tantos outros países da América Latina.

O inventário dessa era de genocídios nós podemos constatar com os resultados das investigações realizadas no Brasil, no Uruguai, no Chile e, com mais intensidade ainda, na Argentina: um nível pavoroso de torturas, o descobrimento quase interminável de cadáveres, a eliminação de corpos torturados, assassinados e destroçados, tudo para poder ocultar o massacre daqueles que lutaram contra as ditaduras militares.

Lembro-me como se fosse hoje, em minha primeira viagem à Argentina, esse país tão emblemático de nossa América Latina, de que quando cheguei em uma manhã ensolarada em La Plata, em meados da década de 1970, com as flores da primavera brotando, a primeira imagem que me veio foi a de um *cemitério político*. As flores escondiam o horror da juventude assassinada pelos militares argentinos.

No Brasil, mesmo diante dessas evidências terríveis, ainda ouvimos saudosistas e lacaios da ditadura, protofascistas e fascistas, defendendo o horror, pedindo a volta dos militares. A mentira foi de tal envergadura, que a ditadura militar de 1964, essa *contrarrevolução burguesa ditatorial e autocrática*, para recordar Florestan

Fernandes[1], se autodenominou "revolução", como também nos lembrou Caio Padro Jr.[2] A mentira começou desde o início, quando o golpe militar escolheu como data de origem o 31 de março, fraudando o fato histórico, já que na verdade ocorreu em 1º de abril, o *dia da mentira*.

É vital que a juventude não esqueça esse fato e resista pela luta, onde houver risco de uma nova ditadura, uma vez que as nossas classes burguesas são, essencialmente, de perfil autocrático, atuando pela via do golpe e das ditaduras sempre que seus interesses *de classe* correm algum risco. Por isso, ao longo de décadas, tentam apagar o "pior" da ditadura militar para que a juventude possa acreditar que algo "positivo" ocorreu durante aquele tenebroso período.

A única forma de impedir os golpes, venham eles como vierem, é com a organização e a resistência popular. Se não houver organização social dos trabalhadores, das trabalhadoras, dos estudantes, dos assalariados rurais, dos camponeses, das comunidades indígenas, dos negros, dos imigrantes, dos movimentos sociais, os golpes retornam, ainda que possam assumir uma *aparência menos* brutal ou mais abrandada. Assim, é de extrema importância recordar os tristes anos – ou décadas – dessa fase sombria de nossa América Latina, para que ela *nunca mais* aconteça.

Como a história do mundo é em grande medida a história das contradições, nossa América Latina caminhou oscilante, ora no fluxo, ora no contrafluxo das reformas e contrarreformas, das revoluções e contrarrevoluções.

Da era das rebeliões à fase das contrarrevoluções

O ano de 1968 foi o que balançou o mundo: os levantes em Paris e em vários países da Europa; a invasão russa à Tchecoslováquia; as greves e manifestações de rua no Brasil; o massacre dos estudantes no México; as greves do *autunno caldo* (outono quente) na Itália no ano seguinte, em 1969, mesmo ano do *cordobazo* na Argentina, para citar alguns exemplos emblemáticos. Nos anos 1960, adentramos em uma *era de* rebeliões que se expandiram por quase todos os cantos do mundo. Na década seguinte, em um quadro de profunda crise estrutural, o sistema de dominação do capital, constatada sua *crise profunda em todos os níveis, econômico, social, político, ideológico, valorativo*, foi obrigado a desenhar uma nova engenharia da dominação.

Vieram, numa sucessão concatenada, a *reestruturação produtiva* dos capitais, a *financeirização* ampliada do mundo e a barbárie *neo-*

---

[1] Florestan Fernandes, *A revolução burguesa no Brasil*, cit.
[2] Caio Prado Jr., *A revolução brasileira* (São Paulo, Brasiliense, 1966).

liberal, e essa trípode da destruição foi responsável pelo advento da *contrarrevolução burguesa de amplitude global*, para recordar a expressão frequentemente usada pelo sociólogo brasileiro Octavio Ianni.

Uma *contrarrevolução burguesa* poderosa, cujo objetivo primeiro foi destruir toda a organização da classe trabalhadora, do movimento socialista e anticapitalista. Essa reação foi, então, a resposta às lutas empreendidas pelos polos mais avançados do movimento operário europeu e dos movimentos sociais que combateram pela emancipação em 1968-1969, que almejavam nada menos que o *controle social da produção*, desvencilhado tanto do enquadramento social-democrático quanto do chamado "modelo soviético".

Essa *contrarrevolução burguesa* descarregou sua profunda verve antissocial em escala planetária: impulsionou a barbárie neoliberal ainda dominante e deflagrou uma grandiosa reestruturação produtiva do capital, que alterou, em muitos elementos, a engenharia produtiva do capital. Essa ação bifronte esteve sempre sob a hegemonia do capital financeiro. Dela resultou uma gigantesca ampliação tanto da (super)exploração do trabalho quanto do mundo especulativo e de seu capital fictício.

Mas é bom recordar que o capital financeiro não é só o capital fictício que circula e generaliza as especulações e os saques: o capital fictício é uma parte prolongada do capital financeiro e este é, como sabemos há muito tempo, uma fusão complexa entre o capital bancário e o capital industrial (como nos ensinaram Lênin, Hilferding, Rosa Luxemburgo, entre outros).

Ao contrário do que prega certa leitura frágil defendida por muitos economistas pouco críticos, o capital financeiro não é uma alternativa separada e oposta ao mundo produtivo, mas o controla em grande parte, e só uma fração dele – o capital fictício – se descola da produção. Em seus núcleos centrais, o capital financeiro atua na própria esfera produtiva (e a controla). Basta lembrar que, quando compramos um produto financiado, estamos na verdade oferecendo um duplo ganho para os capitais: tanto na compra quanto no financiamento das mercadorias.

Esse é o lastro material existente, sem o qual o capital financeiro não pode dominar "eternamente". Capital fictício sem algum lastro produtivo é uma impossibilidade quando se pensa em dominação de longo período. Não é por outro motivo que, na lógica do capital financeiro, o saque, a exploração e a intensificação do uso da força de trabalho têm de ser levados cada vez mais ao limite no capitalismo de nosso tempo. É também por isso que os padecimentos, constrangimentos e níveis de (super)exploração da força de trabalho atingem níveis de intensidade jamais vistos em fases anteriores, no Sul e no Norte do mundo global.

Em nossa América Latina vivenciamos, sob formas diferenciadas, essa longa era de contrarrevoluções burguesas[3]. A ditadura militar chilena antecipou o neoliberalismo, antes do seu advento na Inglaterra, assim como em alguma medida ocorreu também com a ditadura militar na Argentina. Mas foi posteriormente, sob a era da *desertificação neoliberal*, que a contrarrevolução efetivamente desencadeou suas novas etapas e uma vez mais triunfou[4].

Como sabemos, a pragmática neoliberal significou maior concentração de riqueza e da propriedade da terra, avanço dos lucros e ganhos do capital, intenso processo de privatização das empresas públicas, desregulamentação dos direitos sociais e do trabalho, liberdade plena para os capitais, dos quais resultaram o aumento da pauperização dos assalariados, a expansão dos bolsões de precarizados e dos desempregados, entre tantas outras consequências socialmente nefastas.

No mundo financeiro latino-americano, basta recordar que muitos bancos estrangeiros compensaram sua situação quase falimentar nos países de origem com a ampliação de seus lucros no Brasil, no Chile e em diversos outros países latino-americanos. O caso do Santander é exemplar. O Brasil, que até poucas décadas atrás tinha um sistema financeiro majoritariamente nacional e estatal, hoje tem esse setor fortemente transnacionalizado.

Um vento de contestação

Foi contra esse projeto profundamente destrutivo que os operários e as operárias, dos campos e das cidades, os povos indígenas, os campesinos, os sem-terra, os despossuídos, os homens e as mulheres sem emprego, além de uma miríade de outros movimentos sociais como os da juventude, ambientalistas etc., desencadearam novas formas de luta social e política, sobretudo a partir dos anos 1990[5].

Nos Andes, onde viceja uma cultura indígena milenar, cujos valores são muito distintos daqueles estruturados sob o controle e o tempo do capital, ampliaram-se as rebeliões, desenham-se novas lutas, claros sinais de contraposição à ordem que se estrutura desde o início do domínio, da espoliação e da despossessão típicos da fase neoliberal[6].

Na Bolívia, as comunidades indígenas e camponesas se rebelaram contra a sujeição e a subordinação. Na Venezuela, os assalariados

---

[3] Florestan Fernandes, *A revolução burguesa no Brasil*, cit.

[4] Ricardo Antunes, *A desertificação neoliberal no Brasil*, cit., e *Uma esquerda fora do lugar*, cit.

[5] Maria Orlanda Pinassi, *Da miséria ideológica à crise do capital: uma reconciliação histórica* (São Paulo, Boitempo, 2009).

[6] Ricardo Antunes, "O Brasil da era Lula", cit.

pobres dos morros de Caracas esboçaram novas formas de organização popular nas empresas, nos bairros populares e nas comunidades. No Peru, os indígenas e camponeses desencadearam vários levantes contra governos conservadores e, junto com tantos outros povos andinos, avançaram os espaços de resistência e rebelião.

Na Argentina, quando eclodiram os levantes em dezembro de 2001, vimos a luta dos trabalhadores desempregados, dos *piqueteros* que, em conjunto com as classes médias empobrecidas, depuseram vários governos. No México, encontramos os exemplos de Chiapas desde 1994 e, posteriormente, da Comuna de Oaxaca, em 2005, que foram rebeliões expressivas contra a destruição neoliberal. Houve ainda inúmeras lutas sociais urbanas em praticamente toda a América Latina, contra a *mercadorização* ou *commoditização* dos serviços públicos, como saúde, educação, transporte etc.

Nesse período, o ciclo de governos neoliberais na América Latina perdeu progressivamente força, o que possibilitou a ampliação do descontentamento social contra o neoliberalismo. Em alguns casos, tais movimentos e partidos políticos se tornaram governos e geraram experiências políticas que sinalizavam a possibilidade efetiva de mudanças, como Chaves e o seu bolivarianismo na Venezuela ou o Movimento ao Socialismo (MAS), de Evo Morales, que venceu as eleições e iniciou um longo e novo ciclo na Bolívia.

Houve também vitórias de movimentos e partidos políticos de oposição que chegaram ao governo, como o PT no Brasil e as Frentes Amplas no Chile e no Uruguai, entre outras experiências. Mas, depois de mais de uma década dessas vitórias, podemos constatar que, em sua grande maioria, esses novos governos aceitaram fazer uma longa pactuação e forte conciliação com os grandes capitais, o que acabou por corroer e devorar por dentro seus governos, como ocorre de modo cabal com o Brasil. Depois de várias lutas de grande importância, que marcaram um forte período de contestação, o neoliberalismo, mais como tragédia do que como farsa, ainda segue dominante.

A ofensiva da direita, a onda conservadora e o golpe de novo tipo

Seja por meio de governos neoliberais "puros", seja pela ação de governos social-liberais (apologeticamente chamados de "neodesenvolvimentistas"), que fracassaram ao tentar implementar uma moderada *terceira via*, o neoliberalismo retomou e refortaleceu o controle nos países em que a *conciliação* dominava[7]. No caso da Argentina, depois do longo desgaste dos governos Kirchner, vimos recentemente a vitória de Macri, essa *variante de gladiador da barbárie*. Estamos

---

[7] Ver Lucia Pradella e Thomas Marois (orgs.), *Polarizing Development*, cit.

presenciando também a gestação, em estágio bastante avançado e já quase vitorioso, do *golpe parlamentar* no Brasil, com o processo de *impeachment* que, na forma que vem assumindo, burla com acinte a Constituição brasileira de 1988.

Os governos Lula e Dilma, do PT, com perfil de conciliação, foram *em última instância* exemplos significativos de representação dos interesses das classes dominantes, tendo como ponto de diferenciação a inclusão de um programa de melhoras *pontuais*, o Bolsa Família, voltado para os setores mais pobres do país, entre outras medidas similares. Enquanto o cenário econômico foi favorável, o Brasil parecia caminhar bem. Entretanto, com o agravamento da crise econômica, social, política e institucional, esse mito desmoronou, no mesmo momento em que a operação judicial denominada Lava Jato passou a atingir alguns núcleos de corrupção política amplamente implementados pelo PT no governo. Tudo isso reverteu de modo profundo o "quadro positivo" e tornou o futuro imediato de todo imprevisível.

Já nas eleições de outubro de 2014 foi possível perceber uma redução do apoio das frações burguesas ao governo Dilma, uma vez que o quadro recessivo antecipava a necessidade de mudanças profundas em sua política econômica para *ajustar-se* ao novo cenário. Não foi por outro motivo que, logo após a vitória eleitoral, em janeiro de 2015, Dilma implementou um ajuste fiscal profundamente recessivo que, além de fazer crescer o descontentamento empresarial, intensificou também os descontentamentos em todas as classes sociais – ainda que por motivos diferenciados.

Nas *classes médias*, em seus setores mais conservadores, como vimos em capítulos anteriores, desencadeou-se um verdadeiro ódio ao governo Dilma e ao PT de Lula, particularmente a partir das rebeliões de junho de 2013. Nas *camadas médias baixas*, o desencanto e a revolta também se amplificaram, pois os salários começaram a diminuir, a inflação dava sinais inquietantes de aumento e o desemprego começava a inverter aquela que havia até pouco tempo era a maior marca dos governos petistas, qual seja, a significativa alta dos empregos. O mito do projeto "neodesenvolvimentista" do governo do PT desmoronou.

Na *classe trabalhadora*, os setores ainda vinculados ao PT fazem um enorme esforço para impedir o *impeachment*, mas o Parlamento, de perfil conservador – verdadeiro pântano da política brasileira – está imbuído da proposta de destituir o governo Dilma a qualquer preço.

Como o *impeachment* está previsto na Constituição do país, gestou-se a "alternativa ideal": deflagrar um golpe com *aparência* legal, constitucional. Um golpe que, contando com o decisivo apoio da grande mídia dominante, assume a feição de um não golpe. Diferente de um golpe militar, como o de 1964, mas um *de novo tipo*, forjado pelo pântano parlamentar que *compunha a base aliada que dava sustentação aos governos Lula e Dilma*.

Não é difícil constatar, então, que a crise é de alta profundidade: além de *econômica, social* e *política*, é também *institucional*, uma vez que abriga riscos de confrontação crescentes entre Legislativo, Executivo e Judiciário. Apesar de o governo Dilma ter feito *essencialmente* tudo o que as distintas frações das classes dominantes exigiram, a amplitude e a abrangência da crise as levaram a decidir pelo descarte de um governo que sempre lhes serviu. Diante desse quadro, optaram por reintroduzir um governo "puro", para garantir que *todas* as ações necessárias voltadas à retomada da expansão burguesa fossem feitas. Vale recordar que a dominação burguesa no Brasil sempre se revezou entre a *conciliação pelo alto* e o *golpe*, seja ele militar, civil ou parlamentar.

Nossas classes dominantes recorrem, então, ao uso de um instrumento legal, que é o *impeachment*, previsto na Constituição brasileira de 1988, mas o fazem a partir de uma manobra *ilegal*, como ocorreu anteriormente em Honduras, em 2009, com a destituição do presidente Manuel Zelaya e, depois, no Paraguai, em 2012, quando em menos de dois dias o Congresso votou pelo *impeachment* de Fernando Lugo.

Assim, na concretude da política brasileira, o *impeachment* em curso está sendo exercido como uma variante de golpe branco. Com a enorme corrosão de suas bases sociais de sustentação, a presidente reeleita em 2014 tem assistido ao desenvolvimento de um golpe parlamentar e judicial, uma vez que setores do Judiciário vêm implementando uma *legislação de exceção* para poder dar respaldo jurídico ao golpe. Esse, por sua vez, é ancorado e impulsionado pela mídia privada, poderosíssima e sem nenhum escrúpulo em apoiar um Parlamento que é o mais desprezado da história republicana do Brasil. Isso não significa, é imperioso reiterar, que se deva ser condescendente ou conivente com os governos petistas em suas práticas desmesuradas de corrupção político-eleitoral – também sem esquecer que tais práticas são recorrentes na história republicana brasileira de mais de um século, para não falar dos períodos colonial e imperial, sob domínio português, quando a corrupção já era pragmática frequente na vida política do país. Mas um golpe, em suas múltiplas e distintas modalidades, é sempre um ato que tem a marca da ilegalidade e da exceção.

Conclusão: um Estado de direito de exceção?

Podemos assim sintetizar as causas mais profundas da crise atual: como a crise econômica tem evidentes componentes globais, ela inicialmente atingiu, desde 2008, os países capitalistas centrais, por exemplo os Estados Unidos, o Japão e diversas nações da Europa. Mas, por ser uma crise *desigual e combinada*, acabou chegando ao Sul, às periferias e aos seus países intermediários. Quanto mais a crise se aprofunda no Norte, maior é a sucção de capitais para o centro do capitalismo e mais intensificadas são as *taxas diferenciais de exploração*, seja esse um processo diretamente entre o Norte e o Sul, o Leste e o Oeste, seja entre as próprias regiões e países.

No Brasil, a chegada da crise foi pouco a pouco solapando e desmoronando o mito *petista* da conciliação. Tudo isso começou a ruir a partir das rebeliões de junho de 2013, mostrando que a fraseologia do país que caminhava para o Primeiro Mundo era uma ficção desprovida de qualquer lastro real, material e objetivo.

Quando essa crise atingiu o Brasil com intensidade em fins de 2014 e início de 2015, as frações dominantes chegaram a um primeiro consenso: "Em época de crise, quem vai pagar o ônus dessas perdas? Será, como sempre, a classe trabalhadora". Essas frações burguesas começaram a exigir, *primeiro*, que o ônus da crise fosse inteiramente pago pelos assalariados, por meio de cortes no seguro-desemprego, que Dilma rapidamente fez, tão logo começou seu segundo mandato.

Mas, com o agravamento da crise, as próprias frações dominantes começaram a discutir um *segundo* ponto: quais frações burguesas vão perder menos com a crise (uma vez que todas elas tendem a perder nesse cenário, com a exceção da burguesia financeira, que, além de hegemônica nos blocos de poder, pode utilizar sua dimensão especulativa e fictícia para continuar acumulando). Então, nesse momento, as frações burguesas passaram a disputar entre si quem *perderia mais ou menos* com a crise.

Isso levou, definitivamente, a um *terceiro* ponto. Nesse contexto recessivo que se intensifica a cada dia, o governo de conciliação da dupla Dilma/Lula já não lhes interessa mais. E, se não é possível eliminá-la eleitoralmente, uma vez que as frações dominantes não querem esperar até 2018, é preciso forjar uma alternativa *extraeleitoral*. Ainda que os governos do PT sempre tenham feito tudo o que lhes foi exigido pelas classes dominantes, agora é o momento de descartar um governo dócil e viabilizar um governo próprio, sem as marcas do PT, de Lula e de Dilma, para garantir a sua própria dominação burguesa em tempos de crise.

Termino, então, com o que indiquei anteriormente: a dominação burguesa no Brasil – e isso em alguma medida tem ressonância em toda a América Latina – sempre oscilou, revezando-se entre a *conciliação pelo alto* e o *golpe*. No primeiro quesito, o da conciliação pelo alto, Getulio Vargas e Lula foram os grandes mestres em toda a história republicana. Quando as classes dominantes (profundamente internacionalizadas e financeirizadas) decidiram há pouco tempo encerrar esse ciclo e *descartar* o governo Dilma e o PT, decretaram também o fim desse *ciclo de conciliação iniciado por Lula*.

Essa transição, no capitalismo de nosso tempo, só é possível com um *novo tipo de golpe*, que tenha uma faceta parlamentar e seja respaldado em uma legislação de exceção. Parece, assim, que ao menos nesse aspecto Agamben[8] está certo. Nossa América Latina também pode começar a preparar ou intensificar a resistência a essa esdrúxula fase que pode ser caracterizada como *estado de direito de exceção*, com o qual, tristemente, o continente tem longa tradição e experiência. Com o Brasil sempre à frente.

---

[8] Giorgio Agamben, *Estado de exceção* (São Paulo, Boitempo, 2004).

Capítulo 17

A (DES)CONSTRUÇÃO DO TRABALHO NO BRASIL DO SÉCULO XXI[1]

Vimos anteriormente que a crise de 2008 teve impacto diferenciado: de início, atingiu os países capitalistas centrais, como Estados Unidos, Japão, Alemanha, Inglaterra, França, Itália, entre outros. Mas, dada sua conformação global, projetou-se para diversas partes do mundo, atingindo também nações que compõem os chamados Brics e, mais acentuadamente, o conjunto da periferia do sistema.

No Brasil, vimos também que as repercussões da crise foram pouco a pouco solapando o projeto do Partido dos Trabalhadores, vigente desde 2003, com a posse de Lula. Implantado ao longo dos dois mandatos presidenciais consecutivos de Lula e, a partir de 2011, por sua sucessora, Dilma Rousseff, o projeto começou a dar sinais claros de desmoronamento em 2013, quando as rebeliões de rua atingiram, em junho, seu ápice.

As fissuras do projeto, acentuadas pela persistência e pelo aprofundamento da crise econômica mundial, levariam para as ruas um amplo setor da juventude trabalhadora. Submetida à precariedade crescente do mercado de trabalho, impossibilitada do acesso à educação pública de qualidade, deixada à mercê de um sistema público de saúde sucateado, sem nenhuma segurança sobre o futuro, o aumento das tarifas do transporte coletivo converteu-se numa espécie de catalisador do descontentamento dessa camada de jovens.

De fundo, a movimentação dessa juventude e a forte onda grevista que o país vivenciou no mesmo ano refletiam a falência de um

---

[1] Escrito em coautoria com Luci Praun.

projeto que, apesar de brotar das esperanças e dos desejos de muitos por mudanças, não foi capaz de realizá-las. A realidade brasileira começava então a ser desnudada em profundidade e, com ela, o fracasso social e político dos governos do PT.

Entre o confronto e a pactuação

Já indicamos antes que o Brasil teve um papel de destaque nas lutas operárias e sindicais na década de 1980, conseguindo retardar a implantação do neoliberalismo, que se expandia por vários países da América Latina, como Chile, Argentina, México. Enquanto nos países do Norte o neoliberalismo deslanchava, no Brasil, naquela década, caminhávamos na contramão dessas tendências regressivas.

Depois das históricas greves do ABC Paulista, em fins dos anos 1970, com a emergência do novo sindicalismo, as paralisações se generalizaram pelo país, atingindo grandes contingentes da classe trabalhadora. Ampliaram-se sobremaneira os sindicatos de classe e os incontáveis movimentos sociais, o que significou um período de disseminação de lutas sociais e políticas de grande envergadura[2].

A década de 1980 impulsionaria também, como parte da intensa mobilização social no país, a fundação e o crescimento do PT e da CUT. De forma contraditória, produziria, paulatinamente, a crescente inserção de parcela importante de seus militantes e ativistas sindicais nas estruturas do Estado brasileiro.

Se, por um lado, as vitórias eleitorais alcançadas pelo PT refletiram a consolidação de uma base social em grande medida forjada nas mobilizações sociais da década de 1980, por outro, se converteram em ponto de apoio importante para o fortalecimento de uma prática política que passou a se caracterizar, na década seguinte, pela preocupação em formular propostas consideradas viáveis institucionalmente. As avaliações da direção majoritária do partido sobre as razões da derrota da candidatura de Lula nas eleições presidenciais de 1989 acentuariam essa tendência, expressa nos anos seguintes, entre outras iniciativas, na participação da CUT, em 1992 e 1993, nas câmaras do setor automotivo[3].

---

[2] Ricardo Antunes, *A desertificação neoliberal no Brasil*, cit., e "Construção e desconstrução da legislação social no Brasil", cit.; Luci Praun, *A teia do capital: reestruturação produtiva e "gestão da vida" na Volkswagen do Brasil – planta Anchieta* (dissertação de mestrado em sociologia, Campinas, Instituto de Filosofia e Ciências Humanas, Unicamp, 2005), "Reestruturação negociada na Volkswagen: São Bernardo do Campo", em Ricardo Antunes (org.), *Riqueza e miséria do trabalho no Brasil*, v. 1, cit., e "Sindicalismo metalúrgico no ABC Paulista: da contestação à parceria", em Patrícia Vieira Trópia e Davisson Cangussu Souza (orgs.), *Sindicatos metalúrgicos no Brasil contemporâneo* (Belo Horizonte, Fino Traço, 2012).

[3] Luci Praun, "Sindicalismo metalúrgico no ABC Paulista", cit. Sobre as câmaras setoriais do setor automotivo, ver também Andréia Galvão, *Participação e*

Evidenciavam-se, nessa participação, não somente a busca por demonstrar postura ativa na "elaboração de uma política industrial em bases democráticas", conforme defendia na ocasião o Sindicato dos Metalúrgicos de São Bernardo do Campo e Diadema[4], mas a disposição de chegar ao poder central, pela via institucional, sem pôr em risco a ordem e a estrutura social estabelecidas. Essa disposição pôde ser observada com maior clareza dez anos depois, durante a eleição de 2002, que resultou no primeiro mandato presidencial de Lula. Durante a disputa eleitoral, o PT publicou a "Carta ao povo brasileiro", assinada por Lula, na qual são dadas as garantias ao mercado financeiro de uma política futura de controle da economia e de respeito aos "contratos e obrigações do país".

Durante os anos que separaram as experiências com as câmaras setoriais e as eleições de 2002, medidas de flexibilização da produção e do trabalho (instituição dos bancos de horas e de dias; adoção de mecanismos voltados ao trabalho polivalente e multifuncional; redução do piso de ingresso de categorias profissionais; flexibilização da remuneração por meio da política de participação nos resultados, entre outras) passaram a ser defendidas e incorporadas com frequência aos acordos coletivos assinados por sindicatos filiados à CUT, tendo como polo irradiador dessa prática o sindicalismo metalúrgico do ABC Paulista[5].

Vale destacar que, apesar de regulamentado pela Lei 9.601/1998[6], o banco de horas, instrumento de flexibilização da jornada de trabalho e de conversão da remuneração relativa às horas excedentes em horas a serem compensadas, passou a constar de acordo coletivo firmado entre o Sindicato dos Metalúrgicos do ABC e a Volkswagen já em 1996, dois anos antes, portanto, de sua instituição por lei.

Em uma cartilha sobre a "flexibilização das relações de trabalho no setor automotivo", publicada em 1999, o sindicato critica a lentidão da legislação no que diz respeito à flexibilização do trabalho. Conforme a representação sindical,

> A Constituição de 1988 – que reduziu a jornada anual de 48 horas para 44 horas semanais – não permitiu ainda uma intensificação da

---

fragmentação: a prática sindical dos metalúrgicos do ABC nos anos 90 (dissertação de mestrado em ciência política, Campinas, Instituto de Filosofia e Ciências Humanas, Unicamp, 1996).

[4] Sindicato dos Metalúrgicos de São Bernardo do Campo e Diadema, *Reestruturação do complexo automotivo brasileiro: as propostas dos trabalhadores na câmara setorial* (São Bernardo do Campo, 1992), p. 5.

[5] Luci Praun, *A teia do capital*, cit., "Reestruturação negociada na Volkswagen", cit., e "Sindicalismo metalúrgico no ABC Paulista", cit.

[6] A legislação, entre outras medidas, insere no artigo 59 da CLT redação que possibilita a instituição do banco de horas.

flexibilidade da jornada de trabalho. Só recentemente – três anos após as primeiras negociações entre capital e trabalho – foram se verificando as primeiras medidas governamentais de adaptação da legislação à nova realidade.[7]

A iniciativa do sindicato sinalizava para uma questão de grande impacto no processo de desregulamentação dos direitos trabalhistas: a prevalência do acordado sobre o legislado. O tema entrou inicialmente na pauta do Congresso Nacional brasileiro em 2001, com o envio, pelo então presidente Fernando Henrique Cardoso, do PL 5.483, que propunha a alteração do artigo 618 da CLT, mas foi retirado do Congresso, pelo Executivo, no início do primeiro governo Lula[8].

Se por um lado o Projeto de Lei gerou forte resistência de diferentes segmentos da sociedade[9], sua retirada, longe de se traduzir em um recuo, coincidiu com a constituição do Fórum Nacional do Trabalho (FNT), em 2003, instância composta por representantes do Estado, do empresariado e do movimento sindical e que tinha por meta discutir e propor alterações na CLT como um todo, conforme abordaremos adiante.

Outra iniciativa no sentido de fazer valer a prevalência do acordado sobre o legislado, atalho importante para a reforma sindical e trabalhista, ocorreu em 2011, quando o Sindicato dos Metalúrgicos do ABC[10] elaborou e enviou para o Governo Federal o Anteprojeto de Lei intitulado Acordo Coletivo Especial (ACE). A proposta instituía a possibilidade de acordos por empresa que considerassem justificáveis "adequações nas relações individuais e coletivas de trabalho e na

---

[7] Sindicato dos Metalúrgicos do ABC, Subseção Dieese, *Flexibilização da produção e das relações de trabalho no setor automotivo*, São Bernardo do Campo, out. 1999, p. 15.

[8] Transita atualmente na Câmara dos Deputados o PL 4.193, de 2012, de autoria do deputado Irajá Abreu, com conteúdo similar ao tratado pelo PL 5.483/2001.

[9] Jorge Luiz Souto Maior destaca a mobilização promovida pela Associação Nacional dos Magistrados Trabalhistas (Anamatra), pela Associação Nacional dos Procuradores do Trabalho (ANPT) e pela Associação Brasileira dos Advogados Trabalhistas (Abrat), que se posicionaram, ainda em 2001, contrárias à aprovação do referido projeto; *Velhas e novas ameaças do neoliberalismo aos direitos trabalhistas*, 15 dez. 2014; disponível em: <https://blogdaboitempo.com.br/2014/12/19/velhas-e-novas-ameacas-do-neoliberalismo-aos-direitos-dos-trabalhadores>; acesso em: 2 maio 2018.

[10] Sindicato dos Metalúrgicos do ABC, *ACE: Acordo Coletivo Especial*, set. 2011; disponível em: <http://www.smabc.org.br/Interag/temp_img/%7B016A7A92--EDB2-48D8-8734-F9C3617D2E1A%7D_cartilha_ace_v4_nova.pdf>; acesso em: 20 jul. 2016. A proposta também foi assinada por outros sindicatos metalúrgicos da base da CUT: Sindicato dos Metalúrgicos de Taubaté, Sindicato dos Metalúrgicos de Sorocaba e Região e Sindicato dos Metalúrgicos de Salto.

aplicação da legislação trabalhista"[11]. Para tal, também propunha uma alteração importante na estrutura sindical brasileira, com a instituição dos Comitês Sindicais de Empresa, órgãos responsáveis por promover negociações e firmar acordos coletivos por local de trabalho, desde que sua existência derivasse da estrutura legal do sindicato profissional em questão.

No que diz respeito ao processo de terceirização de atividades nas linhas de produção, vale a pena citar os argumentos do sindicato, elaborados na década de 1990. Eles não deixam dúvidas sobre o sentido da estratégia adotada pela vertente sindical de sustentação do projeto de governo do PT.

> A tática que se faz necessária nesse contexto precisa aliar firmeza e flexibilidade. Devem ser afastadas, de início, duas condutas que são igualmente inaceitáveis: a postura conformista [...] e [...] a postura estreita de rejeitar o debate e a negociação em torno do assunto.
>
> Num caso estaríamos sendo conciliadores e traindo os interesses dos trabalhadores. No outro caso, estaríamos enveredando por uma trilha onde a vitória seria pouco provável, além de significar uma fuga [à] nossa responsabilidade de classe, que objetiva influenciar nos rumos do desenvolvimento da indústria, com crescimento da produção, modernização, inovações tecnológicas e recuperação de competitividade.[12]

Ao longo dos anos 1990, em meio ao fortalecimento do neoliberalismo e das medidas voltadas a reestruturar a produção e o trabalho, consolidou-se no interior da CUT uma prática sindical centrada na apresentação de propostas viáveis, que buscassem evitar o confronto entre capital e trabalho, privilegiando a negociação em detrimento da mobilização. De forma decorrente, buscava-se a viabilização da vitória eleitoral por meio da construção de um pacto, com as diferentes frações da classe dominante, para a gestão do capitalismo brasileiro.

O PT no governo

Na ocasião da vitória eleitoral de Lula, em 2002, após dois mandatos consecutivos de Fernando Henrique Cardoso, o Brasil havia se constituído em um país bastante diverso, agora inserido em um contexto nacional e internacional distinto das décadas anteriores. A eleição de Lula ocorreu quando o *transformismo*[13] já havia sido assimilado

---

[11] Sindicato dos Metalúrgicos do ABC, *ACE*, cit., p. 46.

[12] Sindicato dos Metalúrgicos do ABC, *Os trabalhadores e a terceirização: diagnóstico e propostas dos metalúrgicos do ABC* (São Bernardo do Campo, FG, 1993), p. 16.

[13] Antônio Gramsci, *Maquiavel, a política e o Estado moderno*, cit.

e interiorizado pela direção política do PT, conforme vimos em capítulos anteriores, ainda que em movimento lento que acabou por convertê-lo em uma espécie de *Partido da Ordem*[14], cada vez mais moderado e institucionalizado em seus métodos, práticas e ações.

O neoliberalismo que se desenvolveu nos anos 1990, com Collor e FHC, havia *desertificado* em boa medida o país, e o PT já não era mais um partido *centralmente* voltado para os interesses da classe trabalhadora. Oscilava cada vez mais entre a resistência ao neoliberalismo e a aceitação e defesa de uma nova pragmática, mais policlassista[15].

O primeiro governo Lula, com início em janeiro de 2003, foi caracterizado, então, mais pela *continuidade* do que pela *ruptura* com o neoliberalismo, uma vez que também desenvolveu políticas com claras semelhanças àquelas propostas pelo *social-liberalismo*, que florescia a partir do experimento realizado pelo New Labour de Tony Blair, como vimos no capítulo 13[16].

Vale destacar que, ao longo do primeiro mandato, a política econômica desenvolvida por Lula jamais questionou a hegemonia dos capitais financeiros. Longe disso, seguiu rigorosamente os pilares indicados pelo FMI, mantendo, desse modo, os elementos estruturais que preservavam o capitalismo e que particularizavam nossa formação social burguesa.

Não por acaso, portanto, sob a condução de Lula e de seus formuladores, durante o primeiro governo do PT, na transição de 2004 para 2005, ganhou força a proposta de reforma sindical elaborada pelo órgão tripartite FNT. Ainda que essa proposta tenha sido dificultada tanto pela crise política que atingiu duramente o governo, durante o chamado "mensalão", quanto pela forte oposição por parte de diversos setores sindicais, à direita, ao centro e à esquerda, ela foi emblemática do sentido de *conciliação* presente no primeiro governo Lula.

As propostas que emergiram das negociações do FNT caminharam na contramão dos princípios que nortearam a criação da CUT. Além

---

[14] Karl Marx, *O 18 de brumário de Luís Bonaparte*, cit.

[15] Retomamos aqui várias ideias que estão apresentadas especialmente em Ricardo Antunes, *A desertificação neoliberal no Brasil*, cit., *Uma esquerda fora do lugar*, cit., e "Fenomenologia da crise brasileira", cit. Ver também Mauro Luis Iasi, *As metamorfoses da consciência de classe: o PT entre a negação e o consentimento* (São Paulo, Expressão Popular, 2011); e José de Lima Soares, *O PT e a CUT nos anos 90*, cit.

[16] Ver os abrangentes balanços críticos do neoliberalismo e do chamado "pós--neoliberalismo" em suas distintas variantes em Lucia Pradella e Thomas Marois (orgs.), *Polarizing Development*, cit.; e Beatriz Stolowicz, *El misterio del posneoliberalismo*, v. 2: *La estrategia para América Latina* (Bogotá, ILSA/Espacio Crítico Ediciones, 2016).

de um conjunto de proposições voltado à flexibilização dos direitos do trabalho, visando beneficiar as cúpulas sindicais em detrimento das bases operárias, buscou-se transferir para as centrais e suas direções o exercício de negociação, restringindo a ação dos sindicatos e das assembleias de base. Mais ainda, as centrais passariam a ser mensuradas e definidas pela sua representação, dificultando a vida organizativa de entidades mais autônomas, uma vez que a proposta contemplava limites mínimos para o reconhecimento da representação dos sindicatos. Por fim, estabelecia que o imposto sindical e demais contribuições ou taxas assistenciais seriam substituídos pela denominada "contribuição de negociação coletiva" (de até 1% da renda líquida do trabalhador no ano anterior), obstando diretamente a vontade de cotização autônoma, livre e voluntária dos trabalhadores para a manutenção dos sindicatos[17].

Vale destacar sobre esse processo, que marca o início do primeiro governo Lula, que o verticalismo sindical, as práticas cupulistas e o excessivo burocratismo, que a CUT tanto criticara durante seus primeiros anos de existência, encontravam-se impregnados nessa proposta de reforma sindical tanto por meio da tentativa de redução significativa do que ainda se preservava de organização sindical de base quanto pelo abandono do tripé *liberdade, autonomia e independência* sindical, princípios norteadores do chamado novo sindicalismo e, por isso, considerados vitais e inegociáveis em sua origem[18].

Fruto de polêmica e resistência geradas no interior do movimento sindical, não se avançou na tentativa de aprovação da reforma trabalhista e sindical do governo Lula. Mas parte das medidas acabou sendo contemplada pela Lei 11.648, de 2008, que legalizou as centrais sindicais brasileiras, estabelecendo os requisitos para que fossem reconhecidas oficialmente. A lei também estabeleceu, por meio de alteração na CLT, novos critérios de distribuição do imposto sindical de forma a contemplar as centrais.

É relevante também demarcar o contexto no qual se desenvolveu a nova política de controle do sindicalismo e seu *sentido dúplice*. Por um lado, a cúpula sindical passou a ocupar, durante o governo Lula, importantes cargos na alta burocracia estatal (nos ministérios, nos conselhos de empresas estatais e também de empresas privatizadas); por outro, a incorporação das centrais à estrutura sindical oficial viabilizou tanto a integração dessas entidades ao Conselho Deliberativo

---

[17] Ricardo Antunes, *Uma esquerda fora do lugar*, cit.; Marcelo Mattos Badaró, *Trabalhadores e sindicatos no Brasil*, cit.

[18] Ricardo Antunes e Jair Silva, "Para onde foram os sindicatos? Do sindicalismo de confronto ao sindicalismo negocial", *Caderno CRH*, Salvador, v. 28, n. 75, 2015; Ricardo Antunes e Marco Aurélio Santana, "Para onde foi o novo sindicalismo?", cit.

do Fundo de Amparo ao Trabalhador (Codefat), órgão tripartite responsável pela gestão do FAT, quanto o recebimento de recursos vinculados diretamente ao FAT ou a outros fundos estatais. Tais mecanismos, em um cenário marcado pela unicidade sindical na base e pelo pluralismo sindical nas cúpulas, fortaleceram e aproximaram ainda mais as principais centrais sindicais do governo Lula.

O universo sindical também se alterou de forma significativa entre o primeiro e o segundo governo Lula: além da CUT, da Central dos Trabalhadores e Trabalhadoras do Brasil (CTB)[19], da Força Sindical, fundada em 1991, de perfil ideológico à direita, mas integrante da base de apoio sindical do governo Lula, o escopo sindical englobava também outras pequenas centrais que procuravam ampliar seu espaço, como a Central Geral dos Trabalhadores do Brasil (CGTB), a União Geral dos Trabalhadores (UGT), a Nova Central, algumas delas com nível de representação sindical reduzido, herdeiras que eram do velho sindicalismo atrelado ao Estado e que viam na aproximação com o governo a possibilidade de aumento dos recursos e das verbas estatais.

Posteriormente, em oposição aberta aos governos Lula e Dilma, organiza-se a Conlutas, entidade fundada em 2004 que, em 2010, passa a denominar-se CSP-Conlutas (Central Sindical e Popular). É parte do mesmo processo o nascimento do movimento denominado Intersindical, com origem em 2006, que depois se dividirá em duas vertentes.

Foram se constituindo nos primeiros anos do governo Lula, tendo como base entidades sindicais que rompem com a CUT e se posicionam em oposição ao governo do PT. Foi parte desse processo a adesão às novas centrais, sobretudo à CSP-Conlutas, de um número expressivo de sindicatos ligados ao funcionalismo público federal, cuja base foi fortemente atingida pela reforma da previdência e pela chamada reforma universitária, encaminhada por Lula no início de seu primeiro mandato presidencial.

Para além da postura de oposição ao governo do PT e do resgate da independência das entidades sindicais em relação ao Estado, outras características dessas centrais merecem atenção. A primeira, a CSP-Conlutas, defende, desde sua origem, a constituição de uma central que aglutine não somente as entidades sindicais tradicionais, mas também as oposições sindicais, as organizações da juventude, os movimentos populares, assim como aqueles constituídos em torno da luta contra a opressão de mulheres, pessoas negras, LGBT etc. Busca, dessa forma, se converter em instrumento de luta capaz de

---

[19] Formada em sua origem pela Corrente Sindical Classista, que se desligou da CUT em 2007 para criar sua própria central.

aglutinar e representar uma parcela da classe trabalhadora cada vez mais complexa e heterogênea, fruto do impacto do neoliberalismo e do processo de reestruturação produtiva sobre o mundo do trabalho.

A segunda variante, a Intersindical, de perfil sindical mais acentuado, tem como preocupação importante a recuperação do *sindicalismo pela base*, encontrando-se claramente dividida, entretanto, entre a criação ou não de uma nova central.

A busca de uma nova base social de sustentação

Ao final de seu primeiro mandato, Lula realizou alterações importantes em suas políticas sociais na busca por reconquistar um apoio que estava sendo erodido, sobretudo, em função da profunda crise política aberta com o chamado "mensalão", o que poderia impor riscos à sua reeleição, em 2006[20].

Uma das alterações mais expressivas se deu com a expansão do programa Bolsa Família. Sua origem em âmbito nacional remonta da unificação e do aprimoramento de "ações de transferência de renda" já desenvolvidas sob o governo FHC. Trata-se de um programa que, ao longo do governo Lula, passou a ter alta repercussão entre as camadas mais pobres da população brasileira, mas com baixíssimo custo para o orçamento público. Conforme demonstram os dados de 2008, apurados pelo Ipea, "o custo do programa Bolsa Família representa apenas 0,38% do PIB e cerca de apenas 3% do total de gastos com benefícios previdenciários e assistenciais do país"[21].

O programa tem como meta atingir os 20% mais pobres da população brasileira, elegendo como prioridade a faixa dos 10%. Visa, dessa forma, impactar os indicadores por meio da eliminação do chamado "excesso de desigualdade", identificado a partir da comparação entre indicadores de apropriação de renda de países com nível de desenvolvimento considerado similar ao brasileiro[22].

Em 2006, ano que marca o fim do primeiro mandato presidencial de Lula, o Bolsa Família ampliou sua abrangência, passando das 3,6 milhões de famílias[23] beneficiadas diretamente em janeiro de 2004

---

[20] Ricardo Antunes, "Construção e desconstrução da legislação social no Brasil", cit.

[21] Marcio Pochmann, "Apresentação: Instituto de Pesquisa Econômica Aplicada", em Jorge Abrahão de Castro e Lúcia Modesto (orgs.), *Bolsa Família 2003-2010: avanços e desafios*, v. 1 (Brasília, Ipea, 2010), p. 8.

[22] Ricardo Paes de Barros, Mirela de Carvalho e Rosane Mendonça, "Dimensionando o programa Bolsa Família", em Jorge Abrahão de Castro e Lúcia Modesto (orgs.), *Bolsa Família 2003-2010*, v. 2 (Brasília, Ipea, 2010).

[23] Outras 4,2 milhões de famílias, em janeiro de 2004, eram ainda beneficiárias de programas remanescentes do governo anterior, como Bolsa Escola, Bolsa Alimentação ou Cartão Alimentação. O Bolsa Família foi, ao longo dos anos, por meio de um cadastro único, agrupando diferentes benefícios de acordo com o perfil familiar, o

para 11 milhões de famílias. O número de famílias atendidas mantém-se estável nos anos de 2007 e 2008, crescendo mais uma vez ao longo de 2009, quando passa para 13,7 milhões[24]. Os dados relativos ao número de pessoas atendidas pelo programa, por sua vez, fornecem uma dimensão melhor de sua repercussão. Conforme o estudo realizado por Costanzi e Fagundes,

> Em março de 2010, o número de pessoas que estavam no Bolsa Família chegou a 48,68 milhões. Levando-se em consideração a estimativa de população, em 2009, de 191,48 milhões, significa que o Bolsa Família atendia cerca de um quarto da população total do país (25,4%). Esse percentual variava de 14,9%, no Sudeste (o menor valor), até 45,6%, no Nordeste (o maior valor). [...] A maior cobertura do programa em relação à população total se dá, em especial, nos municípios das regiões Norte e Nordeste, embora existam cidades com elevada cobertura nas demais regiões.[25]

Essa política social assistencialista, que se constituiu na principal bandeira do governo do PT, foi considerada exemplar pelo Banco Mundial. Menos voltado para a classe trabalhadora organizada, base social de origem de Lula, o programa passou a atingir os setores mais pauperizados, normalmente mais dependentes do auxílio do Estado para sobreviver.

Os dados de 2010, obtidos por meio do Cadastro Único[26], mostram que o perfil dos beneficiários do Bolsa Família vai ao encontro do perfil geral da desigualdade social brasileira, que reserva os espaços de maior pobreza à população afrodescendente, às mulheres e aos jovens. Em todas as regiões do país, a participação feminina entre os beneficiários era, em abril de 2010, de 54,2%. Esse índice é ainda mais preponderante quando se considera o responsável legal da família: nesse caso, 92,5% são mulheres. Tais responsáveis, por sua vez, concentram-se na faixa etária de 25 a 34 anos (35,5%) e na de 35 a 44 anos (29,5%)[27].

---

que resultou na eliminação destes. Em 2008, apenas cerca de 15 mil famílias eram beneficiárias dos antigos programas.

[24] Sergei Soares e Natália Sátyro, "O programa Bolsa Família: desenho institucional e possibilidades futuras", em Jorge Abrahão de Castro e Lúcia Modesto (orgs.), *Bolsa Família 2003-2010*, v. 1, cit.

[25] Rogério Nagamine Costanzi e Flávio Fagundes, "Perfil dos beneficiários do programa Bolsa Família", em Jorge Abrahão de Castro e Lúcia Modesto (orgs.), *Bolsa Família 2003-2010*, v. 1, cit., p. 264.

[26] Sistema de controle e cruzamento dos beneficiários de programas sociais do Governo Federal.

[27] Rogério Nagamine Costanzi e Flávio Fagundes, "Perfil dos beneficiários do programa Bolsa Família", cit.

Quando o olhar se volta para o recorte étnico-racial, os dados apontam para uma população atendida que é composta fundamentalmente por afrodescendentes, com 65,3% de autodeclarados pardos, e outros 7,5% de negros, perfazendo um total de 72,8%. Os dados de abril de 2010 apontam também para a baixa escolaridade dos beneficiários do programa, com 81,1% sem ensino fundamental completo, entre eles, 15,8% analfabetos[28].

Os valores recebidos pelas famílias beneficiadas pelo programa variam. O mínimo, denominado *benefício básico*, atualizado em julho de 2016, correspondia a 85 reais. A esse valor podem ser acrescidos outros benefícios, considerados *variáveis*, no valor de 39 reais cada. Entretanto, apesar do baixo custo, ao abranger, em 2016, um quarto da população brasileira abaixo da linha da pobreza, o programa impactou de forma significativa tanto do ponto de vista *econômico*, fornecendo pouco para quem não tem praticamente nada, quanto *político*, conformando por anos uma base social decisiva no aspecto eleitoral. Com essa ação se consolida uma importante migração em parte da base social do segundo governo Lula, da classe trabalhadora mais organizada, base original do PT, em direção aos assalariados mais empobrecidos, com menor ou mesmo sem nenhuma organização sindical e política e que se encontram em áreas menos industrializadas do país[29].

Outra ação governamental que incidiu sobre os segmentos mais pobres da população foi a da política de aumento real do salário mínimo, ainda que os reajustes o mantivessem muito aquém tanto dos patamares previstos na Constituição quanto daqueles defendidos pelo Dieese.

É importante, no entanto, demarcar as mediações desse processo. Por um lado, o governo do PT, sobretudo a partir de 2006, impulsiona políticas assistenciais com foco no programa Bolsa Família, assim como o aumento real do salário mínimo, e, apoiado nessas iniciativas, constrói sua base de apoio junto aos segmentos mais pauperizados da sociedade. Por outro, desde o primeiro mandato de Lula, avança na reforma da previdência, tenta aprofundar o processo de flexibilização do trabalho, por meio da instituição do FNT, e institui duas leis que atingem fortemente os direitos trabalhistas[30].

A primeira delas, Lei 11.101, de 9/2/2005, institui, nas palavras de Souto Maior, o "calote trabalhista", já que destitui, em situações de

---

[28] Idem.

[29] Ricardo Antunes, "Construção e desconstrução da legislação social no Brasil", cit.

[30] José Dari Krein e Magda de Barros Biavaschi, "Brasil: os movimentos contraditórios da regulação do trabalho dos anos 2000", *Cuadernos del Cendes*, ano 32, n. 89, maio-ago. 2015; disponível em: <http://190.169.94.12/ojs/index.php/rev_cc/article/view/9895/9706>; acesso em: 20 jul. 2016.

recuperação judicial, extrajudicial e de falência de empresas, a prioridade do crédito trabalhista (até 150 salários mínimos) face aos demais, estabelecendo a lógica de distribuição, entre o empregador e o empregado, dos riscos do negócio[31].

A segunda, a Lei 10.820, de 17/12/2003, dá início ao processo de regulação do crédito consignado em folha de pagamento. Tal legislação, além de proteger as instituições financeiras, dando-lhes a segurança do recebimento de empréstimos e financiamentos com débito direto na folha de pagamento, forneceu sustentação a um programa de governo que, ao longo de muitos anos, viabilizou-se ancorado no incentivo ao consumo associado ao endividamento dos trabalhadores[32].

Foi nessa nova contextualidade que, conforme já mencionado, em 2008, dois anos antes de terminar seu segundo mandato, Lula, ao mesmo tempo que reconheceu oficialmente as centrais sindicais, conferindo-lhes legalidade, ampliou o percebimento do imposto sindical também para essas entidades sindicais de cúpula, o que as tornou beneficiárias do nefasto imposto, tão duramente criticado pela CUT em suas origens[33].

Assim, além dos recursos do FAT, bem como dos inúmeros apoios financeiros oferecidos pelo Ministério do Trabalho, também o imposto sindical, criado na ditadura Vargas, passava a ser usufruído pelas centrais. A transformação da CUT, de central sindical crítica e independente dos governos em uma entidade fortemente afinada com as ações e políticas da gestão Lula, só serviu, mais uma vez, para desorientar o movimento sindical no combate e na oposição ao ideário de fundo neoliberal, ainda que em sua nova variante social-liberal. Realizando um significativo deslocamento dos interesses históricos da classe trabalhadora para a defesa de uma ação mais negocial e de pactuação, a CUT distanciou-se de seu projeto sindical e político de origem, que cada vez mais desaparecia das propostas e das ações da central[34].

O sindicalismo de Estado dava sinais de forte revitalização, adicionados a um componente propositivo. O mundo negocial, a dependência

---

[31] Jorge Luiz Souto Maior, *Velhas e novas ameaças do neoliberalismo aos direitos trabalhistas*, cit, p. 5.

[32] José Dari Krein e Magda de Barros Biavaschi, "Brasil", cit.

[33] Jair Batista da Silva, *Racismo e sindicalismo*, cit.; Luci Praun, *A teia do capital*, cit., "Reestruturação negociada na Volkswagen", cit., e "Sindicalismo metalúrgico no ABC Paulista", cit.; Ricardo Antunes e Jair Silva, "Para onde foram os sindicatos?", cit.

[34] Jair Batista da Silva, *Racismo e sindicalismo*, cit.; Luci Praun, *A teia do capital*, cit., "Reestruturação negociada na Volkswagen", cit., e "Sindicalismo metalúrgico no ABC Paulista", cit.; Ricardo Antunes e Jair Silva, "Para onde foram os sindicatos?", cit.

estatal (política, ideológica e financeira) e a política de conciliação de classes sob o comando de Lula se tornaram ainda mais intensos, distanciando o movimento sindical do que, no passado recente, havia sido positivamente designado como novo sindicalismo, aproximando-o de uma espécie de *sindicalismo negocial de Estado*[35].

"O sindicalismo lulista", conforme salienta Braga[36], "transformou-se não apenas em um ativo administrador do Estado burguês, mas em um ator-chave da arbitragem do próprio investimento capitalista no país". Preocupada com a rentabilidade dos fundos que passou a administrar, como bem assinalou Francisco de Oliveira[37], e com seus integrantes ocupando postos variados na estrutura do Estado brasileiro,

> a alta burocracia sindical "financeirizou-se", isto é, fundiu seus interesses de camada social privilegiada ao ciclo de acumulação do capital financeiro. Dessa forma, o petismo militante nas greves e nos movimentos sociais dos anos 1980 e parte dos anos 1990 afastou-se de suas origens, tornando-se um sócio menor do bloco do poder capitalista no Brasil.[38]

A política de empregos e a onda grevista

Apontamos anteriormente que as ações desenvolvidas pelos governos Lula, ainda que nuançadas por uma variante social-liberal, indicaram uma continuidade em relação aos fundamentos da política econômica de corte neoliberal, aplicada pelo antecessor. Seu governo preservou os interesses do capital financeiro, com a manutenção do superávit primário e, no que se referiu à legislação trabalhista, além da introdução da cobrança de contribuição previdenciária dos aposentados – que lhe gerou uma enorme dissensão no sindicalismo dos trabalhadores públicos, um dos pilares constitutivos da CUT em sua origem –, também tentou viabilizar, ao final de seu primeiro mandato, a reforma sindical e trabalhista, apesar da forte oposição tanto de sindicatos e centrais sindicais patronais quanto de entidades vinculadas aos trabalhadores[39].

Quando a crise mundial atingiu os países capitalistas centrais com força, o governo Lula tomou medidas visando incentivar a retomada do crescimento econômico por meio da ampliação do mercado interno. Para tal, entre outras medidas, reduziu impostos em vários ramos com forte potencial absorvedor de força de trabalho.

---

[35] Idem.
[36] Ruy Braga, "Os contornos do pós-lulismo", cit.
[37] Francisco de Oliveira, *Crítica à razão dualista/O ornitorrinco*, cit.
[38] Ruy Braga, "Os contornos do pós-lulismo", cit.
[39] Ricardo Antunes, *Uma esquerda fora do lugar*, cit.; Andréia Galvão, *Neoliberalismo e reforma trabalhista no Brasil*, cit.

Mas, paralelamente ao aumento dos empregos, a precariedade e o nível de degradação do trabalho também puderam ser evidenciados a partir de outros indicadores que fornecem uma visão panorâmica do mercado de trabalho brasileiro. Ao longo do governo Lula, conforme destaca Braga,

> o número de acidentes e mortes no trabalho cresceu e a taxa de rotatividade do emprego aumentou [...]. E como seria diferente se os principais motores do atual *regime de acumulação* pós-fordista e financeirizado são a indústria da construção pesada e civil, a agroindústria e o setor de serviços? Além disso, apesar do crescimento econômico recente, a estrutura social brasileira não superou sua condição semiperiférica, o que implica a combinação de um grande número de empregos baratos com um baixo índice de investimento em ciência e tecnologia, fortalecendo o despotismo empresarial.[40]

Se ao longo da década de 1980 era relativamente pequeno o número de terceirizados (subcontratados), nas décadas seguintes esse índice cresceu, constituindo um contingente expressivo de trabalhadores e trabalhadoras frequentemente sem vínculo empregatício nem registro formalizado, padecendo de altos índices de rotatividade, por vezes à margem da legislação trabalhista[41].

Foi dentro dessa contextualidade que o movimento grevista também mostrou a sua força. O ano de 2013, por exemplo, não foi marcado somente pelas grandes mobilizações de rua. Ao longo desse ano, os trabalhadores brasileiros protagonizaram uma onda grevista de grande amplitude. Ao todo, segundo estudo realizado pelo Dieese[42], foram registradas 2.050 greves, o que significou um crescimento de 134% em relação ao ano anterior, quando ocorreram 877 greves.

---

[40] Ruy Braga, "Os contornos do pós-lulismo", cit.

[41] Ricardo Antunes, "Construção e desconstrução da legislação social no Brasil", cit.; Graça Druck, "Terceirização", cit., e "Trabalho, precarização e resistências", cit.; Graça Druck e Tânia Franco (orgs.), *A perda da razão social do trabalho*, cit. Em estudo realizado pelo Dieese, os setores considerados "tipicamente terceirizados" correspondiam a 25,5% dos empregos formais no Brasil, sendo sua remuneração 27,1% menor do que a dos demais empregados formalizados. No que concerne à jornada de trabalho, os terceirizados trabalham em média três horas a mais e o seu tempo de permanência no emprego é 55,5% menor do que o dos demais empregados. Sua taxa de rotatividade/*turnover* é de 44,9%, enquanto entre os contratados não terceirizados é de 22%; ver CUT-Dieese, *Terceirização e desenvolvimento: uma conta que não fecha: dossiê acerca do impacto da terceirização sobre os trabalhadores e propostas para garantir a igualdade de direitos*, s/l, set. 2011; disponível em: <http://2013.cut.org.br/sistema/ck/files/terceirizacao.PDF>; acesso em: 13 abr. 2018. Ver também Ricardo Antunes (org.), *Riqueza e miséria do trabalho no Brasil*, v. 3, cit.

[42] Dieese, "Balanço das greves de 2013", *Estudos e Pesquisas*, n. 79, dez. 2015; disponível em: <http://www.dieese.org.br/balancodasgreves/2013/estPesq79balancogreves2013.pdf>; acesso em: 30 jul. 2016.

Outro dado relevante identificado pelo estudo diz respeito à incidência de greves desencadeadas em empresas privadas. Em 2013, as paralisações nessa área superaram em quantidade as deflagradas no setor público, equivalendo a 54% do total. Essas greves, com participação importante de trabalhadores e trabalhadoras do setor de serviços, se caracterizaram em grande medida por sua natureza defensiva, ou seja, por pautas relacionadas à "defesa de condições de trabalho vigentes, [...] respeito a condições mínimas de trabalho, saúde e segurança ou contra o descumprimento de direitos estabelecidos em acordo, convenção coletiva ou legislação"[43]. A tabela a seguir apresenta o número de paralisações, bem como as principais causas responsáveis pela eclosão desse expressivo movimento grevista em 2012 e 2013:

Principais reivindicações das greves (Brasil, 2012 e 2013)

Reivindicação	2012		2013	
	nº	%	nº	%
Reajuste salarial	359	40,9	738	36
Alimentação	238	27,1	549	26,8
Condições de trabalho	133	15,2	430	21
PCS – Plano de Cargos e Salários	201	22,9	394	19,2
Pagamento de salários atrasados	160	18,2	375	18,3
PLR – Participação nos Lucros e/ou Resultados	167	19	249	12,1
Piso salarial	142	16,2	228	11,1
Assistência médica	108	12,3	208	10,1
Local de trabalho	41	4,7	207	10,1
Total	877	100	2050	100

Obs.: A soma das parcelas pode ser superior ao total de greves, dado que uma mesma paralisação pode conter diversas e distintas motivações.
Fonte: Dieese, Sistema de Acompanhamento de Greves (SAG-Dieese).

A importância assumida por demandas relativas às condições de trabalho, a terceira reivindicação mais presente entre as greves de 2013, é indicadora do avanço dos mecanismos de precarização entre a classe trabalhadora brasileira[44]. No caso específico do funcionalismo público e dos trabalhadores de empresas estatais, demandas dessa natureza aparecem ao lado de reivindicações relativas à

---

[43] Ibidem, p. 8.
[44] A repercussão do processo de reestruturação produtiva e da precarização do trabalho na saúde dos trabalhadores é analisada por Luci Praun, *Reestruturação produtiva, saúde e degradação do trabalho* (Campinas, Papel Social, 2016).

contratação de mais funcionários ou ainda daquelas relacionadas ao cumprimento ou instituição de Plano de Cargos e Salários[45].

O ano de 2013 se configura, nesse sentido, como o momento em que, em meio à crise social, juntamente com as mobilizações de rua, eclode um acentuado movimento grevista expresso em formas diferenciadas. Por vezes, as ações abrangeram categorias profissionais de alcance nacional, como nas paralisações desencadeadas pelos bancários. Em outras ocasiões, essas mobilizações também tiveram a marca das greves curtas, por locais de trabalho, podendo contar ou não com a liderança dos sindicatos. A greve dos garis no Rio de Janeiro, em março de 2014, talvez tenha sido uma das mais emblemáticas do período iniciado em 2013.

Ao contrário de uma pretensa inação da classe trabalhadora, evidencia-se que, especialmente entre 2012 e 2013, as greves se somaram ao descontentamento social e político associado ao governo Dilma. O projeto lulista, em curso havia uma década, começava a entrar em colapso. De professores públicos a garis, de bancários a metalúrgicos, de trabalhadores da saúde e do transporte aos terceirizados, enfim, uma miríade de categorias assalariadas irrompeu nesse novo ciclo grevista que, de algum modo, expressou descontentamento em relação às condições de trabalho e ao salário, luta por ampliação de conquistas já asseguradas ou, ainda, solidariedade a outras categorias, somando-se aos protestos mais abrangentes que estavam presentes na cena social e política do país.

O desfecho

Foi nesse quadro crítico que o governo Dilma chegou às eleições de outubro de 2014, quando a intensidade da crise econômica se acentuava. Pouco depois da vitória eleitoral, em meio ao crescente descontentamento popular, ao crescimento do trabalho precarizado e do desemprego, Dilma alterou as regras para concessão do seguro-desemprego, aumentando prazo de trabalho ininterrupto mínimo (de seis para doze meses) para obtenção do benefício pela primeira vez e estendendo-o também nos casos de novas solicitações. Se não bastasse, promoveu alterações nos critérios de concessão de pensão por morte, sinalizando claramente que o ônus da crise seria, uma vez mais, pago pela classe trabalhadora.

Em junho de 2016, quando o quadro que desenhava o *impeachment* de Dilma parecia irreversível, o desemprego atingiu 11,5 milhões de trabalhadores. A taxa de desemprego[46] saltou, conforme o IBGE, dos

---

[45] Dieese, "Balanço das greves de 2013", cit.

[46] Em meio ao crescente desemprego, a partir de julho 2015 passou a vigorar o Programa de Proteção ao Emprego (PPE), instituído por medida provisória pelo governo Dilma.

6,5% no quarto trimestre de 2014 para 9,5% no primeiro trimestre de 2015[47], chegando, em junho de 2016, a 11,3%. Junto com a alta do desemprego, a classe trabalhadora assistiu à forte deterioração de seus rendimentos, em queda de 4,2%, se comparados ao apurado entre abril e junho de 2015, com valores médios se aproximando, apesar da inflação, dos praticados três anos e meio antes.

O mito da *construção* do trabalho no Brasil apresentava, uma vez mais, a sua outra face: estava em curso uma nova *desconstrução*. Adentrávamos, então, na era da contrarrevolução.

Considerada emergencial e convertida na Lei 13.189, a medida possibilitou que empresas, mediante a alegação de dificuldades financeiras e por meio de acordo coletivo, reduzissem jornada e salários em até 30%. Parte da perda salarial dos trabalhadores (50%), conforme previsto na lei, seria compensada com verba do FAT. Empresas como a Mercedes Benz, que ao longo de quase duas décadas foram beneficiadas com a redução de impostos, batendo constantes recordes de produtividade e vendas, firmaram acordos dessa natureza. Em agosto de 2016, antes que o acordo chegasse ao fim e desrespeitando a estabilidade prevista na legislação do PPE, a empresa automobilística iniciou o processo de demissões. Dias depois, suspendeu-as para firmar um novo acordo, dessa vez voltado à abertura de mais um Plano de Demissão Voluntária (PDV).

[47] Indicadores do IBGE/Pnad Contínua, em Dieese, *Boletim Emprego em Pauta*, n. 0, 2016; disponível em: <http://www.dieese.org.br/outraspublicacoes/2016/boletim EmpregoEmPauta.pdf>; acesso em: 20 jul. 2016.

Capítulo 18

A DEVASTAÇÃO DO TRABALHO NA CONTRARREVOLUÇÃO PREVENTIVA: AS AFINIDADES DESTRUTIVAS DE TEMER E BOLSONARO

Em que mundo do trabalho estamos inseridos?
Depois de um período aparentemente estável do pós-guerra, o ano de 1968 chacoalhou a "calmaria" que parecia vigorar no mundo do *welfare State*: os levantes em Paris, que se espalharam por tantas partes do globo, estampavam o novo fracasso do capitalismo. Os operários, os estudantes, as mulheres, a juventude, os negros, os ambientalistas, as periferias, as comunidades indígenas chamavam a atenção para um novo e duplo fracasso.

De um lado, cansaram de se exaurir no trabalho, sonhando com um paraíso que nunca encontravam. O capitalismo do Norte ocidental procurava fazê-los "esquecer" a luta por um *mundo novo*, alardeando um *aqui e agora* que lhes escapava dia após dia.

Por outro, o chamado "bloco socialista", originado em uma revolução socialista que abriu novos horizontes em 1917, havia se convertido, desde a contrarrevolução do camarada Stálin, em uma ditadura do terror, especialmente contra a classe operária, que, em vez de se emancipar, se exauria em um emprego infernal em que o sonho cotidiano principal era praticar o absenteísmo no trabalho.

O ano que abalou o mundo foi duramente derrotado pelas poderosas forças repressivas que sempre se aglutinam quando a *ditadura do capital* é questionada. Das revoltas na França ao massacre dos estudantes no México e à repressão às greves do Brasil. Do *autunno caldo* da Itália ao *cordobazo* na Argentina, os aparatos repressivos da ordem conseguiram estancar a era das rebeliões, impedindo-a de se converter em uma época de revoluções. Adentrávamos, então, na década de 1970, em uma profunda crise estrutural: o sistema de dominação do capital chafurdava *em todos os níveis: econômico, social, político, ideológico, valorativo*, o que o obrigou a desenhar uma nova engenharia da dominação.

Foi nessa contextualidade que começou a se gestar uma trípode profundamente destrutiva. Esparramaram-se, como praga da pior espécie, a *pragmática neoliberal e a reestruturação produtiva global*, ambas sob o comando hegemônico do mundo das *finanças*. É bom recordar que essa hegemonia significou não somente a expansão do capital fictício, mas uma complexa simbiose entre o capital diretamente produtivo e o bancário, com o qual se funde de início, criando um monstrengo de novo tipo, uma espécie de Frankenstein horripilante e desprovido de qualquer sentimento minimamente anímico.

As principais resultantes desse processo foram desde logo evidenciadas: deu-se uma ampliação descomunal de novas (e velhas) modalidades de (super)exploração do trabalho, *desigualmente* impostas e *globalmente combinadas* pela nova divisão internacional do trabalho na era dos impérios. Para tanto, foi preciso que a *contrarrevolução burguesa de amplitude global* exercitasse sua outra finalidade precípua, qual seja, a de tentar destruir a medula da classe trabalhadora, seus laços de solidariedade e consciência de classe, procurando recompor sua nova dominação *em todas as esferas da vida societal*.

Nasceu, então, um novo vocabulário *empresarial* no mundo do trabalho que não para de crescer. "Sociedade do conhecimento", "capital humano", "trabalho em equipe", "times ou células de produção", "salários flexíveis", "envolvimento participativo", "trabalho polivalente", "colaboradores", "PJ". E mais: "empreendedor", "economia digital", "trabalho digital", "trabalho on-line" etc. Todos impulsionados por "metas" e "competências", esse novo cronômetro da era digital que corrói e exangue cotidianamente a vida no trabalho.

Na contraface desse ideário apologético e mistificador, afloraram as consequências reais no mundo do trabalho: terceirização nos mais diversos setores; informalidade crescente; flexibilidade ampla (que arrebenta as jornadas de trabalho, as férias, os salários); precarização, subemprego, desemprego estrutural, assédios, acidentes, mortes e suicídios. Exemplos se sucedem em todos os espaços, como nos serviços *commoditizados* ou *mercadorizados*. Um novo precariado desponta nos trabalhos de call-center, telemarketing, hipermercados, hotéis, restaurantes, fast-food etc., onde vicejam alta rotatividade, menor qualificação e pior remuneração.

Turbinada pela lógica das finanças, em que técnica, tempo e espaço se convulsionaram, a corrosão dos direitos do trabalho se tornou a exigência inegociável das grandes corporações, apesar de seus ideários apregoarem mistificadoramente "responsabilidade social", "sustentabilidade ambiental" (a Samarco e a Vale que o digam), "colaboração", "parceria" etc.

Na esfera basal da produção, prolifera o vilipêndio social e, no topo, domina o mundo financeiro. Capital fictício na ponta do sistema e uma miríade interminável de formas precárias de trabalho que se esparramam nas cadeias globais produtivas de valor. Dos Estados Unidos à Índia, da Europa "unida" ao México, da China à África do Sul, em todos os cantos do mundo se expande essa pragmática letal ao trabalho e seus direitos. Esse vilipêndio só é estancado quando há resistência sindical, luta social e rebelião popular, como na França de hoje e no Chile de ontem.

Ressuscitam-se formas de trabalho escravo e degrada-se além do limite o trabalho dos imigrantes. Isso sem falar do engodo do "trabalho voluntário", frequentemente *imposto e compulsório*, pois estampar no *curriculum vitae* a realização de "trabalho voluntário" passou a ser considerado um "diferencial" para se inserir no mercado. Ou seja, uma atividade originalmente *volitiva* se transmuda em sua caricatura, convertendo-se em uma nova forma "moderna" de *exploração compulsiva*. Na Feira Internacional de Milão, em 2015, e nas Olimpíadas de 2016, no Rio de Janeiro, só para dar dois exemplos, a mistificação se acentua exatamente onde lucros incalculáveis são obtidos por grandes corporações do "entretenimento". E o Brasil não poderia ficar fora dessa.

O governo Temer, a nova fase da contrarrevolução neoliberal e o desmonte da legislação social do trabalho

Vimos nos capítulos anteriores que o neoliberalismo vem se efetivando por meio de um movimento pendular, quer via governos neoliberais "puros", quer pela ação de governos mais próximos ao social-liberalismo, sendo que em ambos os casos os pressupostos fundamentais do neoliberalismo se mantêm essencialmente preservados.

Desde quando começou a ser efetivamente introduzida no Brasil, a partir da década de 1990, a pragmática neoliberal teve claras consequências: aumento da concentração de riqueza, expansão dos lucros e ganhos do capital, incrementados com a privatização de empresas públicas, além do avanço da desregulamentação dos direitos do trabalho. Foi assim com Collor e FHC.

Os governos do PT foram exemplos exitosos da segunda variante, ao implantar uma política policlassista fortemente conciliadora, preservando e ampliando *os grandes interesses das frações burguesas*. Mas havia um ponto de diferenciação, dado pela inclusão de programas sociais, como o Bolsa Família, voltado para os setores mais empobrecidos, além de uma política de valorização do salário mínimo limitada, mas real, apesar de os níveis de salário mínimo no país serem absurdamente baixos. Basta compará-lo ao salário mínimo necessário, calculado pelo Dieese, que em agosto de 2016, último mês de mandato de Dilma, correspondia a R$ 3.991,40.

Enquanto o cenário econômico foi favorável, o país parecia estar em um *círculo virtuoso*. Mas, com o agravamento da crise econômica global (que teve como epicentro os países capitalistas do Norte e que aqui se intensificou posteriormente), esse *mito* começou a evaporar.

As rebeliões de junho de 2013 foram os sinais mais evidentes do enorme fracasso que se avizinhava, mas foram olimpicamente desconsideradas pelo governo Dilma. Esse quadro crítico se acentuou durante as eleições de outubro de 2014, quando começou a se verificar uma retração crescente do apoio das frações dominantes ao governo, uma vez que a intensificação da crise econômica indicava que esses setores que até então o respaldavam (e ganhavam muito com os governos do PT) começaram a exigir um ajuste fiscal que acabou por ter uma dupla e trágica consequência. Por um lado, levou à crise terminal do governo Dilma e, por outro, ao desalento de inúmeros de seus eleitores nas classes populares que a viram realizar o que dizia recusar na campanha eleitoral. De lá para cá, a história é por todos conhecida.

Consolidou-se a "alternativa ideal" das frações burguesas, agora em aberta dissensão: impossibilitada de ganhar pelas urnas, chegava a hora de deflagrar um *golpe*, que teve no Parlamento seu lócus decisivo. Aqui vale um breve parêntese. Marx disse que o Parlamento francês em meados do século XIX vivenciou uma "humilhação do poder" que lhe retirou "o resto de respeito de que ainda gozava"[1]. O que dizer, então, do Parlamento brasileiro recente, em que viceja um enorme núcleo que exercita com solenidade sua pragmática, provavelmente a mais nefasta de toda a história republicana?

Assim, a nossa transição *pelo alto* desencadeou *uma nova variante de golpe* (já experimentada em Honduras e no Paraguai, como indicamos anteriormente, para ficarmos na América Latina), que precisava "arranjar" algum respaldo legal. E o fez recorrendo tanto à *judicialização da política* quanto à *politização da justiça*. Sempre com o apoio das grandes corporações midiáticas e com a ação, nas sombras, comandada pelo vice Temer e pela batuta indigente de Cunha na Câmara. Ambos aliados do PT durante a lua de mel com o PMDB.

Tudo isso parece conferir plausibilidade a algumas formulações de Agamben[2], uma vez que toda essa ação está perigosamente nos

---

[1] Karl Marx, *O 18 de brumário de Luís Bonaparte*, cit., p. 52.
[2] Giorgio Agamben, *Estado de exceção*, cit.

aproximando de uma forma (contraditória?) de *Estado de direito de exceção*. E o *golpe parlamentar* que levou à deposição de Dilma, ao mesmo tempo que a isentou da perda dos direitos políticos (em mais uma flagrante incongruência jurídica), reiterou a *farsa* ao condenar uma presidente por um crime que o mesmo Parlamento reconhece que ela não cometeu.

Tudo isso para que o governo *golpista* siga à risca a pauta que lhe foi imposta, uma vez que os capitais *exigem*, nesse momento de profunda crise, que se realize a demolição *completa* dos direitos do trabalho no Brasil[3]. Dado que essa programática não consegue ter respaldo eleitoral, o golpe foi o seu truque. Talvez por isso possamos denominar o governo Temer, irônica e tragicamente, de um verdadeiro governo *terceirizado*.

Iniciou-se, então, uma nova fase da *contrarrevolução preventiva*, agora de tipo *ultraneoliberal e em fase ainda mais agressiva*. Sua principal finalidade: privatizar tudo que ainda restar de empresa estatal; preservar os grandes interesses dominantes e impor a demolição completa dos direitos do trabalho no Brasil. Foi emblemática a tentativa feita por Temer, visando abrandar (na verdade eliminar) as restrições que proibiam o trabalho escravo no Brasil, em fins de 2017, medida profundamente antissocial que foi suspensa, dada a repulsa generalizada que encontrou.

No seu conhecido documento inspirador, "Uma ponte para o futuro", cujo abismo social resultante não para de se intensificar, está estampada a trípode destrutiva a ser implementada nos trópicos: privatizar o que ainda não o foi (destacando-se o pré-sal como vital); impor o *negociado sobre o legislado* nas relações de trabalho, em um período em que a classe trabalhadora tem apontados uma espada no coração e um punhal nas costas, pelo flagelo do desemprego que não para de crescer; e, por fim, implementar a *flexibilização total* das relações de trabalho, primeiro com a aprovação da terceirização total (conforme consta do PLC 30/2015) e depois com a chamada Reforma Trabalhista (PLC 38/2017), que retomaremos mais adiante.

Para que a devastação seja completa é preciso aviltar a Constituição de 1988, o que não é tarefa nada difícil para o Parlamento, no qual o pântano é movediçamente oscilante. Basta um bom movimento negocial.

O objetivo perfilado pelo governo de Michel Temer, no universo das relações de trabalho, é corroer a CLT e cumprir a "exigência" do

---

[3] Era chegada a hora de os capitais terem um *governo-de-tipo-abertamente--gendarme*, independentemente de quão úteis para as classes dominantes tenham sido os governos do PT. Ver Ricardo Antunes, "Fenomenologia da crise brasileira", *Revista Lutas Sociais*, São Paulo, v. 19, n. 35, 2015, também reproduzido neste volume, às páginas 231-48.

empresariado (Confederação Nacional da Indústria/CNI, Federação Brasileira de Bancos/Febraban e assemelhados), cujo objetivo não é outro senão implantar a *sociedade da precarização total do trabalho no Brasil.*

Tome-se o exemplo do PLC 30/2015. Depois de obter, anos atrás, a terceirização das atividades-meio, chegou a hora do *outro* golpe. Terceirizar tudo, com o encobrimento falacioso e perverso que, conforme dito pelos defensores do PLC, visa conferir direitos aos terceirizados. Mas ficam algumas perguntas centrais.

A primeira: se o empresariado, tempos atrás, justificava a terceirização das *atividades-meio* para se manter qualificado e focado nas *atividades-fim,* o que mudou agora? A resposta é direta: o embuste agora é outro e o mal dito vira desdito. O argumento anterior simplesmente desaparece.

A segunda: se o empresariado quer garantir direitos aos/às terceirizados/as, por que exatamente nessas empresas de terceirização é que a burla e a fraude são mais a regra do que a exceção?

A terceira: os empresários dizem que a terceirização cria empregos. Mas como os terceirizados têm, em média, jornadas diárias ainda mais longas, pode-se concluir, por exemplo, que menos terceirizados podem fazer o mesmo trabalho anteriormente feito por mais celetistas. Evidencia-se, então, que não há aumento de empregos, mas, sim, maior desemprego, uma vez que de fato a terceirização é uma forma de *redução* de custos e de eliminação de trabalho regulamentado.

A quarta: se os empregos terceirizados são assim tão bons, por que é exatamente nesse setor que os acidentes, os assédios, as lesões e as mortes no trabalho são muito mais intensos?

A quinta: por que nesse universo do trabalho, no qual é maciça a presença feminina, são ampliados os abismos decorrentes da divisão sexual, com as mulheres recebendo salários menores, tendo menos direitos e ainda exercendo uma *dupla (quando não tripla)* jornada de trabalho?

A sexta: a quem interessa fragmentar ainda mais a classe trabalhadora, aumentando as diferenciações entre assalariados, dificultando ainda mais sua organização sindical?

A lista de perguntas é quase interminável.

Aqui reside o segredo de Polichinelo: para garantir a alta remuneração dos capitais, vale devastar toda a população trabalhadora. Começando pela destruição completa do que resta de seus direitos trabalhistas, da previdência, da saúde e da educação públicas. Nem uma palavra sobre redução dos juros, tributação dos bancos, dos capitais e das grandes fortunas. A contrarrevolução de Temer, portanto, avançou significativamente na demolição dos direitos do trabalho no Brasil ao aprovar uma *(contrar)reforma trabalhista* que instituiu o preceito do *negociado sobre o legislado* nas relações de trabalho, ao expandir intensamente o trabalho intermitente e ao implementar a *flexibilização* nas relações de trabalho, além de possibilitar a terceirização total.

Findo o governo Temer, coube ao ex-capitão Jair Bolsonaro dar continuidade ao projeto então deslanchado. Uma pergunta imperiosa se faz: o que levou à vitória da extrema direita no Brasil?

As eleições de 2018, a reorganização da extrema direita e a vitória de Bolsonaro

Bolsonaro é o resultado de uma processualidade que encontra suas causas em um conjunto de elementos profundamente articulados. No cenário internacional, sua candidatura encontrou o que se poderia definir como momento ideal: a vitória de Trump nos Estados Unidos e de Orbán na Hungria, a campanha do Brexit no Reino Unido, a ampliação do neonazismo na Alemanha, a direitização fascistizante na Itália; enfim, é extensa a lista de conquistas da extrema direita pelo mundo.

Na América Latina, os exemplos também se avolumavam: Macri na Argentina, com sua devastação neoliberal – recentemente derrotado nas eleições presidenciais em 2019; Piñera no Chile e Duque na Colômbia, ambos prepostos dos Estados Unidos e de sua política agressiva, ampliando a "nova onda" da direita no continente, depois de um ciclo de governos de centro-esquerda[4].

Na conjuntura brasileira, Bolsonaro apareceu como "azarão", mas diante do desmoronamento das demais candidaturas burguesas de centro e de direita, acabou por se tornar o único capaz de fazer oposição ao risco que seria a "vitória do PT e dos vermelhos". Bolsonaro é uma espécie de Trump dos grotões; apresentou-se invariavelmente durante a campanha eleitoral como o mais radical crítico do "sistema".

Foi nessa contextualidade profundamente adversa que o *aparentemente* inesperado ocorreu também no Brasil: a centro-direita desvaneceu e a extrema direita proliferou. Criado o vácuo político, a extrema direita viu-se em condições de vociferar com toda a força de seus pulmões, exacerbando o ódio aos comunistas, o horror aos pobres e aos negros, fazendo *apologia da misoginia e do feminicídio*, defendendo *o extermínio dos LGBT e das comunidades indígenas*. Vale recordar também que, com Pinochet, no Chile, a *ditadura militar* mostrou-se perfeitamente compatível com o *neoliberalismo*.

---

[4] Retomamos aqui ideias apresentadas na entrevista publicada no fórum "The Long Brazilian Crisis", organizado pela revista *Historical Materialism*, em janeiro de 2019. Disponível em: <http://www.historicalmaterialism.org/articles/long-brazilian-crisis-forum>; acesso em: 29 jan. 2020.

Percebendo esse cenário internacional e nacional favorável, a extrema direita brasileira começou a construir uma candidatura "alternativa", "contrária a tudo e a todos", fora do "sistema". Passou a divulgar intensamente pelas mídias sociais suas bandeiras "contra a corrupção", "contra as ideologias" e "contra a política". Sua máxima, capaz de ampliar significativamente sua força eleitoral em um momento de crise profunda, estava sintetizada na fórmula *acabar com a corrupção*, cuja responsabilidade atribuía ao PT (e às esquerdas em geral). Ao agir assim, a extrema direita acabou, pouco a pouco, por alterar completamente o curso eleitoral e político do Brasil. Faltava um elemento de contingência, inusitado, que indicaremos a seguir.

Mas, antes disso, é preciso fazer um breve *excurso*.

Sabemos que a *corrupção* é um traço endêmico do capitalismo, vigente em diversos países do mundo, incluindo o Brasil. É uma prática que, embora recorrente na história de nosso país desde sua colonização, ampliou-se com a constituição e a consolidação da sociedade capitalista. A corrupção, então, tornou-se mais a *regra* do que a *exceção*, consequência das relações incestuosas entre classe dominante (nacional e estrangeira) e alta cúpula do aparato estatal.

Assim, a corrupção é parte intrínseca do *modus operandi* da burguesia brasileira, que nasceu sob o signo da *acumulação primitiva do capital* e que se mostrou, ao longo de séculos, incapaz de sobreviver sem se apropriar de recursos financeiros da *res publica*. Vale notar que a crítica e a denúncia da corrupção são frequentemente feitas pelas classes burguesas e seus partidos (que a praticam amplamente) como forma de "esconder" as características centrais do capitalismo, que, no caso brasileiro, assumem a forma de altas taxas de lucro e de superexploração do trabalho. O problema ganhou, entretanto, novos componentes quando o PT, que surgira fazendo uma crítica forte à corrupção, acabou sendo partícipe ativo desse nefasto projeto, "legitimando" o ódio popular aos seus dirigentes (Lula em primeiro lugar) e *permitindo que a burguesia e seus partidos de centro e direita encontrassem a justificativa que faltava para dar o golpe final nos governos do PT*.

A derrota eleitoral do partido em 2018 deveu-se, então, muito mais a este "ódio ao PT", acentuado sobremaneira em uma situação de crise econômica profunda, do que aos atributos e méritos que inexistem na figura de Bolsonaro.

Pouco a pouco, sua candidatura foi se mostrando como a única capaz de vencer Lula e o PT. A predileção eleitoral da burguesia estava centrada, num primeiro momento, na candidatura de centro-direita (PSDB), como acontecia desde 1994, quando aquele partido ganhou as eleições e alçou Fernando Henrique Cardoso à Presidência. Mas a candidatura do PSDB naufragou em 2018. Mostrou-se incapacitada para crescer nas pesquisas eleitorais. Como Lula, mesmo na prisão, ainda contava com a preferência popular nas pesquisas de opinião, *as principais frações do capital, antevendo uma nova derrota, realizaram uma mudança de rota e caminharam, quase às vésperas da eleição, em direção ao candidato que finalmente poderia derrotar o petista (ou outro candidato por ele indicado).*

Para as forças burguesas, era imperioso dar continuidade ao programa iniciado por Temer e seguir avançando na *devastação social*. Foi essa conjuntura política que as levou "naturalmente" a apoiar Bolsonaro. Ou fariam esta opção, ou então aconteceria a "volta do PT" e "dos vermelhos".

As classes dominantes, entretanto, fizeram uma exigência: sabendo que se tratava de um candidato completamente *despreparado* e subjetivamente *desequilibrado*, era preciso lhe *impor* uma equipe econômica *ultraneoliberal*, que garantisse a implantação do programa econômico *exigido* pelas diversas frações do capital. Recorreu-se, então, ao nome de Paulo Guedes (expoente fidedigno da Escola de Chicago e professor no Chile durante a ditadura de Pinochet), que ofereceu um programa econômico ultraortodoxo e privatista – condição imposta pelos grandes banqueiros, industriais e representantes do agronegócio, uma vez que Bolsonaro, no passado, defendia teses "estatizantes e nacionalistas".

Portanto, o fato de que o candidato expressava valores *ultraconservadores* e *protofascistas* foi facilmente assimilado pela burguesia, que jamais teve, no Brasil, qualquer lampejo democrático. Esse "novo" candidato ainda contou com o apoio de amplos setores das Forças Armadas, o que representava uma garantia de "estabilidade" política para as classes dominantes. Tal apoio da cúpula do Exército se consolidou com a escolha do vice de Bolsonaro, o general Mourão, um militar respeitado pela tropa e também ultraconservador.

A engenharia política estava desenhada: um candidato de profunda inspiração ditatorial, de origem militar e com apoio de amplos setores das classes populares, que até recentemente respaldavam os governos do PT e que passaram a expressar profundo descrédito por esse partido, dado o cenário de desemprego, a perda de direitos, a falta de perspectiva social e as denúncias de corrupção.

As classes burguesas encontravam, enfim, a possibilidade de vencer, agora pela via eleitoral. Dada sua origem senhorial, escravista e colonial, a burguesia brasileira sempre foi *virulenta e autocrática* em relação às classes populares e *servil, subordinada e dependente* em relação às burguesias centrais. Encontra-se aí a *causalidade central do sentido antidemocrático da burguesia brasileira, sempre pronta para apoiar regimes ditatoriais ou autocráticos de todo tipo.*

Não é por outro motivo que o capitalismo dependente no Brasil sempre se estruturou a partir da superexploração do trabalho, *de modo a garantir uma parcela do mais-valor extraído para a burguesia nativa e outra polpuda parcela para as burguesias centrais.* Desse modo, diferentemente das burguesias da Inglaterra e da França, que tinham projetos capitalistas *autônomos,* a burguesia brasileira nasceu *subordinada e dependente das metrópoles,* criando um modelo de capitalismo *integrado economicamente para fora* e *desintegrado socialmente para dentro.* E, para preservar essa modalidade perversa de dominação, ela frequentemente recorreu a governos autocráticos ou ditatoriais. É por isso que, na história de nossa república, foram escassos os momentos que se poderiam definir como "efetivamente democráticos".

Apoiar a candidatura de extrema direita de Jair Bolsonaro, então, não foi uma decisão difícil. E o candidato, percebendo os sinais favoráveis, conseguiu ampliar sua base ultraconservadora, que se caracteriza pelo horror à "ideologia de gênero" e pela defesa intransigente dos "valores da família". Os discursos e manifestações públicas de Bolsonaro, ao longo de quase trinta anos como parlamentar, sempre tiveram conotação muito agressiva perante as minorias (negros, mulheres, LGBTs), além de defender implacavelmente a ditadura militar e suas práticas de tortura, traços, entre outros, que compõem o ideário da extrema direita no Brasil.

Faltava, entretanto, o elemento de contingência, um episódio conjuntural que pudesse fazer o ex-capitão se converter no principal candidato das direitas e de parcelas expressivas do centro. E isso ocorreu quando Bolsonaro sofreu o atentado que quase o levou à morte, poucas semanas antes do primeiro turno.

Utilizando-se do enorme apoio junto aos evangélicos (com seus milhares de emissoras de rádio espalhadas pelo país, seus canais de televisão e sua imensa base de fiéis), ganhou muita força nas redes sociais, impulsionado também por máfias internacionais bastante conhecidas desde a eleição de Trump, com a sua monumental capacidade de espalhar *fake news.* Tudo isso potencializou enormemente a figura do candidato "messiânico", verdadeiro "salvador da pátria". E essa campanha de vitimização do candidato, depois do atentado, aumentou ainda mais sua força, convertendo-o em grande oponente, capaz de derrotar o PT.

Ainda por conta do atentado, foi possível à campanha de Bolsonaro "justificar" sua ausência em praticamente todos os debates eleitorais públicos, permitindo que sua *mudez* se tornasse outro trunfo decisivo. Quanto menos falasse, menor seria a chance de transparecer sua ignorância sobre todos os temas vitais do país. E, como se isso já não fosse suficiente, também por conta desse fato contingencial Bolsonaro tornou-se o candidato *de maior destaque na grande mídia, que a cada momento dava notícias de seu estado de saúde, sempre exaltando sua "força" e "resiliência"*. Estava, então, concluído o cenário que possibilitou a vitória eleitoral da extrema direita com seu candidato protofascista no Brasil.

Qual é o futuro do governo Bolsonaro?

Vitorioso nas eleições de outubro de 2018, Bolsonaro iniciou seu mandato com a composição do ministério mais esdrúxulo de toda a história republicana brasileira. Havia, desde logo, uma forte presença de ministros oriundos do Exército. Tudo indica que essa foi uma "exigência" dos generais para apoiá-lo. Ninguém conhece tão bem o descontrole de Bolsonaro quanto os militares, uma vez que, na sua juventude, ele foi expulso do Exército por tentar iniciar uma rebelião nos quartéis.

Indicou para o Ministério da Justiça o ex-juiz Sergio Moro, que ainda contava com alto prestígio por conta da Operação Lava Jato, responsável por condenar Lula (evidenciando que a neutralidade não existia em sua práxis judicial), e, como vimos anteriormente, nomeou uma espécie de superministro da economia, Paulo Guedes, para tratar de um tema sobre o qual Bolsonaro é um completo neófito.

Quanto a outros ministros civis, Bolsonaro foi buscá-los no Partido Social Liberal (PSL), que é um agrupamento sem nenhuma experiência política e que já tem vários de seus dirigentes sofrendo fortes acusações de envolvimento com corrupção, especialmente durante as eleições. O traço de unidade ideológica do PSL se encontra no ultraconservadorismo dos costumes, exacerbado pelos evangélicos. Como não poderia ser diferente, suas desavenças e dissensões já começaram a se aguçar e têm sido responsáveis por crises políticas sucessivas no governo em seus primeiros meses, o que levou, por fim, à saída de Bolsonaro do PSL em fins de 2019. Mais ainda: a grande imprensa vem apresentando, desde a sua posse, vários exemplos de corrupção profunda no próprio núcleo familiar de Bolsonaro.

O restante de seu ministério é de tipo "medieval", para dizer o mínimo. Declarações pretéritas de vários atuais ministros demonstram repulsa ao movimento LGBT e desrespeito às comunidades indígenas, além de clara oposição a qualquer ação que vise a preservar a natureza. Em seu ministério há figuras de proa do *agrobusiness*, entre tantos outros elementos que compõem o mosaico caótico da ideologia ultrarregressiva do atual presidente.

Por incontáveis vezes, Bolsonaro e alguns de seus ministros ironizaram o movimento ambientalista, tratando com chacota a luta e a ação pela preservação da natureza. Mas o desastre de Brumadinho, no estado de Minas Gerais, em que uma barragem da empresa de extração de minério Vale desmoronou, foi o primeiro exemplo do fracasso da política antiambientalista de seu governo. A tragédia acarretou centenas de mortos, entre os trabalhadores da empresa (os quais muitos eram terceirizados) e a população local e das áreas vizinhas, além de causar uma destruição ambiental que jamais será recuperada. A resposta a essa tragédia ambiental anunciada desmascarou o governo Bolsonaro e sua agressiva política antiambientalista, que se acentuou sobremaneira com a explosão das queimadas na Amazônia, com o aumento exponencial do desmatamento florestal e com a agressão crescente às terras indígenas, visando, assim, implementar uma política destrutiva e predatória que atenda diretamente aos interesses do agronegócio e da extração mineral.

Em síntese: o primeiro período desse *governo-de-tipo-lúmpen*, com seu *ministério das cavernas*, ao completar um ano, foi desastroso, em todos os sentidos para a classe trabalhadora e a totalidade dos movimentos populares. Na contrapartida, todas as exigências burguesas estão sendo generosamente contempladas, como é típico de um governo gendarme e autocrático. Até o presente momento, a *imprevisibilidade*, entretanto, é a única certeza em relação ao seu futuro. Não há dúvidas de que Bolsonaro é regressivo, de ultradireita, ultraconservador e protofascista. Se suas propostas serão ou não plenamente implementadas, isso dependerá da capacidade de resistência dos movimentos operários, sociais e feministas, da juventude, dos negros, das comunidades indígenas, dos ambientalistas, dos sindicatos de classe, dos partidos de esquerda anticapitalistas, das forças que efetivamente podem, com sua potência, obstar as ações do atual presidente no poder.

Por isso, não é fora de propósito, no momento, aventar a *possibilidade* de que seu (des)governo possa não chegar ao final do mandato. É bom recordar que em menos de vinte anos o Brasil vivenciou dois *impeachments* (Collor e Dilma). Seu futuro está também profundamente atado aos movimentos da economia, à *anatomia da sociedade civil*, que no ano de 2019 foi mais que pífio.

O projeto de reforma da previdência de Bolsonaro, que propõe "acabar com os privilégios", uma vez desconstruído o seu invólucro místico, revela seu real significado: os mais ricos terão previdência privada e "capitalizada", em claro benefício para os bancos, enquanto os assalariados pobres serão excluídos da previdência pública, restando-lhes tão somente um assistencialismo acintoso para os sexagenários. E, como a iniciativa de devastação é ilimitada, só faltará aprovar a carteira de trabalho "verde e amarela" proposta por Bolsonaro durante a campanha eleitoral, conforme consta em seu programa de governo, na qual "o contrato individual prevalecerá sobre a CLT" para os jovens.

Uma nota final: as esquerdas foram fragorosamente derrotadas, não somente nas eleições de outubro de 2018, mas em seu principal experimento, que ocorreu durante os governos do PT. Como já indicamos, em seus núcleos dominantes, elas não foram capazes de compreender as direções e os significados das rebeliões de junho de 2013 no Brasil, com seu forte componente anti-institucional e antissistêmico. Estão, portanto, desafiadas a compreender em profundidade este último período da história brasileira.

Em sua organicidade, um primeiro movimento exigirá estruturar um conjunto de forças sociais e populares capazes de resistir e confrontar as ações autocráticas e fascistizantes do governo Bolsonaro. As esquerdas estão obrigadas, portanto, a se *reinventar*. O que recoloca um desafio já indicado: a imperiosa necessidade de constituição de um novo polo social e político, tecido pelas forças sociais, amplas e diversificadas, oriundas do mundo do trabalho e capazes de dar vitalidade às lutas sociais, sindicais e políticas presentes na vida cotidiana e de avançar na busca de uma *alternativa cujo horizonte aponte para além do capital.*

Um novo polo social oriundo das fábricas, dos sindicatos de classe, das periferias, dos campos, dos movimentos feministas, negros e LGBT, das comunidades indígenas, dos ambientalistas, da juventude etc.; movimentos sociais e políticos que, em sua rica polifonia, têm grande densidade social[5], e que sejam *capazes de soldar os laços políticos desse rico mosaico social e avançar para a constituição de outra sociedade*, de um novo *modo de vida* que possa *confrontar* (e não *conciliar*) a lógica destrutiva do capital, presente com tanta intensidade no Brasil.

Há, então, alguma luz no fim do túnel. É o que vamos esboçar na última parte de *O privilégio da servidão*.

---

[5] Maria Orlanda Pinassi, *Da miséria ideológica à crise do capital*, cit.; Antonio Thomaz Jr., "Territórios em disputa e a dinâmica geográfica do trabalho no século XXI", *Revista Pegada Eletrônica*, v. 14, n. 2 (especial), 2014, p. 1-24; disponível em: <http://revista.fct.unesp.br/index.php/pegada/article/view/2884>; acesso em: 15 jan. 2018.

IV

HÁ ALGUMA LUZ NO FIM DO TÚNEL?

Capítulo 19

HÁ FUTURO PARA OS SINDICATOS?

O enigma da CLT
Em nosso curioso país, muitas conquistas acabam tendo vida efêmera, enquanto outras tantas desconstruções acabam tendo vida longeva. Assim o país caminha, quase prussianamente, em seus avanços e atropelos. O que explica, então, a longa duração de nossa CLT, criada em 1943?

Sabemos que a Consolidação das Leis do Trabalho se originou em uma conjuntura especial, intimamente vinculada à chamada "Revolução de 1930", que foi mais do que um *golpe* e menos do que uma *revolução*. Rearranjo necessário entre nossas classes dominantes – cuja fração cafeeira começava a perder seu acentuado espaço no poder. E o movimento político-militar que levou Vargas à Presidência da República recompôs o equilíbrio entre as distintas frações da oligarquia, cujo resultado mais expressivo, entretanto, foi o desenvolvimento de um projeto industrializante, nacionalista e com forte presença estatal. Vargas sabia que a montagem desse novo projeto não poderia se efetivar sem o envolvimento da classe trabalhadora, que não encontrava espaço no liberalismo excludente da chamada República do Café.

O enigma da incorporação da classe trabalhadora por Vargas pode ser desvendado pelos múltiplos significados presentes quando da decretação da CLT. Desde logo ela consolidava a totalidade da legislação social (e sindical) do trabalho iniciada em 1930. Mas faz-se premente enfatizar que houve um movimento dúplice nessa história:

o operariado brasileiro lutava, desde meados do século XIX, por direitos trabalhistas básicos, mediante greves. Esse movimento se expandiu ao longo das primeiras décadas do século XX – de que foi exemplo, entre tantos, a grande Greve Geral de 1917 –, quando os trabalhadores e as trabalhadoras reivindicaram, entre outras bandeiras, melhores condições de salário e de trabalho, regulamentação da jornada, direito de férias e descanso semanal etc.

Aqui o mito encontrou sua origem e densidade: Vargas "converteu" autênticas demandas operárias em "doações do Estado", realizadas quase sempre em atos de Primeiro de Maio oficialistas, nos quais se assumia como responsável pelo *Estado benefactor*, para recordar Werneck Vianna[1].

Àquilo que a classe operária defendia em suas lutas concretas – na primeira metade dos anos 1930 houve a eclosão de inúmeras greves no Brasil – Vargas respondia como sendo seu antecipador e criador[2]. Foi assim, oscilando entre luta e outorga, que chegamos à decretação da CLT, em 1943, e à criação do mito do "Pai dos Pobres".

Do lado varguista, construía-se a clara percepção de que o projeto industrial carecia de regulamentação e controle do trabalho. Do lado dos assalariados, um exame das pautas das greves permitia constatar que os direitos trabalhistas estavam entre suas principais reivindicações. A título de exemplo: se para a classe trabalhadora a criação do salário mínimo nacional era imprescindível para garantir sua reprodução e sobrevivência, para o projeto industrializante de Vargas era imperioso regulamentar a mercadoria *força de trabalho* e, desse modo, consolidar o mercado interno com a implementação de um salário mínimo basal.

Mas a CLT era bifronte. Isso porque, no que diz respeito à estrutura sindical, ela teve em sua origem um predominante sentido controlador, coibidor e cupulista que cultuava um fetichismo de Estado que não foi plenamente eliminado nem mesmo pela Constituição de 1988. Bastaria lembrar que o imposto sindical e a unicidade sindical (imposta por lei), dois pilares do sindicalismo atrelado, não foram eliminados pela nova Constituição.

Certamente, não é só por esses motivos sindicais que o empresariado quer hoje desmantelar por completo a CLT. O eufemismo "flexibilizar" é a forma encontrada por essas forças para dizer que é preciso desconstruir os direitos trabalhistas, arduamente conquistados em tantas décadas de embates e batalhas. Basta olhar para o que se passa hoje com a Europa e os Estados Unidos e constatar

---

[1] Luiz Werneck Vianna, *Liberalismo e sindicato no Brasil*, cit.

[2] Ricardo Antunes, *Classe operária, sindicatos e partido no Brasil*, cit.

que lá também o receituário é flexibilizar, acentuando ainda mais o desmonte dos direitos da classe trabalhadora.

Foi exatamente por consolidar um código protetor do trabalho que a CLT se tornou duradoura e logrou ganhar sólido apoio popular ao longo de suas décadas de vigência. As flexibilizações, as terceirizações, o aumento da informalidade e o do desemprego serão consequências imediatas da aprovação da reforma trabalhista (PLC 38/2017).

Essa reforma desfigura em definitivo a CLT, ao instituir o preceito do *negociado sobre o legislado*, que elimina o patamar basal dos direitos, e também ao introduzir o nefasto *trabalho intermitente* (de que tratamos especialmente no capítulo 2 deste livro), além de restringir em muito a abrangência da Justiça do Trabalho – cuja extinção é o objetivo verdadeiro do empresariado brasileiro –, entre tantos outros aspectos nefastos. Vale recordar que a Justiça do Trabalho nasceu no Brasil com a missão precípua de "conciliar o capital com o trabalho". Na era da devastação, nem a conciliação está no universo imediato das "classes proprietárias". Talvez seja melhor, então, defini-las como "classes predadoras".

Mas esperemos que não seja fácil a empreitada final de demolição que está sendo imposta pelo empresariado. A sua aprovação sem um debate amplo, impulsionada pelas forças regressivas do Judiciário, do Parlamento e das mídias, deve ser contestada em todos os espaços possíveis. Vale lembrar aqui que a reforma ainda terá de passar por análise e aprovação do Congresso, uma vez que há uma Medida Provisória editada por Temer que completa o desmonte. Em um ano eleitoral, como o de 2018, a discussão aprofundada dessas medidas corrosivas em relação aos direitos do trabalho deve estar no centro das propostas das candidaturas de esquerda.

Para os setores efetivamente comprometidos com os interesses das forças sociais do trabalho e dos movimentos sociais, é impreterível a luta pela *revogação* dessa medida nefasta, bem como da PEC 241 (no Senado denominada PEC 55), que limita os gastos com educação, saúde e atividades públicas por vinte anos (para garantir o superávit primário necessário para a remuneração do sistema financeiro por meio dos juros da dívida pública, esse sim um dos verdadeiros flagelos que assolam o país). Sem falar na "reforma da previdência", pautada pelo Congresso para ser votada no início de 2018.

A proposta de *revogação* desse conjunto de medidas deve, portanto, estar no fulcro da campanha eleitoral à Presidência da República em 2018, ao menos nos setores que fazem aberta oposição à contrarrevolução de Temer. Isso porque elas foram aprovadas por um governo ilegítimo e um Parlamento eivado de fraudes e ilegalidades de toda ordem, conforme indicamos em diversos capítulos deste livro.

Esse quadro profundamente adverso não poderia deixar de afetar os organismos de representação dos trabalhadores. Daí a crise experimentada nas últimas décadas pelos sindicatos. Se muitos vaticinaram a terminalidade desses organismos de classe, essa não é nossa perspectiva.

Se estamos indicando ao longo deste livro que uma *nova morfologia do trabalho* significa também um *novo desenho das formas de representação das forças sociais, sindicais e políticas do trabalho*, há muitos desafios que provocam os sindicatos. Algo similar ao que se passou no trânsito do século XIX ao XX, com a exigência da criação de um *sindicalismo de massa* mais sintonizado com a planta industrial taylorista-fordista, que o sindicalismo de ofícios então existente se mostrou incapacitado para representar.

Poderão, então, sobreviver os sindicatos em uma fase tão nefasta de destruição dos direitos sociais do trabalho? É desse ponto que trataremos no próximo item.

Ainda há espaço para os sindicatos?

Se a indústria taylorista e fordista é parte mais do passado do que do presente (ao menos enquanto *tendência*), como imaginar que um sindicalismo verticalizado possa representar esse novo e compósito mundo do trabalho? Para concluir este capítulo, indicaremos alguns desafios que entendemos como centrais para permitir a revitalização dos organismos sindicais de classe[3].

1) O primeiro deles, determinante para a sua própria sobrevivência, será romper a enorme barreira social que separa a classe trabalhadora "estável", em franco processo de redução, dos trabalhadores e trabalhadoras intermitentes, em tempo parcial, precarizados, subempregados e desempregados, todos em significativa expansão no cenário mundial de hoje. Os sindicatos devem se empenhar fortemente na *organização sindical ampliada* em todos os seus setores e recortes. Ou os sindicatos organizam o *conjunto* da classe trabalhadora ou estarão cada vez mais restritos a um contingente minoritário e parcial, perdendo a possibilidade de representá-los enquanto classe. Serão, na melhor das hipóteses, muito *corporativistas* e pouco *classistas*.
2) Os sindicatos devem compreender, dada a nova morfologia do trabalho, outras dimensões decisivas do *ser social* que estão presentes no cotidiano do trabalho e que têm forte perfil inter--relacional. Referimo-nos aqui às dimensões de *gênero, geração, raça e etnia*. Dado o significativo processo de *feminização* da

---

[3] Ricardo Antunes, *O continente do labor* (São Paulo, Boitempo, 2011).

classe trabalhadora, torna-se imperioso que os sindicatos articulem as questões de *classe* com aquelas referentes ao *gênero*, a fim de possibilitar às *mulheres-trabalhadoras* o direito vital de auto-organização. Devem reconhecê-las como parte decisiva do mundo do trabalho, a fim de reverter um quadro no qual, historicamente, elas estiveram excluídas do espaço sindical dominado pelos homens-trabalhadores que prevaleciam na fábrica fordista.

Do mesmo modo, os sindicatos devem se abrir para os jovens trabalhadores, homens e mulheres que não têm encontrado eco às suas aspirações junto aos organismos sindicais. E a eles devem se juntar trabalhadores de distintas raças e etnias (índios, negros, imigrantes), aos quais são destinados geralmente os trabalhos mais precarizados. Para que essa ação tenha concretude é imprescindível e inadiável a *eliminação de qualquer resquício de tendências xenófobas, ultranacionalistas, de apelo ao racismo e de conivência com as ações discriminatórias de qualquer ordem, incluindo as sexistas e homofóbicas*.

3) Os sindicatos devem incorporar também aqueles expressivos contingentes do *novo proletariado de serviços* que vende sua força de trabalho nas empresas de call-center, telemarketing, supermercados, comércio, indústria hoteleira e tantas outras áreas por onde se amplia o universo dos assalariados, muitos deles sem nenhuma experiência de atuação na organização sindical. Portanto, as *novas categorias de trabalhadores e trabalhadoras* que não têm tradição anterior de organização em sindicatos devem, necessariamente, ser representadas por um verdadeiro sindicato de classe, contemporâneo aos problemas divisados no horizonte do século XXI.

4) Os sindicatos precisam romper radicalmente com todas as formas de corporativismo ou neocorporativismo, que privilegiam suas respectivas categorias profissionais, diminuindo ou abandonando os seus conteúdos mais marcadamente classistas. Não falamos aqui somente do corporativismo de tipo estatal, tão forte no Brasil, no México, na Argentina, mas também de um neocorporativismo societal, assimilado de modo crescente pelo sindicalismo contemporâneo. Essa modalidade de organização sindical é ainda mais excludente, acentuando o caráter fragmentado da classe trabalhadora, em sintonia com os interesses do capital que procuram cultivar o individualismo e a alternativa particular contra os interesses solidários, coletivos e sociais.

5) O sindicalismo de classe tem de estar bastante atento para a decisiva questão da preservação da natureza e da humanidade. Será justo, por exemplo, incentivar uma indústria bélica para

garantir empregos, quando sua consequência inevitável é a guerra e a destruição humana? Será plausível, em pleno século XXI, defender a ampliação de empregos em atividades que destroem a natureza, visando garantir mais empregos, mesmo sabendo que esses ampliam a destruição ambiental? Ou não está na hora de se discutir que tipo de indústria queremos: a do carro privado que polui irreversivelmente a natureza ou a do transporte coletivo que recusa a energia fóssil? Não são questões fáceis, mas são *vitais*, e os sindicatos estão impelidos a enfrentá-las.

6) É decisivo também para o sindicalismo de classe romper com a tendência crescente de *institucionalização e burocratização*, que tão fortemente tem marcado o movimento sindical latino-americano (vejam-se de novo os casos de México, Argentina e Brasil, entre tantos outros exemplos) e que o distancia das suas bases sociais, aumentando ainda mais o fosso entre os organismos sindicais e os movimentos sociais autônomos. As experiências do sindicalismo de base e de classe, contra a moderação, a burocratização e a institucionalização de muitas centrais sindicais dominantes, são exemplos importantes dessa impreterível necessidade de retomar a base social dos sindicatos e romper com o burocratismo e o institucionalismo.

7) Também é fundamental reverter a tendência, desenvolvida a partir do toyotismo e da acumulação flexível, que consiste em reduzir o sindicato ao âmbito exclusivamente empresarial, ao chamado "sindicalismo de empresa", de perfil patronal, mais vulnerável e vinculado ao capital e às suas corporações. A empresa fordista que se desenvolveu ao longo do século XX era bastante verticalizada e teve como resultado um sindicalismo também verticalizado. A empresa toyotista, que segue o receituário do "modelo japonês", é mais horizontalizada, na medida em que se estrutura em redes e nas cadeias produtivas de valor cada vez mais globalizadas, utilizando-se de modo abundante de todos os mecanismos possíveis e imagináveis de terceirização e flexibilização do trabalho.

Assim, um *sindicato verticalizado está impossibilitado de enfrentar os desafios de classe no capitalismo contemporâneo*. Ao contrário, ele deve se estruturar de modo mais horizontal possível, o que significa ser ainda mais organizado pela base, contemporaneamente classista, incorporando o grande conjunto que compreende a classe trabalhadora hoje em todos os seus segmentos, desde os que ainda têm contratos mais estáveis até aqueles que estão no universo mais precarizado, sejam terceirizados, intermitentes, na informalidade, *sem jamais excluir os desempregados*.

8) Se a classe trabalhadora é mais complexa e heterogênea do que aquela que vigorou durante o período de expansão do fordismo, o resgate do *sentido de pertencimento de classe*, contra as inúmeras fraturas, objetivas e subjetivas, impostas pelo capital é um dos seus desafios mais prementes, em particular em uma fase na qual o proletariado que conseguiu preservar alguns direitos parece se diferenciar (e até mesmo se antagonizar) em relação ao chamado *precariado*, que cresce nos países capitalistas centrais, e também em relação aos trabalhadores imigrantes que não param de se expandir, constituindo-se num polo cada vez mais importante da classe trabalhadora.

Se no início do século XX a imigração do Norte foi importante para a constituição da classe trabalhadora no Sul (basta ver o enorme fluxo migratório de europeus para o continente latino-americano), desde a segunda metade do século passado vem ocorrendo o inverso, em meio a tantos fluxos e movimentos. Assim, a classe trabalhadora dos países capitalistas centrais tende a ser cada vez mais constituída por imigrantes das periferias. O que deve significar algo particular e distinto nas conformações de classe que estão sendo redesenhadas neste século tenso que estamos vivendo.

9) Com a expansão do capital em escala planetária e a nova forma assumida pela divisão internacional do trabalho, as respostas do movimento dos trabalhadores assumem cada vez mais um sentido totalizante. A transnacionalização do capital e do seu sistema produtivo, com a difusão das novas cadeias geradoras de valor, obriga ainda mais os sindicatos a desenvolverem formas internacionais de ação, solidariedade e confrontação.

10) Mesmo tendo claro que esse elenco pode ser muito ampliado, há ainda outro desafio fundamental para os sindicatos, sem o qual a classe trabalhadora fica organicamente desarmada em seus combates. Eles devem romper a barreira, imposta pelo capital, entre ação reivindicativa e ação parlamentar, entre luta econômica e luta política, *articulando e fundindo essas lutas sociais, dando-lhes uma feição mais autônoma e ao mesmo tempo mais abrangente*. Como o capital exerce um domínio cuja materialidade é de origem *extraparlamentar*, é grave equívoco querer derrotá-lo com ações que se restrinjam ao âmbito da institucionalidade ou que o privilegiem.

Como se pode ver, não são poucos os desafios que se apresentam aos sindicatos, em escala mundial, respeitadas as suas particularidades e singularidades. Para enfrentá-los, é vital compreender a nova morfologia do trabalho. Mas é imperioso também que os sindicatos recuperem uma discussão que com mais frequência faziam no passado e que tem estado praticamente ausente das ações e práticas sindicais: qual é o futuro da classe trabalhadora no capitalismo?

Não será um desafio central buscar um *novo modo de vida*? E, se assim for, pode haver ainda algum futuro para o socialismo? Com essas indagações, chegamos ao último capítulo do livro.

Capítulo 20

HÁ FUTURO PARA O SOCIALISMO?
Por um novo modo de vida na América Latina

Neste tenso século que estamos vivendo, a busca por um novo projeto socialista se torna um desafio vital. Nunca o sistema de metabolismo social do capital foi tão destrutivo. Hoje estamos em condições de fazer um balanço mais conclusivo da experiência vivida no século XX: derrotadas as suas mais importantes experiências, com a URSS à frente, é imperioso compreender por que esses projetos tão positivos em sua origem não foram capazes de derrotar o *sistema de metabolismo social* do capital – sistema que é constituído pelo tripé *capital, trabalho e Estado* e que, segundo a formulação original de István Mészáros[1], não pode ser superado sem a *eliminação do conjunto dos elementos que o compreende*. Isso porque não basta eliminar *um* ou mesmo *dois* dos polos. O desafio é superar o tripé, nele incluída a divisão social hierárquica do trabalho que subordina o *trabalho* ao *capital*.

Por não ter avançado nessa direção, os países pós-capitalistas, liderados pela URSS, foram incapazes de romper a lógica do capital e de seu sistema de metabolismo social. Fenômeno assemelhado parece ocorrer hoje com a China, que realiza uma abertura para o mercado mundial ampla, mas, simultaneamente, o faz sob o controle político exercido pelo Estado e pelo Partido Comunista chinês. Penso que a reflexão desse ponto é um primeiro e decisivo desafio.

---

[1] István Mészaros, *Para além do capital*, cit.

Vamos para um segundo aspecto: a experiência do "socialismo em um só país", ou mesmo em um conjunto limitado de países que não se encontram no coração do capitalismo, foi um empreendimento também fracassado no século XX. Como disseram Marx e Engels, o socialismo deve ser concebido como uma processualidade *histórico-mundial*; as *revoluções políticas* podem inicialmente assumir uma conformação *nacional*, mais parcial e limitada, mas as *revoluções sociais* têm um intrínseco significado universalizante[2].

Na fase do capital mundializado, conforme caracterização de François Chesnais[3], marcada por um sistema global do capital *desigualmente combinado*, o socialismo só poderá ser concebido enquanto empreendimento universal. Sua efetividade no espaço nacional dependerá, de maneira decisiva para seu sucesso, de um desenvolvimento em outros espaços nacionais, o que lhe confere *tendencialmente* uma processualidade histórico-mundial. Dito de outro modo, *simultaneamente nacional e internacional*.

Nesse movimento, quanto mais ele puder atingir o *coração do capital* (Estados Unidos, Europa unificada e Japão, em primeiro plano), maiores serão suas efetivas possibilidades.

Do mesmo modo, a preservação *duradoura* e *sistemática* de vários elementos de *mercado* durante a transição socialista do século XX mostrou-se um *caminho certeiro para que o sistema de capital pudesse ser reinstaurado*, ao dificultar de modo crescente a constituição das bases para que pudesse florescer um *novo sistema de metabolismo social fundado no trabalho autônomo e autodeterminado, na associação livre dos trabalhadores e trabalhadoras e no tempo disponível*. Os "conceitos" apologéticos e justificadores do tipo "economia socialista de mercado" ou "mercado socialista" acabaram por se tornar eufemismos usados para encobrir o retorno e o comando do sistema do capital, em seu processo de restauração.

Os casos da China e da antiga URSS parecem elucidativos. Muitos acreditaram que a abertura econômica soviética, junto com sua abertura política, fosse condição para a preservação e o avanço do que ali se denominava, também de modo equivocado, de "socialismo real". O desmoronamento do sistema soviético já é parte da nossa história recente e parece árdua a possibilidade de que o "socialismo chinês" possa controlar por longo tempo o *sistema de capital* que se esparrama com intensidade pelo país do Oriente, cujos níveis de exploração da força de trabalho nas últimas décadas se constituíram em patamar utilizado pelo sistema global do capital para dilapidar ainda mais a força de trabalho em escala planetária.

---

[2] Karl Marx e Friedrich Engels, *A ideologia alemã* (São Paulo, Boitempo, 2007).

[3] François Chesnais, *A mundialização do capital*, cit.

A maior diferença, quando se compara o caso chinês com o soviético, é que o primeiro realizou uma feroz abertura econômica para o capital, hipertrofiando o aparato político do Estado e seu controle burocrático sobre a sociedade de classes que hoje existe na China. Ou seja, realizou a abertura econômica, mantendo ultracentralizado o controle do Estado por meio do Partido Comunista e do Exército. Exemplo dessas mutações e do avanço do sistema de capital está no fato de que o Partido Comunista chinês permite a filiação dos empresários. E que tem como núcleo dominante em sua direção valores que, no Ocidente, seriam identificados como de inspiração neoliberal. Eu mesmo presenciei, em 2016, a palestra de um importante intelectual, de um dos mais prestigiados centros de investigação marxista em Pequim, que atribuía como a mais relevante contribuição dos chineses ao marxismo contemporâneo o desenvolvimento do conceito de *inovação*.

Não é difícil imaginar o que poderá resultar desse quadro bastante complexo, nos próximos anos e décadas, com a ampliação da luta de classes em uma sociedade fortemente centralizada, que conta com um Partido Comunista que controla o governo e com um Exército poderoso, ambos convivendo com um espetacular e exponencial desenvolvimento das grandes corporações globais que exploram a força de trabalho em solo chinês do mesmo modo (ou até pior) como fazem em outros quadrantes do mundo.

Desconsiderar essa processualidade profundamente contraditória, quando se trata de pensar nos desafios do socialismo do século XXI, não parece ser um bom procedimento. Ao contrário, a história crítica do experimento socialista do século XX é um *ponto de partida* fundamental para o exercício efetivo do socialismo no século XXI.

Nesse contexto, a primeira lição da história recente é reconhecer que as possibilidades do socialismo na América Latina também devem ser pensadas como parte de uma processualidade *que não se esgota em seu espaço nacional*. O desafio maior, então, é buscar a *ruptura com a lógica do capital em escala simultaneamente nacional, continental e mundial*.

Países como Brasil, México, Argentina e Colômbia, por exemplo, podem ter papel de relevo nesse cenário, visto que, por um lado, se constituem em polos importantes da estruturação mundial do capital e da geopolítica global e, por outro, têm um contingente significativo de forças sociais e políticas do trabalho, assim como as lutas e os movimentos sociais de extrema importância na Bolívia e na Venezuela. Sem desprezar a importante experiência vivenciada por Cuba há várias décadas, que, com a ousadia descomunal de quem viveu uma profunda revolução social e popular, consegue sobreviver em meio a tantas mudanças no cenário regressivo mundial de nossos dias.

Junto com a eclosão de lutas e levantes populares na China, na Índia, na Rússia, na Coreia do Sul e em outros países que não estão diretamente no centro do mundo capitalista ocidental, a América Latina tem a possibilidade de criação de uma gama de forças sociais populares e do trabalho, capazes de impulsionar um projeto que tenha como horizonte uma organização societal socialista de novo tipo, renovada e extremista, bastante diferente dos empreendimentos revolucionários intentados no século XX.

A centralidade das lutas sociais

Nessa difícil e complexa fase da história recente, o desenvolvimento de movimentos sociais e políticos de esquerda e de massas vem enfrentando alguns dos mais agudos desafios. Podemos recordar o movimento social e político dos zapatistas, em 1994, contra o domínio imperial norte-americano, passando pela comuna de Oaxaca, que abalou posteriormente o poder oligárquico também no México, e pelo advento do Movimento dos Trabalhadores Rurais Sem Terra e do Movimento dos Trabalhadores Sem Teto, ambos no Brasil. Ou ainda as incontáveis lutas operárias e sindicais na América Latina, as explosões sociais dos trabalhadores desempregados, como a dos *piqueteros*, na Argentina, as revoltas das comunidades indígenas que lutam pelas *questões vitais*, em suas batalhas contra a privatização e a "mercadorização" da água, do gás e do petróleo; são muitas as formas de luta e organização que hoje confrontam, em maior ou menor medida, a sociedade capitalista e seu sistema de metabolismo social.

São lutas que assumem cada vez mais a forma de movimentos contra a "mercadorização" de tudo o que se produz. Sua força maior está em direcionar as lutas contra o domínio do capital e de seu sistema, sendo, por isso, lutas centralmente *extraparlamentares e extrainstitucionais*.

Assim, esses embates ganham cada vez mais importância, uma vez que, como enfatizou Mészáros[4], sendo o capital um sistema de metabolismo social essencialmente *extraparlamentar*, qualquer tentativa de superá-lo, se restrita à esfera *institucional*, estará impossibilitada de realizar a difícil empreitada de destruir seus pilares de sustentação.

Assim, o maior mérito desses novos movimentos sociais e políticos acima indicados aflora na centralidade que conferem às lutas sociais de perfil essencialmente (ou predominantemente) extraparlamentar e na influência positiva que vêm oferecendo aos partidos políticos de esquerda que se encontram em grande medida prisioneiros de uma lógica demasiadamente parlamentar e institucional.

---

[4] István Meszáros, *Para além do capital*, cit.

O desafio maior do mundo do trabalho e dos movimentos sociais de esquerda é, então, criar e inventar novas formas de atuação *autônomas*, capazes de articular e dar *centralidade às ações de classe contra o capital e sua lógica destrutiva*. Isso em uma fase em que nunca o capital foi tão destrutivo em relação ao trabalho, à natureza e ao meio ambiente, em suma, à humanidade.

A recusa à separação, introduzida pelo capital, entre ação econômica, realizada pelos sindicatos, e ação política, produzida pelos partidos, *é absolutamente imperiosa* e mesmo *imprescindível* quando se pretende derrotar o poderoso e totalizante sistema de metabolismo social do capital, estruturado a partir do tripé *Estado, capital* e *trabalho assalariado*. A ação contra o domínio do capital em busca do socialismo deve articular *luta social* e *luta política* em um complexo indissociável.

O mundo do trabalho e as lutas sociais de classe, em suas complexas relações com a luta ecológica, de gênero, étnica, racial, geracional etc., têm cada vez mais uma conformação mundializada. Com a expansão do capital em escala planetária e a nova forma assumida pela divisão internacional do trabalho, as respostas do movimento dos trabalhadores assumem um sentido universalizante ainda maior.

Assim, cada vez mais as lutas nacionais devem estar articuladas com uma luta de amplitude internacional. As lutas pelo direito ao trabalho, pela redução das jornadas, pela ampliação dos direitos sociais, por um *modo de vida* que se contraponha aos valores e interesses do capital carecem de uma articulação internacional expressiva, de uma forte solidariedade para que suas formas de confrontação possam se tornar vitoriosas. *À mundialização dos capitais corresponde, portanto, cada vez mais e de modo intransferível, uma mundialização das lutas sociais e do trabalho.*

Impedir que os trabalhadores precarizados fiquem à margem das formas de organização social e política de classe é outro desafio impreterível no mundo contemporâneo. O entendimento das complexas conexões entre classe e gênero, entre trabalhadores "estáveis" e precarizados, entre nacionais e imigrantes, entre trabalhadores de etnias diferentes, entre qualificados e sem qualificação, entre jovens e velhos, entre empregados e desempregados, enfim, entre tantas fraturas que o capital impõe para a classe trabalhadora, torna-se fundamental para que se possa, por meio de um movimento social e político dos trabalhadores e das trabalhadoras, buscar e realizar efetivamente um novo projeto societal socialista neste século XXI.

O resgate do sentido de pertencimento de classe (o que implica entender as conformações da classe trabalhadora hoje e sua *nova morfologia*), como viemos destacando ao longo deste livro, é questão crucial neste século. A possibilidade de uma efetiva emancipação humana e social, da construção de uma alternativa socialista de fato, só encontrará concretude e viabilidade social a partir das revoltas e rebeliões que se originam centralmente (e não com exclusividade) no mundo do trabalho.

Um processo de emancipação simultaneamente *do* trabalho, *no* trabalho e *pelo* trabalho.

Essa formulação, entretanto, não pode excluir outras formas importantes de rebeldia, contestação e emancipação. Todo o leque de assalariados que compreende o setor de serviços, mais os trabalhadores "terceirizados", os do mercado informal, os "trabalhadores domésticos", os intermitentes, os subempregados e os desempregados, se somam aos demais trabalhadores e movimentos sociais vitais, configurando-se no polo social e político capaz de avançar as lutas e ações anticapitalistas.

Do mesmo modo, os movimentos feministas, a luta ecológica, dos indígenas, dos negros, dos imigrantes, dos homossexuais etc. encontram maior pujança e vitalidade quando conseguem *articular suas reivindicações singulares e autênticas com sua dimensão de classe*, fortalecendo as ações contra as múltiplas explorações e opressões presentes no sistema de capital.

No caso dos movimentos ecologistas e ambientalistas, o eixo de seus embates deve se voltar contra a *lógica do capital* que destrói a natureza em escala global[5] e, no caso da luta das mulheres, suas ações são centrais também na denúncia do domínio do patriarcalismo, que as subordina em seu duplo espaço, familiar e profissional, dificultando uma efetiva emancipação. Todos esses movimentos se somam às greves, às explosões sociais e às rebeliões que se constituem, também, em importantes exemplos de confrontação social contra a lógica destrutiva que preside a (des)sociabilidade contemporânea. É do solo fértil dessas rebeliões e revoltas que podem florescer as revoluções.

Por um novo modo de vida

O empreendimento socialista não poderá efetivar outro *modo de vida* se não conferir ao trabalho algo radicalmente distinto tanto da subordinação estrutural em relação ao capital quanto de seu sentido heterônomo, subordinado a um sistema de mando e hierarquia, como se deu durante a vigência do sistema soviético e nos países do chamado "bloco socialista" ou do "socialismo real", eufemismo para esconder as mazelas que impediam a autonomia efetiva e verdadeira do trabalho.

Com isso, entramos em outro ponto crucial, quando se trata de entender o verdadeiro significado do trabalho no socialismo e sua

---

[5] Michael Löwy, *O que é ecossocialismo?* (São Paulo, Cortez, 2014).

profunda diferença em relação à forma social do trabalho sob o sistema de capital. Conforme desenvolvemos no livro *Os sentidos do trabalho*, uma vida cheia de sentido *fora* do trabalho supõe uma vida dotada de sentido *dentro* do trabalho. Não é possível compatibilizar trabalho *assalariado, fetichizado e estranhado* com *tempo verdadeiramente livre*. Uma vida desprovida de sentido no trabalho é *incompatível* com uma vida cheia de sentido fora do trabalho. Em alguma medida, a esfera fora do trabalho estará *maculada* pela *desefetivação* que se dá no interior da vida laborativa.

Como o sistema global do capital, nos dias atuais, abrange intensamente também as esferas da *vida fora do trabalho*, a *desfetichização da sociedade do consumo* tem como corolário imprescindível a *desfetichização no modo de produção* das coisas. O que torna a desfetichização da vida muito mais difícil, se não se inter-relacionar *decisivamente* a ação pelo *tempo livre* confrontado abertamente à lógica do capital e à vigência do *trabalho abstrato*.

Se o fundamento da ação coletiva for voltado radicalmente contra as formas de dominação do capital, com suas alienações e seus estranhamentos, *a luta imediata pela redução da jornada ou do tempo de trabalho* se torna também importante e *inteiramente compatível* com o *direito ao trabalho*. Desse modo, a luta contemporânea pela redução da jornada (ou do tempo) de trabalho e a luta pelo direito ao trabalho, ao invés de serem excludentes, se tornam necessariamente *complementares*.

O empreendimento societal por um *trabalho cheio de sentido* e pela *vida autêntica fora do trabalho*, por um *tempo disponível* para o trabalho e por um *tempo verdadeiramente livre e autônomo* fora do trabalho – ambos, portanto, desassociados do *controle* e do *comando* opressivos do capital –, se converte em elemento essencial na construção de uma sociedade socialista não mais regulada pelo sistema de metabolismo social do capital e seus mecanismos de subordinação, não mais voltada para a *destruição da natureza*, mas sim para uma *autêntica preservação ambiental*, compatível tanto em relação às reais necessidades humanas quanto à imperiosa e imprescindível preservação da ecologia.

A invenção societal de uma nova vida, autêntica e dotada de sentido, recoloca, portanto, neste início do século XXI, a necessidade premente de construção de um novo sistema de metabolismo social, de um novo *modo de produção* fundado na *atividade autodeterminada*. Atividade baseada no *tempo disponível para produzir valores de uso socialmente necessários*, contra a produção heterodeterminada, que caracterizou o capitalismo, *baseada no tempo excedente para a produção exclusiva de valores de troca para o mercado e para a reprodução do capital*.

Durante a vigência do capitalismo (e, de modo mais abrangente, do próprio sistema do capital), o *valor de uso dos bens socialmente necessários subordinou-se ao seu valor de troca*, que passou a comandar a lógica do sistema de produção do capital. As funções produtivas básicas, bem como o *controle* do seu processo, foram radicalmente separadas entre aqueles que *produzem* (os trabalhadores) e aqueles que *controlam* (os capitalistas e seus gestores). Como diz Marx, o capital operou a separação entre trabalhadores e meio de produção, entre "o caracol e sua concha"[6], aprofundando a distância entre a produção voltada para o atendimento das necessidades humano-sociais e aquela direcionada às necessidades de autorreprodução do capital.

Tendo sido o primeiro *modo de produção* a criar uma lógica que não leva em conta prioritariamente as reais necessidades societais, e que também por isso se diferenciou de maneira radical de todos os sistemas anteriores de controle do metabolismo social existentes (que produziam visando suprir, ainda que de modo bastante desigual, as necessidades de autorreprodução *humana*, e não o lucro), o capital instaurou um sistema voltado para a sua autovalorização *que independe das reais necessidades autorreprodutivas da humanidade*[7].

O novo princípio societal imprescindível é, então, conceber o trabalho como atividade vital[8], como *autoatividade*. O que significa dizer que a nova forma societal socialista deve recusar o funcionamento com base na separação dicotômica entre *tempo de trabalho necessário* para a reprodução social e *tempo de trabalho excedente* para a reprodução do capital. Isso porque o *tempo disponível*[9] será aquele dispêndio de atividade laborativa autodeterminada, livre, voltado "para atividades autônomas, externas à relação dinheiro-mercadoria"[10], e por isso capaz de se contrapor à relação totalizante dada pela forma-mercadoria e pelo capital. Para além da divisão hierárquica que subordina o trabalho ao capital hoje vigente.

Se o mundo atual nos oferece como horizonte imediato *o privilégio da servidão*, seu combate e seu impedimento efetivos, então, só serão possíveis se a humanidade conseguir recuperar o *desafio da emancipação*.

---

[6] Karl Marx, *O capital*, Livro I, cit., p. 433.
[7] István Mészaros, *Para além do capital*, cit.
[8] Karl Marx, *Manuscritos econômico-filosóficos*, cit.; *O capital*, Livro I, cit.
[9] Karl Marx, *Grundrisse*, cit., p. 590.
[10] Robert Kurz, *O colapso da modernização*, cit.

FONTES ORIGINAIS DOS CAPÍTULOS

Como foi dito na "Nota prévia", alguns dos capítulos que compreendem este livro não são inéditos e já foram publicados anteriormente sob a forma de artigos no Brasil ou no exterior. Para serem incluídos aqui, sofreram alterações *bastante significativas*: muitos foram quase *inteiramente reescritos*, de modo que pudessem se adaptar à *forma de livro*. No caso daqueles que tratavam de temas mais conjunturais, entretanto, apesar das várias mudanças formais realizadas, optamos por preservar as características que os vinculavam à *data* e ao *momento* em que foram escritos, mantendo-os, assim, como expressão fiel do período em questão.

As referências originais são as seguintes:

- Capítulo 1 – Fotografias sem retoques do trabalho global. In: *Catálogo da 6ª Mostra Contemporânea Internacional Ecofalante de Cinema Ambiental*. São Paulo, 2017.
- Capítulo 2 – inédito.
- Capítulo 3 – La nueva morfología del trabajo y sus principales tendencias: informalidad, infoproletariado, (in)materialidad y valor. In: *Revista Sociología del Trabajo*. Madri, n. 74, 2012; republicado com alterações em *Riqueza e miséria do trabalho no Brasil*, v. 2. São Paulo, Boitempo, 2013.
- Capítulo 4 – A classe trabalhadora hoje: a nova forma de ser da classe-que-vive-do-trabalho. In: *The Working Class Today*: The New Form of Being of the Class Who Lives From Its Labour. In: *Workers of the World*: International Journal on Strikes and Social Conflicts. Nova York, v. 1, n. 2, jan. 2013, p. 7-18; republicado com alterações em AMORIM, Henrique; SILVA, Jair

Batista da. *Classes e lutas de classes*: novos questionamentos. São Paulo, Annablume/Fapesp, 2015. p. 23-32.
- Capítulo 5 – Os exercícios da subjetividade: as reificações inocentes e as reificações estranhadas. In: *Caderno CRH*. Salvador, v. 24, n. especial 01, 2011, p. 121-31.
- Capítulo 6 – Trabalho uno ou omni: entre o trabalho concreto e o trabalho abstrato. In: *Revista Argumentum*. Vitória, n. 2, 2010, p. 9-15.
- Capítulo 7 – The New Morphology of the Working Class in Contemporary Brazil. In: *Socialist Register*: Transforming Class. v. 51, 2014.
- Capítulo 8 – A sociedade dos adoecimentos no trabalho. In: *Revista Serviço Social & Sociedade*. São Paulo, n. 123, jul.-set. 2015. Em coautoria com Luci Praun.
- Capítulo 9 – A terceirização sem limites: a precarização do trabalho como regra. In: *Revista O Social em Questão*. Rio de Janeiro, ano XVIII, n. 34, 2015. Em coautoria com Graça Druck.
- Capítulo 10 – A sociedade da terceirização total. In: *Revista da Abet*. v. 14, n. 1, jan.-jun. 2015.
- Capítulo 11 – The Dilemmas of the New Unionism in Brazil: Breaks and Continuities. In: *Latin American Perspectives*. Califórnia, v. 41, n. 5, 2014, p. 10-21; republicado com alterações em AARÃO REIS, Daniel; RIDENTI, Marcelo; MOTTA, Rodrigo Patto Sá (orgs.). *A ditadura que mudou o Brasil*. Rio de Janeiro, Zahar, 2014. Em coautoria com Marco Aurélio Santana.
- Capítulo 12 – Para onde foram os sindicatos? Do sindicalismo de confronto ao sindicalismo negocial. In: *Caderno CRH*. Salvador, v. 28, n. 75, set.-dez. 2015, p. 511-528. Em coautoria com Jair Batista da Silva.
- Capítulo 13 – Inglaterra e Brasil: duas rotas do social-liberalismo em duas notas. In: *Revista Currículo sem Fronteiras*. v. 13, n. 2, mai.-ago. 2013.
- Capítulo 14 – A fenomenologia da crise brasileira. In: *Revista Lutas Sociais*. São Paulo, v. 19, n. 35, jul.-dez. 2015, p. 9-26.
- Capítulo 15 – As rebeliões de junho de 2013. In: SAMPAIO JR., Plinio de Arruda (org.). *Jornadas de junho:* a revolta popular em debate. São Paulo, Instituto Caio Prado/ICP, 2014, p. 19-40.
- Capítulo 16 – A era das contrarrevoluções e o novo estado de exceção. In: LUCENA, Carlos; PREVITALI, Fabiane; LUCENA, Lurdes (orgs.). *A crise da democracia brasileira*. Uberlândia, Navegando Publicações, 2017, p. 53-62.
- Capítulo 17 – inédito.
- Capítulo 18 – Destruição completa do que resta de direitos: a devastação do trabalho na contrarrevolução de Temer. In: *Le Monde Diplomatique – Brasil*. São Paulo, n. 111, out. 2016 (Revisado e ampliado).
- Capítulo 19 – Nova morfologia do trabalho e sua influência sobre o sindicalismo contemporâneo. In: *Seminário Internacional de Pesquisa*. Faculdade de Direito da USP, São Paulo, 2014.
- Capítulo 20 – As lutas sociais e o socialismo na América Latina no século XXI. In: GALVÃO, Andréia; AMORIM, Elaine; GOMES E SOUSA, Júlia; GALASTRI, Leandro (orgs.). *Capitalismo, crise e resistências*. São Paulo, Outras Expressões, 2012, p. 165-83.

REFERÊNCIAS BIBLIOGRÁFICAS

AARÃO REIS, Daniel; RIDENTI, Marcelo; MOTTA, Rodrigo Patto Sá (orgs.). *O golpe e a ditadura militar*: 40 anos depois (1964-2004). Bauru, Edusc, 2004.

ABC, onde a idade não define a velhice. In: *O Estado de S. Paulo*, 29 jan. 1979.

ACKERS, Peter; SMITH, Chris; SMITH, Paul (orgs.). *The New Workplace and Trade Unionism*: Critical Perspectives on Work and Organization. Londres, Routledge, 1996.

AGAMBEN, Giorgio. *Estado de exceção*. São Paulo, Boitempo, 2004.

AGÊNCIA Repórter Brasil. Empresas respondem a centenas de processos contra terceirização. 19 abr. 2010. Disponível em: <http://reporterbrasil.org.br/2010/04/empresas-respondem-a-centenas-de-processos-contra-terceirizacao/>; acesso em: 28 abr. 2018.

ALMEIDA, Maria Hermínia Tavares de. O sindicato no Brasil: novos problemas, velhas estruturas. In: *Revista Debate e Crítica*. São Paulo, n. 6, jul. 1975, p. 49-74.

ALVES, Giovanni. *O novo (e precário) mundo do trabalho*: reestruturação produtiva e crise do sindicalismo. São Paulo, Boitempo, 2000.

_____. *Condição de proletariedade*: a precariedade do trabalho no capitalismo global. Londrina, Praxis, 2009.

ALVES, Maria Aparecida; TAVARES, Maria Augusta. A dupla face da informalidade do trabalho. In.: ANTUNES, Ricardo (org.). *Riqueza e miséria do trabalho no Brasil*. São Paulo, Boitempo, 2006. v. 1.

AMORIM, Henrique. *Trabalho imaterial*: Marx e o debate contemporâneo. São Paulo, Annablume, 2009.

ANTUNES, Ricardo. *Classe operária, sindicatos e partido no Brasil*: da Revolução de 30 até a Aliança Nacional Libertadora. São Paulo, Cortez, 1988.

_____. *A rebeldia do trabalho* – O confronto operário no ABC Paulista: as greves de 1978/80. Campinas, Editora da Unicamp, 1992.

_____. *O novo sindicalismo no Brasil.* Campinas, Pontes, 1995.

_____ (org.). *Neoliberalismo, trabalho e sindicatos*: reestruturação produtiva no Brasil e na Inglaterra. São Paulo, Boitempo, 1997.

_____. *A desertificação neoliberal no Brasil (Collor, FHC e Lula).* Campinas, Autores Associados, 2004.

_____. *O caracol e sua concha*: ensaios sobre a nova morfologia do trabalho. São Paulo, Boitempo, 2005.

_____. Construção e desconstrução da legislação social no Brasil. In: _____ (org.). *Riqueza e miséria do trabalho no Brasil*, v. 1. São Paulo, Boitempo, 2006. p. 499-508.

_____. *Uma esquerda fora do lugar*: o governo Lula e os descaminhos do PT. Campinas, Autores Associados, 2006.

_____ (org.). *Riqueza e miséria do trabalho no Brasil*, v. 1. São Paulo, Boitempo, 2006.

_____. O mundo do trabalho em mutação: da pragmática da especialização fragmentada à pragmática da liofilização flexibilizada. In: SILVA, Maria Vieira; CORBALÓN, Maria Alejandra (orgs.). *Dimensões políticas da educação contemporânea.* São Paulo, Alínea, 2009.

_____. O Brasil da era Lula. In: *Revista Margem Esquerda: Ensaios Marxistas.* São Paulo, Boitempo, n. 16, 2011.

_____. *O continente do labor.* São Paulo, Boitempo, 2011.

_____. A engenharia da cooptação e os sindicatos. In: *Jornal dos Economistas.* Rio de Janeiro, n. 268, nov. 2011. Disponível em: <http://www.correiocidadania.com.br/politica/6822-17-02-2012-a-engenharia-da-cooptacao-e-os-sindicatos-no-brasil-recente>; acesso em: 13 abr. 2018.

_____. Freeze-dried Flexibility: a New Morphology of Labour, Casualisation and Value. In: *Work Organization, Labour & Globalization.* Londres, v. 5, n. 1, Summer, 2011, p. 148 -159.

_____. A nova morfologia do trabalho e suas principais tendências: informalidade, infoproletariado, (i)materialidade e valor. In: _____ (org.). *Riqueza e miséria do trabalho no Brasil*, v. 2. São Paulo, Boitempo, 2013. p. 13-27.

_____. As rebeliões de junho de 2013. In: SAMPAIO JR., Plinio de Arruda (org.). *Jornadas de junho*: a revolta popular em debate. São Paulo, Instituto Caio Prado/ICP, 2014. p. 19-40.

_____. Die revolten von 2013: tage die brasilien erschütterten. In: *Emanzipation, Zeitschrift für sozialistische Theorie und Praxis*: vom Recht auf Stadt zur urbanen Revolution. Colônia, v. 3, n. 2, dez. 2013, p. 71-81. Disponível em: <http://www.emanzipation.org/articles/em_3-2/e_3-2_antunes.pdf>; acesso em 25 dez. 2017.

_____ (org.). *Riqueza e miséria do trabalho no Brasil*, v. 2. São Paulo, Boitempo, 2013.

_____. *Os sentidos do trabalho.* São Paulo, Boitempo, 2013.

_____. Trade Unions, Social Conflicts, and Political Left in Present-Day Brazil: Between Breach and Compromise. In: WEBER, Jeffery R.; LANHAM, Barry Carr (orgs.). *The New Latin American Left*: Cracks in the Empire. Nova York, Rowman & Littlefield, 2013. p. 255-76.

_____. The Working Class Today: The New Form of Being of the Class Who Lives Form Its Labour. In: *Workers of the World: International Journal on Strikes and Social Conflicts.* Nova York, v. 1, n. 2, jan. 2013, p. 7-18. Disponível em: <http://digitalcommons.ilr.cornell.edu/cgi/viewcontent.cgi?article=1001&context=wotw>; acesso em: 25 dez. 2017.

_____. Desenhando a nova morfologia do trabalho no Brasil. In: *Revista Estudos Avançados*. São Paulo, v. 28, n. 81, mai./ago. 2014, p. 39-53. Disponível em: <http://www.scielo.br/scielo.php?script=sci_arttext&pid=S0103-40142014000200004&lng=pt&nrm=iso>; acesso em: 30 jul. 2016.

_____ (org.). *Riqueza e miséria do trabalho no Brasil*, v. 3. São Paulo, Boitempo, 2014.

_____. *Adeus ao trabalho?* Ensaio sobre as metamorfoses e a centralidade do mundo do trabalho. São Paulo, Cortez, 2015.

_____. Fenomenologia da crise brasileira. In: *Revista Lutas Sociais*. São Paulo, v. 19, n. 35, jul./dez. 2015, p. 9-26. Disponível em: <https://revistas.pucsp.br/index.php/ls/article/view/26672/pdf>; acesso em: 25 dez. 2017.

_____. A servidão involuntária. *Folha de S.Paulo*, 5 jun. 2015, p. 3.

_____. The Long Brazilian Crisis: A Forum. *Historical Materialism*, 24 jan. 2019. Disponível em: <http://www.historicalmaterialism.org/articles/long-brazilian-crisis-forum>; acesso em: 29 jan. 2020.

_____ (org.). *Riqueza e miséria do trabalho no Brasil*, v. 4. São Paulo: Boitempo, 2019.

ANTUNES, Ricardo; BRAGA, Ruy (orgs.). *Infoproletários*: degradação real do trabalho virtual. São Paulo, Boitempo, 2009.

ANTUNES, Ricardo; DRUCK, Graça. A epidemia da terceirização. In: ANTUNES, Ricardo (org.). *Riqueza e miséria do trabalho no Brasil*, v. 3. São Paulo, Boitempo, 2014. p. 13-24.

ANTUNES, Ricardo; SANTANA, Marco Aurélio. The Dilemmas of the New Unionism in Brazil: Breaks and Continuities. In: *Latin American Perspectives*. Califórnia, v. 41, n. 5, 2014, p. 10-21. Disponível em: <http://journals.sagepub.com/doi/full/10.1177/0094582X14541228>; acesso em: 25 dez. 2017.

_____. Para onde foi o novo sindicalismo? Caminhos e descaminhos de uma prática sindical. In: AARÃO REIS, Daniel; RIDENTI, Marcelo; MOTTA, Rodrigo Patto Sá (orgs.). *A ditadura que mudou o Brasil*. Rio de Janeiro, Zahar, 2014.

ANTUNES, Ricardo; SILVA, Jair. Para onde foram os sindicatos? Do sindicalismo de confronto ao sindicalismo negocial. In: *Caderno CRH*. Salvador, v. 28, n. 75, set./dez. 2015, p. 511-528.

ARAÚJO, Angela. *A construção do consentimento*: corporativismo e trabalhadores nos anos trinta. São Paulo, Scritta, 1998.

BADARÓ, Marcelo Mattos. *Trabalhadores e sindicatos no Brasil*. São Paulo, Expressão Popular, 2009.

_____. A classe trabalhadora: uma abordagem contemporânea à luz do materialismo histórico. In: *Revista Outubro*. Rio de Janeiro, n. 21, 2013. Disponível em <http://outubrorevista.com.br/wp-content/uploads/2015/02/Revista-Outubro-Edição-21-Artigo-03.pdf>; acesso em: 26 dez. 2017.

BARRETO, Margarida. Assédio moral: trabalho, doenças e morte. In: *Anais do Seminário Compreendendo o Assédio Moral no Ambiente de Trabalho*. São Paulo, Fundacentro, 2013.

BARRETO, Margarida; HELOANI, Roberto. Assédio laboral e as questões contemporâneas à saúde do trabalhador. In: LOURENÇO, Edvânia Ângela de Souza; NAVARRO, Vera Lúcia (orgs.). *O avesso do trabalho III*: saúde do trabalhador e questões contemporâneas. São Paulo, Outras Expressões, 2013. p. 107-123.

BARROS, Ricardo Paes de; CARVALHO, Mirela de; MENDONÇA, Rosane. Dimensionando o programa Bolsa Família In: CASTRO, Jorge Abrahão de; MODESTO,

Lúcia (orgs.). *Bolsa Família 2003-2010:* avanços e desafios, v. 2. Brasília, Ipea, 2010. p. 349-356.

BASSO, Pietro. *Modern Times, Ancient Hours*: Working Lives in the Twenty-First Century. Londres, Verso, 2003.

_____. L'orario di lavoro a inizio secolo. In: PAGLIARONE, Antonio; SOTTILE, Giuseppe (orgs.). *Ma il capitalismo si espande ancora?* Trieste, Asterios, 2008.

_____. *L'immigrazione in Europa*: caratteristiche e prospettive [mimeo], 2010.

BASSO, Pietro; PEROCCO, Fabio. *Gli immigrati in Europa*: diseguaglianze, razzismo lotte. Milão, Angeli, 2008.

_____; _____. *Razzismo di stato*: stati uniti, Europa, Italia. Milão, Angeli, 2010.

BEHEMOTH. Direção: Zhao Liang. China/França, 2015, 90 min.

BELL, Daniel. *O advento da sociedade pós-industrial*: uma tentativa de previsão social. São Paulo, Cultrix. 1977.

BERNARDO, João; PEREIRA, Luciano. *Capitalismo sindical.* São Paulo, Xamã, 2008.

BIDET, Jacques; TEXIER, Jacques. *La crise du travail*: actuel Marx confrontation. Paris, Presses Universitaries de France, 1995.

BIHR, Alain. *Da grande noite à alternativa*: o movimento operário europeu em crise. São Paulo, Boitempo, 1998.

BOLAÑO, César. *Indústria cultural, informação e capitalismo.* São Paulo, Hucitec, 2000.

BOURDIEU, Pierre. *A distinção*: crítica social do julgamento. São Paulo, Edusp, 2007.

BRAGA, Ruy. *A política do precariado*: do populismo à hegemonia lulista. São Paulo, Boitempo, 2012.

_____. Sob a sombra do precariado. In: HARVEY, David et al. *Cidades rebeldes*: passe livre e as manifestações que tomaram as ruas do Brasil. São Paulo, Boitempo, 2013.

_____. A formação do precariado pós-fordista no Brasil. In: ANTUNES, Ricardo (org.). *Riqueza e miséria do trabalho no Brasil*, v. 3. São Paulo, Boitempo, 2014.

_____. Os contornos do pós-lulismo. In: *Cult.* São Paulo, n. 206, out. 2015. Disponível em: <http://blogjunho.com.br/contornos-do-pos-lulismo/>; acesso em: 20 jul. 2016.

_____. *A rebeldia do precariado*: trabalho e neoliberalismo no Sul global. São Paulo: Boitempo, 2017.

BRASIL, Fórum Nacional do Trabalho. Resoluções do Relatório Final da Comissão de Sistematização. Brasília, MTE, mar. 2004. Disponível em: <http://www3.mte.gov.br/fnt/Relatorio_Final_da_Comissao_de_Sistematizacao.pdf>; acesso em: 30 jul. 2016.

_____. Proposta de Emenda à Constituição: Projeto de Lei de Relações Sindicais. Brasília, MTE, 2005. Disponível em: <http://www3.mte.gov.br/fnt/PEC_369_de_2005_e_Anteprojeto_de_Reforma_Sindical.pdf>; acesso em: 30 jul. 2016.

BRASIL, Presidência da República. Casa Civil. Subchefia de Assuntos Jurídicos. Decreto-Lei n.º 5.452, de 1º de maio de 1943 – Aprova a Consolidação das Leis do Trabalho. Rio de Janeiro, 1 maio 1943. Disponível em: <http://www.planalto.gov.br/ccivil_03/Decreto-Lei/Del5452.htm>; acesso em: 30 jul. 2016.

_____. Lei 9.601, de 21 de janeiro de 1998 – Dispõe sobre o contrato de trabalho por prazo determinado e dá outras providências. Brasília, 21 jan. 1998.

Disponível em: <http://www.planalto.gov.br/ccivil_03/leis/L9601.htm>; acesso em: 30 jul. 2016.

_____. Lei 10.820, de 17 de dezembro de 2003 – Dispõe sobre a autorização para desconto de prestações em folha de pagamento, e dá outras providências. Brasília, 17 dez. 2003. Disponível em: <http://www.planalto.gov.br/ccivil_03/leis/2003/L10.820.htm>; acesso em: 30 jul. 2016.

_____. Lei 11.101, de 9 de fevereiro de 2005 – Regula a recuperação judicial, a extrajudicial e a falência do empresário e da sociedade empresária. Brasília, 9 fev. 2005. Disponível em: <http://www.planalto.gov.br/ccivil_03/_ato2004-2006/2005/lei/l11101.htm>; acesso em: 30 jul. 2016.

_____. Lei 11.648, de 31 de março de 2008 – Dispõe sobre o reconhecimento formal das centrais sindicais para os fins que especifica, altera a Consolidação das Leis do Trabalho – CLT. Brasília, 31 mar. 2008. Disponível em: <http://www.planalto.gov.br/ccivil_03/_Ato2007-2010/2008/Lei/L11648.htm>; acesso em: 30 jul. 2016.

_____. Lei 13.134, de 16 de junho de 2015 – Altera as Leis nº 7.998, de 11 de janeiro de 1990, que regula o Programa do Seguro-Desemprego e o Abono Salarial e institui o Fundo de Amparo ao Trabalhador (FAT), nº 10.779, de 25 de novembro de 2003. Brasília, 16 jun. 2015. Disponível em: <http://www.planalto.gov.br/ccivil_03/_Ato2015-2018/2015/Lei/L13134.htm>; acesso em: 30 jul. 2016.

BRAVERMAN, Harry. *Trabalho e capital monopolista*. Rio de Janeiro, Paz e Terra, 1977.

BRUMAIRE. Direção: Joseph Gordillo. França, 2015, 66 min.

BUARQUE, Chico. A moça do sonho. In: BUARQUE, Chico. *Caravanas*. Rio de Janeiro, Biscoito Fino, 2017. 1CD, faixa 3.

CACCIAMALI, Maria Cristina. Flexibilidade: maior número de micro e pequenas empresas ou manutenção da concentração de forma descentralizada? In: *Revista Contemporaneidade e Educação*. Rio de Janeiro, ano II, n. 1, maio 1997, p. 47-57.

_____. Globalização e processo de informalidade. In: *Revista Economia e Sociedade*. Campinas, n. 14, jun. 2000, p. 152-174.

CALLINICOS, Alex; HARMAN, Chris. *The Changing Working Class*. Londres, Bookmarks, 1989.

CAMUS, Albert. *O primeiro homem*. Rio de Janeiro, Nova Fronteira, 1994.

CARDOSO, Adalberto Moreira. *A década neoliberal e a crise dos sindicatos no Brasil*. São Paulo, Boitempo, 2003.

_____. *A construção da sociedade do trabalho no Brasil*: uma investigação sobre a persistência secular das desigualdades. Rio de Janeiro, FGV, 2010.

CARTA ao Excelentíssimo Senhor Deputado Federal DÉCIO LIMA, Presidente da Comissão de Constituição, Justiça e Cidadania da Câmara dos Deputados (CCJC) e demais Deputados. Disponível em: <http://www.sindipetro-rs.org.br/index.php/noticias/item/1111-sindipetro-rs-encaminha-carta-ao-presidente-da-ccjc-pedindo-aos-membros-da-comissao-a-rejeicao-ao-pl-4330>; acesso em: 26 dez. 2017.

CASTELLS, Manuel. *A era da informação*: economia, sociedade e cultura. São Paulo, Paz e Terra, 2007. 3 v.

CASTILLO, Juan José. A la búsqueda del trabajo perdido. In: PÉREZ-AGOTE, Alfonso; YNCERA, Ignacio Sánchez de la. *Complejidad y teoría social*. Madri, CIS, 1996.

_____. *Sociologia del trabajo*. Madri, CIS, 1996.

_____. *El trabajo fluido en la sociedad de la información*: organización y división de trabajo en las fábricas de software en España. Buenos Aires, Miño y Dávila, 2007.

CASTRO, Bárbara. *As armadilhas da flexibilidade*: trabalho e gênero no setor de tecnologia da informação. São Paulo, Annablume, 2017.

CHESNAIS, François (coord.). *A mundialização do capital*. São Paulo, Xamã, 1996.

_____. *A mundialização financeira*: gênese, custos e riscos. São Paulo, Xamã, 1998.

CLASH CITY WORKERS. *Dove sono i nostri*: lavoro, classe e movimenti nell'Itália della crisi. Lucca, La Casa Usher, 2014.

CONSUMED. Direção: Richard Seymour. Grã-Bretanha, 2016, 19 min.

CORIAT, Benjamin. *Penser à l'envers, travail et organization dans l'entreprise japonaise*. Paris, Christian Bourgeois, 1991.

COSTA, Sílvio. *Tendências e centrais sindicais*: o movimento sindical de 1978 a 1994. São Paulo, Anita Garibaldi, 1995.

COSTANZI, Rogério Nagamine; FAGUNDES, Flávio. Perfil dos beneficiários do programa Bolsa Família. In: CASTRO, Jorge Abrahão de; MODESTO, Lúcia (orgs.). *Bolsa Família 2003-2010*: avanços e desafios, v. 1. Brasília, Ipea, 2010. p. 249--268.

COUTINHO, Grijalbo Fernandes. *Terceirização*: máquina de moer gente trabalhadora – a inexorável relação entre a nova marchandage e a degradação laboral, as mortes e mutilações no trabalho. São Paulo, LTr, 2015.

CRH-SINDICATO DOS QUÍMICOS E PETROLEIROS. *Relatório da Pesquisa Campanha Salarial*. 2000.

CUT. Resoluções do 3º Congresso Nacional da CUT. Belo Horizonte, CUT, 1988.

_____. Resoluções da 5ª Plenária Nacional da CUT. São Paulo, CUT, 1992.

_____. Resoluções da 7ª Plenária Nacional da CUT "Zumbi dos Palmares". São Paulo, CUT, 1995.

_____. Resoluções da 8ª Plenária Nacional da CUT "Canudos". São Paulo, CUT, 1996.

_____. Resoluções do 6º Congresso Nacional da CUT. São Paulo, CUT, 1997.

CUT; CGTB; CTB; UGT; NCST. *Carta aberta das centrais sindicais à sociedade brasileira contra o substitutivo ao PL 4.330/2004*: terceirização, s/d. Disponível em: <https://www.diap.org.br/images/stories/carta_aberta_centrais.pdf>; acesso em: 26 dez. 2017.

CUT-DIEESE. *Terceirização e desenvolvimento*: uma conta que não fecha – dossiê acerca do impacto da terceirização sobre os trabalhadores e propostas para garantir a igualdade de direitos. S/l, set. 2011. Disponível em: <http://2013.cut.org.br/sistema/ck/files/terceirizacao.PDF>; acesso em: 13 abr. 2018.

_____. *Terceirização e desenvolvimento*: uma conta que não fecha – dossiê acerca do impacto da terceirização sobre os trabalhadores e propostas para garantir a igualdade de direitos. São Paulo, 2014. Disponível em: <https://cut.org.br/acao/dossie-terceirizacao-e-desenvolvimento-uma-conta-que-nao-fecha-7974/>; acesso em: 26 dez. 2017.

DAL ROSSO, Sadi. *Mais trabalho!* A intensificação do labor na sociedade contemporânea. São Paulo, Boitempo, 2008.

_____. *O ardil da flexibilidade*: os trabalhadores e a teoria do valor. São Paulo, Boitempo, 2017.

DEJOURS, Christophe. A avaliação do trabalho submetida à prova do real. In: SZNELWAR, Laerte Idal; MASCIA, Fausto Leopoldo (orgs.). *Cadernos TTO*. São Paulo, Blucher, 2008.

DEJOURS, Christophe; BÈGUE, Florence. *Suicídio e trabalho*: o que fazer? Brasília, Paralelo 15, 2010.

DELGADO, Gabriela Neves; AMORIM, Helder Santos. *Os limites constitucionais da terceirização*. São Paulo, LTr, 2014.

DIEESE. Participação dos trabalhadores nos lucros e resultados das empresas – 2005. In: *Estudos e Pesquisas*. ano 3, n. 22, ago. 2006.

_____. Balanço das greves de 2013. In: *Estudos e Pesquisas*. n. 79, dez. 2015. Disponível em: <http://www.dieese.org.br/balancodasgreves/2013/estPesq79 balancogreves2013.pdf>; acesso em: 30 jul. 2016.

_____. *Boletim Emprego em Pauta*. n. 0, maio 2016. Disponível em: <http://www.dieese.org.br/outraspublicacoes/2016/boletimEmpregoEmPauta.pdf>; acesso em: 20 jul. 2016.

DICKENS, Charles. *Tempos difíceis*. São Paulo, Boitempo, 2014.

DOCKERS CHARTER. In: *Liverpool Dockers Shop Stewards' Committee*. Liverpool, n. 21, nov. 1997.

DRUCK, Graça. *Terceirização*: (des)fordizando a fábrica – um estudo do complexo petroquímico. São Paulo, Boitempo, 1999.

_____. Trabalho, precarização e resistências. In: *Caderno CRH (UFBA)*. Salvador, v. 24, 2011.

_____. Terceirização e ajuste fiscal: uma dupla ofensiva contra os direitos do trabalho. In: *Jornal dos Economistas*. Rio de Janeiro, n. 311, jun. 2015.

DRUCK, Graça; FILGUEIRAS, Vitor Araújo. A epidemia da terceirização e a responsabilidade do STF. In: *Revista do TST*. Brasília, v. 80, n. 3. jul.-set., 2014, p. 150-161.

DRUCK, Graça; FRANCO, Tânia. Terceirização e precarização: o binômio antissocial em indústrias. In: DRUCK, Graça; FRANCO, Tânia (orgs.). *A perda da razão social do trabalho*: precarização e terceirização. São Paulo, Boitempo, 2007.

DYER-WITHEFORD, Nick. *Cyber-Proletariat*: Global Labour in the Digital Vortex. Londres, Pluto, 2015.

ELETROBRAS. *Relatório Anual e de Sustentabilidade*. 2012. Disponível em: <http://eletrobras.com/pt/SobreaEletrobras/Relatorio_Anual_Sustentabilidade/2012/Resumo-Executivo-Relatorio-Anual-e-de-Sustentabilidade-Eletrobras-2012.pdf>; acesso em: 26 dez. 2017.

ENGELS, Friedrich. *A situação da classe trabalhadora na Inglaterra*. São Paulo, Boitempo, 2008.

ESTANQUE, Elísio. *Classe média e lutas sociais*. Campinas, Editora da Unicamp, 2015.

FACTORY Complex. Direção: Im Heung-Soon. Coreia do Sul, 2015, 95 min.

FERNANDES, Florestan. *A revolução burguesa no Brasil*. Rio de Janeiro, Zahar, 1975.

FILGUEIRAS, Vitor Araújo. *Estado e direito do trabalho no Brasil*: regulação do emprego entre 1988 e 2008. 2012. Tese (doutorado em Ciências Sociais) – Faculdade de Filosofia e Ciências Humanas, Universidade Federal da Bahia.

_____. Terceirização e trabalho análogo ao escravo: coincidência? *Repórter Brasil*, 24 jun. 2014. Disponível em: <http://reporterbrasil.org.br/2014/06/terceirizacao-e-trabalho-analogo-ao-escravo-coincidencia/>; acesso em: 22 abr. 2018.

FISHER, Eran; FUCHS, Christian (orgs.). *Reconsidering Value and Labour in the Digital Age.* Hampshire, Palgrave Macmillan, 2015.

FORÇA SINDICAL. *Um projeto para o Brasil*: a proposta da Força Sindical. São Paulo, Geração Editorial, 1993.

_____. *História da Força.* Disponível em: <www.fsindical.org.br>; acesso em: 23 jul. 2015.

FRANCO, Tânia; DRUCK, Graça. *O trabalho contemporâneo no Brasil*: terceirização e precarização. Seminário Fundacentro, mimeo, 2009.

FREDERICO, Celso. *A vanguarda operária.* São Paulo, Símbolos, 1979.

_____. *Crise do socialismo e movimento operário.* São Paulo, Cortez, 1994.

FREUD, Sigmund. O mal-estar na civilização. In: _____. *Obras psicológicas completas de Sigmund Freud*: edição standard brasileira. Rio de Janeiro, Imago, 1996. p. 73-148.

FUNDAÇÃO COGE (COMITÊ DE GESTÃO EMPRESARIAL). *Relatório de Estatísticas de Acidentes de Trabalho no Setor Elétrico Brasileiro.* 2013. Disponível em: <http://www.relatorio.funcoge.com.br/>; acesso em: 1 jun. 2015.

GALVÃO, Andréia. *Participação e fragmentação:* a prática sindical dos metalúrgicos do ABC nos anos 90. 1996. Dissertação (mestrado em Ciência Política) – Departamento de Ciência Política, Instituto de Filosofia e Ciências Humanas, Universidade Estadual de Campinas, Campinas.

_____. A CUT na encruzilhada: impactos do neoliberalismo sobre o movimento sindical combativo. In: *Ideias – Revista do Instituto de Filosofia e Ciências Humanas – Unicamp.* Campinas, n. 9, 2002, p. 105-154.

_____. *Neoliberalismo e reforma trabalhista no Brasil.* São Paulo, Revan/Fapesp, 2007.

_____. *A atuação política do sindicalismo brasileiro*: dificuldades e contradições frente aos governos petistas. Trabalho apresentado no XIV Encontro Nacional da Abet, Campinas, 2015.

GAULEJAC, Vincent de. *Gestão como doença social*: ideologia, poder gerencialista e fragmentação social. Aparecida, Ideias e Letras, 2007.

GIANNOTTI, Vito; LOPES NETO, Sebastião. *CUT ontem e hoje:* o que mudou das origens ao IV Concut. São Paulo, Vozes, 1991.

GIBSON, Dot. *The Sacked Liverpool Dockers Fight for Reinstatement.* Liverpool, 26 nov. 1997.

GIDDENS, Anthony. *The Third Way*: the Renewal of Social Democracy. Londres, Polity, 1998.

_____. A terceira via em cinco dimensões. *Folha de S.Paulo*, 21 fev. 1999.

GORZ, André. *Adeus ao proletariado.* Rio de Janeiro, Forense Universitária, 1982.

_____. *Metamorfoses do trabalho.* São Paulo, Annablume, 2003.

_____. Entrevista. In: *Revista IHU.* ano 5, edição especial, 2005.

_____. *O imaterial.* São Paulo, Annablume, 2005.

GOUNET, Thomas. *Fordismo e toyotismo na civilização do automóvel.* São Paulo, Boitempo, 1999.

GRAMSCI, Antônio. *Maquiavel, a política e o Estado moderno.* Rio de Janeiro, Civilização Brasileira, 1989.

_____. *Escritos políticos*, v. 1. Rio de Janeiro, Civilização Brasileira, 2004.

GRAY, Anne. New Labour: New Labour Discipline. In: *Capital & Class*. Londres, n. 65, Summer, 1998.

GUANAIS, Juliana. Quanto mais se corta, mais se ganha. In: ANTUNES, Ricardo (org.). *Riqueza e miséria do trabalho no Brasil*, v. 2. São Paulo: Boitempo, 2013. p. 305-24.

HABERMAS, Jürgen. *Técnica e ciência como "ideologia"*. São Paulo, Abril, 1975.

_____. The New Obscurity. In: HABERMAS, Jürgen. *The New Conservatism*: Cultural Criticism and the Historians' Debate. Cambridge, Polity, 1989.

_____. *The Theory of Communicative Action*, v. 1: *Reason and the Rationalization of Society*. Londres, Polity, 1991.

_____. *The Theory of Communicative Action*, v. 2: *The Critique of Functionalist Reason*. Londres: Polity, 1992.

HARVEY, David. *A condição pós-moderna*. São Paulo, Loyola, 1992.

HUMPHREY, John. *Fazendo o milagre*. Petrópolis, Vozes/Cebrap, 1982.

HUWS, Ursula. *The Making of a Cybertariat*: Virtual Work in a Real World. Londres, Merlin, 2003.

_____. *Labor in the Global Digital Economy*: the Cybertariat Comes of Age. Londres, Merlin, 2014.

IASI, Mauro Luis. *As metamorfoses da consciência de classe*: o PT entre a negação e o consentimento. São Paulo, Expressão Popular, 2011.

ICHIYO, Muto. *Toyotismo*: lucha de classes e innovación tecnológica en Japón. Buenos Aires, Antídoto, 1995.

KAMATA, Satoshi. *Japan in the Passing Lane*: an Insider's Account of Life in a Japanese Auto Factory. Nova York, Pantheon, 1982.

KELLY, John. Union Militancy and Social Partnership. In: ACKERS, Peter et al. *The New Workplace and Trade Unionism*. Londres, Routledge, 1996. p. 77-82.

KREIN, José Dari. *As relações de trabalho na era do neoliberalismo no Brasil*. São Paulo: LTr, 2013. Debates Contemporâneos, v. 8.

KREIN, José Dari; BIAVASCHI, Magda de Barros. Brasil: os movimentos contraditórios da regulação do trabalho dos anos 2000. In: *Cuadernos del Cendes*, ano 32, n. 89, mai./ago. 2015, p. 47-82. Disponível em: <http://190.169.94.12/ojs/index.php/rev_cc/article/view/9895/9706>; acesso em: 20 jul. 2016.

KURZ, Robert. *O colapso da modernização*. Rio de Janeiro, Paz e Terra, 1992.

_____. *Os últimos combates*. Rio de Janeiro, Vozes, 1997.

LIMA, Jacob Carlos. Novas formas, velhos conteúdos: diversidade produtiva e emprego precário na indústria do vestuário. In: *Revista Política e Trabalho*. n. 15, 1999, p. 121-139.

_____. *As artimanhas da flexibilização*: o trabalho terceirizado em cooperativas de produção. São Paulo, Terceira Margem, 2002.

LINHART, Danièle. O indivíduo no centro da modernização das empresas: um reconhecimento esperado, mas perigoso. In: *Trabalho & Educação*. Belo Horizonte, n. 7, jul.-dez. 2000, p. 24-36.

_____. *A desmedida do capital*. São Paulo, Boitempo, 2007.

_____. *La comédie humaine du travail*. Toulouse, Editions Érès, 2015.

LOJKINE, Jean. De la révolution industrielle à la révolution informationnelle. In: BIDET, Jacques; TEXIER, Jacques. *La crise du travail*: actuel Marx confrontation. Paris, Presses Universitaries de France, 1995.

_____. *A revolução informacional*. São Paulo, Cortez, 1995.

LÖWY, Michael. *O que é ecossocialismo?* São Paulo, Cortez, 2014.

LUKÁCS, György. *História e consciência de classe*. Porto, Elfos, 1989.

_____. *Para uma ontologia do ser social*, v. 1. São Paulo: Boitempo, 2012.

_____. *Para uma ontologia do ser social*, v. 2. São Paulo: Boitempo, 2013.

MACHINES. Direção: Rahul Jain. Índia/Alemanha/Finlândia, 2016, 75 min.

MANDEL, Ernest. Marx, La crise actuelle et l'avenir du travail humain. In: *Quatrième Internationale*. Paris, n. 2, 1986.

MANIFESTO pela mudança na política econômica e contra o ajuste. 2015. Disponível em: <http://bancariosjundiai.com.br/manifesto-pela-mudanca-na-politica-economica-e-contra-o-ajuste/>; acesso em: 26 dez. 2017.

MANN, Thomas. *Confissões do impostor Felix Krull*. Rio de Janeiro, Nova Fronteira, 2000.

MARCELINO, Paula. *Trabalhadores terceirizados e luta sindical*. Curitiba, Appris, 2013.

MARX, Karl. *O capital*: livro I – Capítulo VI (inédito). São Paulo, Ciências Humanas, 1978.

_____. Extractos de lectura: James Mill. In: *Manuscritos de Paris y Anuarios Franco-Alemanes 1844*. Barcelona, Grijalbo, 1978. Obras de Marx y Engels (OME) 5.

_____. *Manuscritos econômico-filosóficos*. São Paulo, Boitempo, 2004.

_____. *Crítica da filosofia do direito de Hegel*. São Paulo, Boitempo, 2005.

_____. *O 18 de brumário de Luís Bonaparte*. São Paulo, Boitempo, 2011.

_____. *A guerra civil na França*. São Paulo, Boitempo, 2011.

_____. *Grundrisse*: manuscritos econômicos de 1857-1858 – esboços da crítica da economia política. São Paulo, Boitempo, 2011.

_____. *O capital*: crítica da economia política, Livro I: *O processo de produção do capital*. São Paulo: Boitempo, 2013.

_____. *O capital*: crítica da economia política, Livro II: *O processo de circulação do capital*. São Paulo: Boitempo, 2014.

_____. *O capital*: crítica da economia política, Livro III: *O processo global de produção capitalista*. São Paulo: Boitempo, 2017.

MARX, Karl; ENGELS, Friedrich. *A ideologia alemã*. São Paulo, Boitempo, 2007.

McILROY, John. *Trade Unions in Britain Today (Politics Today)*. Manchester, Manchester University Press, 1995.

_____. *Trade Unions in Retreat*: Britain Since 1979. Manchester, International Centre for Labour Studies, 1996.

_____. *The Enduring Alliance?* Trade Unions and the Making of New Labour, 1994-1997. Manchester, International Centre for Labour Studies, 1997.

MÉDA, Dominique. *Società senza lavoro*: per una nuova filosofia dell'occupazione. Milão, Feltrinelli, 1997.

MELVILLE, Herman. *O vigarista*: seus truques. São Paulo, Editora 34, 1992.

MÉSZÁROS, István. *Para além do capital*: rumo a uma teoria da transição. São Paulo, Boitempo, 2002.

_____. *O poder da ideologia*. São Paulo, Boitempo, 2004.

_____. *O desafio e o fardo do tempo histórico*: o socialismo do século XXI. São Paulo, Boitempo, 2007.

_____. *A teoria da alienação em Marx*. São Paulo, Boitempo, 2016.

MOREIRA, Fabrício Santos. *Sindicalistas gestores*: fundos de pensão e transformismo no sindicalismo bancário. 2015. Dissertação (mestrado em Ciências Sociais) – Faculdade de Filosofia e Ciências Humanas, Universidade Federal da Bahia, Salvador.

MUSTO, Marcello (org.). *Trabalhadores, uni-vos*: antologia política da I Internacional. São Paulo, Boitempo, 2014.

NAVARRO, Vera; NELI, Marcos Acácio. Reestruturação produtiva e saúde do trabalhador na agroindústria avícola do Brasil. In: ANTUNES, Ricardo (org.). *Riqueza e miséria do trabalho no Brasil*, v. 2. São Paulo, Boitempo, 2013.

NGAI, Pun; CHAN, Jenny. The Advent of Capital Expansion in China: a Case Study of Foxconn Production and the Impacts on its Workers. 2012. Disponível em: <http://rdln.files.wordpress.com/2012/01/pun-ngai_chan-jenny_on-foxconn.pdf>; acesso em: 20 ago. 2014.

NGAI, Pun; CHAN, Chris King-Chi.; CHAN, Jenny. The Role of the State, Labour Policy and Migrant Workers' Struggles in Globalized China. In: *Global Labour Journal*. v. 1, n. 1, 2010, p. 132-51. Disponível em: <http://sacom.hk/wp-content/uploads/2013/07/2010GlobalLaborJournal-PN.CC.JC_.pdf>; acesso em: 26 dez. 2017.

NGAI, Pun; CHAN, Jenny; SELDEN, Mark. The Politics of Global Production: Apple, Foxconn and China's New Working Class. In: *The Asia Pacific Journal: Japan Focus*, ed. 32, v. 11, n. 2, ago. 2013. Disponível em: <http://www.japanfocus.org/-Jenny-Chan/3981>; acesso em: 20 ago. 2014.

NOGUEIRA, Arnaldo. *A modernização conservadora do sindicalismo brasileiro*. São Paulo, Educ/Fapesp, 1998.

NOGUEIRA, Claudia Mazzei. A feminização do trabalho no mundo do telemarketing. In: ANTUNES, Ricardo (org.). *Riqueza e miséria do trabalho no Brasil*, v. 1. São Paulo: Boitempo, 2006.

_____. *O trabalho duplicado*. São Paulo, Expressão Popular, 2011.

NOGUEIRA, João Carlos. A discriminação racial no trabalho sob a perspectiva sindical. In: MUNANGA, Kabengele (org.). *Estratégias e políticas de combate à discriminação*. São Paulo, Edusp/Estação Liberdade, 1996. p. 211-221.

OFFE, Claus. Trabalho como categoria sociológica fundamental? In: *Trabalho & Sociedade*, v. 1: *A crise*. Rio de Janeiro, Tempo Brasileiro, 1989.

OHNO, Taiichi. *O sistema Toyota de produção*: além da produção em larga escala. Porto Alegre, Bookman, 1997.

OLIVEIRA, Francisco de. *Crítica à razão dualista/O ornitorrinco*. São Paulo, Boitempo, 2003.

A CLASSE OPERÁRIA VAI AO PARAÍSO. Direção: Elio Petri. Itália, 1971, 110 min.

PETROBRAS. *Relatório de Sustentabilidade 2012*. Disponível em: <http://www.investidorpetrobras.com.br/pt/governanca/relatorio-de-sustentabilidade/relatorio-de-sustentabilidade-2012.htm>; acesso em: 16 jun. 2015.

PINA, José Augusto; STOTZ, Eduardo Navarro. Participação nos lucros ou resultados e banco de horas: intensidade do trabalho e desgaste operário. In: *Revista Brasileira de Saúde Ocupacional*. São Paulo, v. 36, n. 123, 2011, p. 162-176.

PINASSI, Maria Orlanda. *Da miséria ideológica à crise do capital*: uma reconciliação histórica. São Paulo, Boitempo, 2009.

POCHMANN, Marcio. Apresentação: Instituto de Pesquisa Econômica Aplicada. In: CASTRO, Jorge Abrahão de; MODESTO, Lúcia (orgs.). *Bolsa Família 2003-2010*: avanços e desafios, v. 1. Brasília, Ipea, 2010. p. 8-10.

_____. *Nova classe média?* O trabalho na base da pirâmide social brasileira. São Paulo, Boitempo, 2012.

PRADELLA, Lucia; MAROIS, Thomas (orgs.). *Polarizing Development*: Alternatives to Neoliberalism and the Crisis. Londres, Pluto, 2015.

PRADO, Eleutério. *Desmedida do valor*: crítica da pós-grande indústria. São Paulo, Expressão Popular, 2005.

PRADO JR., Caio. *A revolução brasileira*. São Paulo, Brasiliense, 1966.

PRAUN, Luci. *A teia do capital*: reestruturação produtiva e "gestão da vida" na Volkswagen do Brasil – planta Anchieta. Dissertação (mestrado em sociologia), Instituto de Filosofia e Ciências Humanas, Unicamp, Campinas, 2005.

_____. Reestruturação negociada na Volkswagen: São Bernardo do Campo. In: ANTUNES, Ricardo (org.). *Riqueza e miséria do trabalho no Brasil*. São Paulo, Boitempo, 2006. v. 1.

_____. Sindicalismo metalúrgico no ABC Paulista: da contestação à parceria. In: TRÓPIA, Patrícia Vieira; SOUZA, Davisson Cangussu (orgs.). *Sindicatos metalúrgicos no Brasil contemporâneo*. Belo Horizonte, Fino Traço, 2012.

_____. *Não sois máquina!* Reestruturação produtiva e adoecimento na General Motors do Brasil. Tese (doutorado em Sociologia) – Instituto de Filosofia e Ciências Humanas, Unicamp, Campinas, 2014.

_____. *Reestruturação produtiva, saúde e degradação do trabalho*. Campinas, Papel Social, 2016.

RAMALHO, José Ricardo; MARTINS, Heloisa (orgs.). *Terceirização*: diversidade e negociação no mundo do trabalho. São Paulo, Hucitec, 1994.

RAMIRES, R. *Empresas respondem a centenas de processos contra terceirização*. Disponível em: <http://www.aasp.org.br>; acesso em: 20 out. 2010.

RANIERI, Jesus. *A câmara escura:* alienação e estranhamento em Marx. São Paulo, Boitempo, 2001.

RODRIGUES, Iram Jácome. *Sindicalismo e política*: a trajetória da CUT. São Paulo, Scritta, 1997.

RODRIGUES, Leôncio Martins. *CUT*: os militantes e a ideologia. Rio de Janeiro, Paz e Terra, 1990.

RODRIGUES, Leôncio Martins; CARDOSO, Adalberto Moreira. *Força Sindical*: uma análise sociopolítica. Rio de Janeiro, Paz e Terra, 1993.

RONCATO, Mariana Shinohara. *Dekassegui, cyber-refugiado e working poor*: o trabalho imigrante e o lugar do outro na sociedade de classes. Dissertação (mestrado em Sociologia) – Instituto de Filosofia e Ciências Humanas, Unicamp, Campinas, 2013.

SAES, Décio Azevedo Marques de. Cidadania e capitalismo: uma crítica à concepção liberal de cidadania. In: *Crítica Marxista*, São Paulo, n. 16, 2003, p. 9-38.

SAMPAIO, Jr., Plinio de Arruda (org.). *Jornadas de junho*: a revolta popular em debate. São Paulo, Instituto Caio Prado/ICP, 2014.

SANCHES, Ana Tercia. Terceirização e ação sindical no setor financeiro. In: *Anais do Encontro Nacional da Abet*. Campinas, 2009.

SANTANA, Marco Aurélio. Entre a ruptura e a continuidade: visões da história do movimento sindical brasileiro. In: *Revista Brasileira de Ciências Sociais*. São Paulo, v. 14, n. 41, 1999. Disponível em: <http://www.scielo.br/scielo.php?script=sci_arttext&pid=S0102-69091999000300007>; acesso em: 26 dez. 2017.

_____. *Homens partidos*: comunistas e sindicatos no Brasil. São Paulo/Rio de Janeiro, Unirio/Boitempo, 2001.

SANTANA, Marco Aurélio; ANTUNES, Ricardo. O PCB, os trabalhadores e o sindicalismo na história recente do Brasil. In: RIDENTI, Marcelo; AARÃO REIS, Daniel (orgs.). *História do marxismo no Brasil*, v. 6: *Partidos e movimentos após os anos 1960*. Campinas, Editora da Unicamp, 2007.

SANTOS, Vinicius Oliveira. *Trabalho imaterial e teoria do valor em Marx*: semelhanças ocultas e nexos necessários. São Paulo, Expressão Popular, 2013.

SATO, Leny. Saúde e controle no trabalho: feições de um antigo problema. In: JACQUES, Maria da Graça; CODO, Wanderley (orgs.). *Saúde mental e trabalho*: leituras. Petrópolis, Vozes, 2003. p. 31-49.

SAYER, Andrew. New Developments in Manufacturing: the Just-in-time System. In: *Capital & Class*. Londres, n. 30, 1986.

SEGNINI, Liliana. Acordes dissonantes: assalariamento e relações de gênero em orquestras. In: ANTUNES, Ricardo (org.). *Riqueza e miséria do trabalho no Brasil*, v. 3. São Paulo, Boitempo, 2014.

SELIGMANN-SILVA, Edith. *Desgaste mental no trabalho dominado*. São Paulo, Cortez, 1994.

_____. Psicopatologia no trabalho: aspectos contemporâneos. In: *Anais do Congresso Internacional sobre Saúde Mental no Trabalho*. Goiânia, CIR, 2007. p. 64-98.

_____. *Trabalho e desgaste mental*: o direito de ser dono de si mesmo. São Paulo, Cortez, 2011.

SHIMIZU, Koichi. Kaizen et gestion du travail: chez Toyota motor et Toyota motor kyushu-un problème dans la trajectorie de Toyota. In: *Actes du Gerpisa: réseau internationale*. Paris, jun. 1994. Disponível em: <http://gerpisa.org/ancien-gerpisa/actes/13/13-2.pdf>; acesso em: 26 dez. 2017.

SILVA, Jair Batista da. *Racismo e sindicalismo*: reconhecimento, redistribuição e ação política das centrais sindicais acerca do racismo no Brasil (1983-2002). 2008. Tese (doutorado em Ciências Sociais) – Instituto de Filosofia e Ciências Humanas, Unicamp, Campinas.

_____. *A perversão da experiência no trabalho*. Salvador, Edufba, 2009.

_____. Ação sindical, racismo e cidadania no Brasil. In: ANTUNES, Ricardo (org.). *Riqueza e miséria do trabalho no Brasil*. São Paulo, Boitempo, 2013. v. 2, p. 383-402.

SILVA, Luiz Inácio Lula da. *Carta ao povo brasileiro*. Disponível em: <https://fpabramo.org.br/2006/05/10/carta-ao-povo-brasileiro-por-luiz-inacio-lula-da-silva/>; acesso em: 20 jul. 2016.

SILVA, Maria Aparecida de Moraes. Trabalhadores rurais: a negação dos direitos. In: *Revista Raízes*. Campina Grande, v. 27, n. 1, jan./jun., 2008. Disponível em: <http://revistas.ufcg.edu.br/raizes/artigos/Artigo_200.pdf>; acesso em: 11 abr. 2018.

SINDICATO DOS METALÚRGICOS DE SÃO BERNARDO DO CAMPO E DIADEMA. *Reestruturação do complexo automotivo brasileiro*: as propostas dos trabalhadores na câmara setorial. São Bernardo do Campo, 1992.

SINDICATO DOS METALÚRGICOS DO ABC. *Os trabalhadores e a terceirização*: diagnóstico e propostas dos metalúrgicos do ABC. São Bernardo do Campo, FG, fev. 1993.

_____. *ACE: Acordo Coletivo Especial*. set., 2011. Disponível em: <http://www.smabc.org.br/Interag/temp_img/%7B016A7A92-EDB2-48D8-8734-F9C3617D2E1A%7D_cartilha_ace_v4_nova.pdf>; acesso em: 20 jul. 2016.

SINDICATO DOS METALÚRGICOS DO ABC; SUBSEÇÃO DIEESE. *Flexibilização da produção e das relações de trabalho no setor automotivo*. São Bernardo do Campo, out. 1999.

SOARES, José de Lima. *O PT e a CUT nos anos 90*: encontros e desencontros de duas trajetórias. Brasília, Fortium, 2005.

SOARES, Sergei; SÁTYRO, Natália. O programa Bolsa Família: desenho institucional e possibilidades futuras. In: CASTRO, Jorge Abrahão de; MODESTO, Lúcia (orgs.). *Bolsa Família 2003-2010:* avanços e desafios, v. 1. Brasília, Ipea, 2010. p. 27-55.

SORIA E SILVA, Sidartha. *Intersecção de classes*: fundos de pensão e sindicalismo no Brasil. Tese (doutorado em Sociologia) – Instituto de Filosofia e Ciências Humanas, Unicamp, Campinas, 2011.

SOUTO MAIOR, Jorge Luiz. *Velhas e novas ameaças do neoliberalismo aos direitos trabalhistas*. 15 dez. 2014. Disponível em: <https://blogdaboitempo.com.br/2014/12/19/velhas-e-novas-ameacas-do-neoliberalismo-aos-direitos-dos-trabalhadores/>; acesso em: 2 maio 2018.

SOUZA, Aparecida N. Professores, modernização e precarização. In: ANTUNES, Ricardo (org.). *Riqueza e miséria do trabalho no Brasil*, v. 2. São Paulo, Boitempo, 2013.

SOUZA, Elaine Silva de. *A "maquiagem" do trabalho formal*: um estudo do trabalho das mulheres terceirizadas no setor de limpeza na Universidade Federal da Bahia. 2012. Dissertação (mestrado em Ciências Sociais) – Faculdade de Filosofia e Ciências Humanas, Universidade Federal da Bahia, Salvador.

SOUZA, José dos Santos. *Trabalho, educação e sindicalismo no Brasil*: anos 90. Campinas, Autores Associados, 2002.

_____. *Trabalho, qualificação e ação sindical no Brasil no limiar do século XXI*: disputa de hegemonia ou consentimento ativo? 2005. Tese (doutorado em Sociologia) – Instituto de Filosofia e Ciências Humanas, Unicamp, Campinas.

STANDING, Guy. *The Precariat*: the New Dangerous Class. Nova York, Bloomsbury, 2011.

_____. The Precariat, Class and Progressive Politics: a Response. In: PARET, Marcel (org.). *Global Labour Journal: Special Issue: Politics of Precarity: Critical Engagements With Guy Standing*, v. 7, n. 2, maio 2016. Disponível em: <https://mulpress.mcmaster.ca/globallabour/article/view/2940/2600>; acesso em: 26 dez. 2017.

STOLOWICZ, Beatriz. *El misterio del posneoliberalismo*, v. 2: *La estrategia para América Latina,*. Bogotá, ILSA/Espacio Crítico Ediciones, 2016.

TAYLOR, Frederick W. *Princípios da administração científica*. São Paulo, Atlas, 1990.

TEMPOS MODERNOS. Direção: Charles Chaplin. Estados Unidos, 1936, 87 min.

TERTULIAN, Nicolas. Le concept d'aliénation chez Heidegger et Lukács. In: *Archives de Philosophie- Reserches et Documentation*. Paris, n. 56, jul.-set. 1993.

THOMAZ JR., Antonio. "Territórios em disputa e a dinâmica geográfica do trabalho no século XXI". In: *Revista Pegada Eletrônica*, v. 14, n. 2 (especial), 2014, p. 1-24. Disponível em: <http://revista.fct.unesp.br/index.php/pegada/article/view/2884>; acesso em: 15 jan. 2018.

TOSEL, André. Centralité et non-centralité du travail ou la passion des hommes superflus. In: BIDET, Jacques; TEXIER, Jacques. *La crise du travail*: actuel Marx confrontation. Paris, Presses Universitaries de France, 1995.

TRÓPIA, Patrícia Vieira. A adesão da Força Sindical ao neoliberalismo. In: *Ideias – Revista do Instituto de Filosofia e Ciências Humanas – Unicamp*. Campinas, n. 9, 2002, p. 155-202.

VAN DER LINDEN, Marcel. *Trabalhadores do mundo*: ensaios para uma história global do trabalho. Campinas, Editora da Unicamp, 2013.

VARELA, Raquel (coord.), *A Segurança Social é sustentável*: trabalho, Estado e Segurança Social em Portugal. Lisboa, Bertrand, 2013.

VASAPOLLO, Luciano. *O trabalho atípico e a precariedade*. São Paulo, Expressão Popular, 2005.

VIANNA, Luiz Werneck. *Liberalismo e sindicato no Brasil*. Rio de Janeiro, Paz e Terra, 1976.

VILLEN, Patrícia Meirelles. Imigração na modernização dependente: "braços civilizatórios" e a atual configuração polarizada. 2015. Tese (doutorado em Sociologia) – Instituto de Filosofia e Ciências Humanas, Unicamp, Campinas.

VINCENT, Jean-Marie. Les automatismes sociaux et le "général intellect". *Futur Antérieur*. Paris, n. 16, 1993, p. 121-30.

_____. Flexibilité du travail et plasticité humaine. In: BIDET, Jacques; TEXIER, Jacques. *La crise du travail*: actuel Marx confrontation. Paris, Presses Universitaries de France, 1995.

WHAT We Have Made. Direção: Fanny Tondre. França, 2016, 71 min.

YANG, Yuan. "Apple's iPhone X assembled by illegal student labour", *Financial Times*, 21 nov. 2017. Disponível em: <https://www.ft.com/content/7cb56786-cda1-11e7-b781-794ce08b24dc>; acesso em 11 abr. 2018.

Sites consultados

Central Única dos Trabalhadores (CUT): www.cut.org.br

Departamento Intersindical de Estatística e Estudos Socioeconômicos: www.dieese.org.br

Força Sindical: www.fsindical.org.br

Tribunal Regional do Trabalho da Região: www.trt5.jus.br

Esta segunda edição de *O privilégio da servidão* foi publicada em fevereiro de 2020, três meses após a promulgação da Emenda Constitucional que institui a nova Previdência Social, mais um duro golpe do governo Bolsonaro contra os trabalhadores, que, além de perderem sucessivamente direitos trabalhistas com a flexibilização da CLT, estão cada vez mais distantes do benefício da aposentadoria. Foi composta em BookmanITC 9,8/12,2 e reimpressa em papel Pólen Natural 70 g/m² na gráfica Rettec, para a Boitempo, em fevereiro de 2025, com tiragem de 1.500 exemplares.